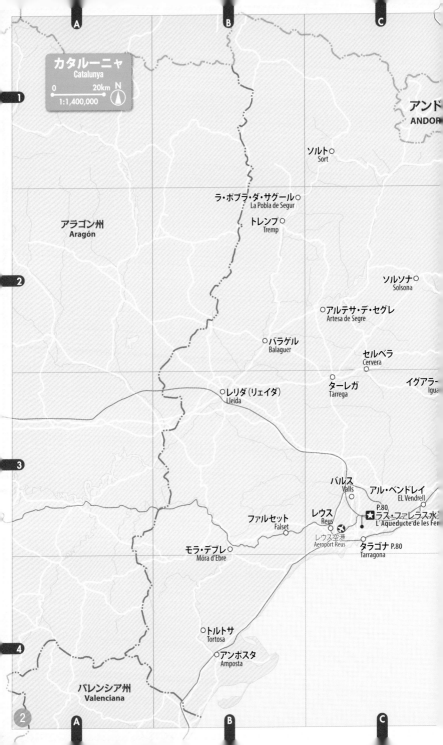

カタルーニャ
Catalunya

0　　　　20km
1:1,400,000
N

アンド
ANDOR

1

ソルト○
Sort

ラ・ポブラ・ダ・サグール○
La Pobla de Segur

アラゴン州
Aragón

トレンプ○
Tremp

2

ソルソナ○
Solsona

○アルテサ・デ・セグレ
Artesa de Segre

○バラゲル
Balaguer

セルベラ
Cervera

○レリダ（リェイダ）
Lleida

○
ターレガ
Tàrrega

イグアラ─
Igua

3

バルス
Valls
○

アル・ベンドレイ
EL Vendrell

P.80

ファルセット○
Falset

レウス
Reus
○

★ラス・ファレラス水
L'Aqüeducte de les Fer

レウス空港
Aeroport Reus

モラ・デブレ○
Móra d'Ebre

タラゴナ P.80
Tarragona

○トルトサ
Tortosa

○アンポスタ
Amposta

4

バレンシア州
Valenciana

**D** **E** **F**

**1**

フランス
FRANCE

○プッチサルダー
Puigcerdà

□血 ダリの家美術館 P.51
Casa-Museu Salvador Dalí

P.50 ダリ劇場美術館 □血
Teatro-Museo Dalí

○カダケス
Cadaqués

○フィゲラス
Figueres

ルガ
Berga

スペイン
SPAIN

○オロット
Olot

カタルーニャ州
Catalunya

血 ガラ・ダリ城美術館 P.51
Castell Gala Salvador Dalí de Púbol

○ビック
Vic

P.82 ○ジローナ
Girona

○プボル
Púbol

**2**

レドナ
iona

ジローナ空港 ✈
Aeroport de Girona

マンレザ
Manresa
○

モンセラット P.77
Montserrat

グラノエルス
Granollers

○サン・ポルダ・マル
Sant Pol de Mar

テラーサ
Terrassa

サバデイ
Sabadell

○マタロ
Mataró

★ フレシネ P.70
Freixenet

★ コドルニウ P.68
Codorniu

バルセロナ
Barcelona

バレアレス海
*Balearic Sea*

ロニア・グエル ○
Colònia Güell

✈ エル・プラット空港 P.164
Aeroport Josep Tarradellas Barcelona-El Prat

**3**

シッチェス
Sitges
P.85

★ ボデガス・グエル P.36
Bodegas Güell

フランス

○ビルバオ

○バルセロナ

スペイン

カタルーニャ 上図

ポルトガル

マドリード ○

★ P.86 マヨルカ島
Isla de Mallorca

バレンシア ○

★ イビサ島 P.90
Isla de Ibiza

リスボン ○

セビーリャ ○

地中海

北大西洋

○マラガ

アルジェリア

**4**

**D** **E** **F**

**3**

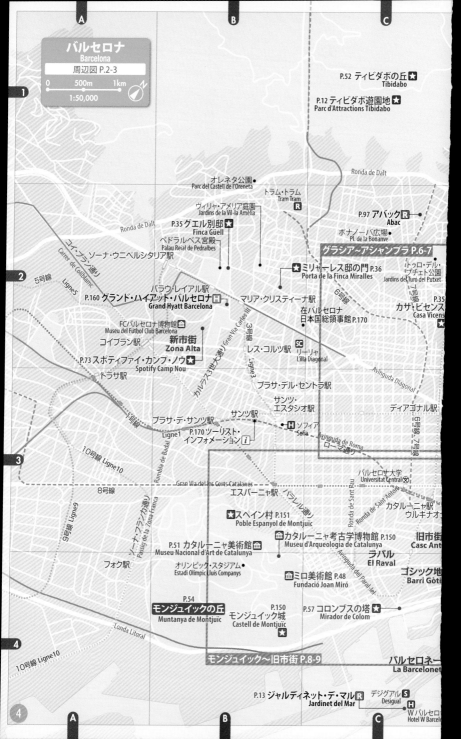

## バルセロナ
Barcelona

周辺図 P.2-3

0　500m　1km
1:50,000

P.52 ティビダボの丘 ★
Tibidabo

P.12 ティビダボ遊園地 ★
Parc d'Attractions Tibidabo

Ronda de Dalt

オレネタ公園 ●
Parc del Castell de l'Oreneta

トラム・トラム R
Tram Tram

ヴィリャ・アメリア庭園
Jardins de la Vil-la Amèlia

P.97 アバック R
Abac

P.35 グエル別邸 ★
Finca Güell

ペドラルベス宮殿
Palau Reial de Pedralbes

ボナノーバ広場 ●
Pl. de la Bonanova

グラシア～アシャンブラ P.6-7

トゥロ・デル・
プチェット公園
Jardins del Turo del Putxet

★ ミリャーレス邸の門 P.36
Porta de la Finca Miralles

Ronda de Dalt

5号線
Lignie5

コイ・ブラン通り
Carrer de Collblanc

パラウ・レイアル駅

P.160 グランド・ハイアット・バルセロナ ★
Grand Hyatt Barcelona

マリア・クリスティーナ駅

在バルセロナ
日本国総領事館 P.170

P.35
カサ・ビセンス
Casa Vicens
★

FCバルセロナ博物館 ★
Museu del Fútbol Club Barcelona

コイブラン駅

新市街
Zona Alta

レス・コルツ駅

L'illa Diagonal
SC
リーリャ

Avinguda Diagonal

P.73 スポティファイ・カンプ・ノウ ★
Spotify Camp Nou

トラサ駅

プラサ・デル・セントラ駅

ディアゴナル駅

プラサ・デ・サンツ駅

サンツ駅

サンツ・
エスタシオ駅

P.170 ツーリスト・
インフォメーション i

ソフィア H
Sofia

Avinguda de Roma
ローマ通り

Ligne1

Rambla de Badal

10号線 Ligne10

8号線

バルセロナ大学
Universitat Central ⊗

Gran Via de les Corts Catalanes

エスパーニャ駅

Ronda de Sant Pau

カタルーニャ駅
ウルキナオ

9号線 Ligne9

ソーナ・フランカ通り
Passeig de la Zona Franca

★ スペイン村 P.151
Poble Espanyol de Montjuïc

カタルーニャ考古学博物館 P.150
Museu d'Arqueologia de Catalunya

旧市街
Casc Ant

ラバル
El Raval

フォク駅

P.51 カタルーニャ美術館 ★
Museu Nacional d'Art de Catalunya

オリンピック・スタジアム
Estadi Olímpic Lluís Companys

ミロ美術館 P.48
Fundació Joan Miró

ゴシック地
Barri Gòti

P.54
モンジュイックの丘
Muntanya de Montjuïc

P.150
モンジュイック城
Castell de Montjuïc
★

P.57 コロンブスの塔 ★
Mirador de Colom

Ronda Litoral

モンジュイック～旧市街 P.8-9

バルセロネ
La Barcelonet

P.13 ジャルディネット・デ・マル R
Jardinet del Mar

デジグアル S
Desigual

W バルセロ
Hotel W Barcelo

**D** **E** **F**

カン・クイアス駅

**1**

Ronda de Dalt

バイ・デブロン駅

Ronda de Dalt

トリニタット・ノバ駅

11号線

Ligne 3

3号線 Ligne 3

5号線 Ligne5

★グエル公園 P.29/P.30/P.55
Parc Güell

**2**

Ligne4

★ギナルド公園 P.54
Parc del Guinardo

ラシア
ràcia

マラガイ駅

4号線

•水の公園
Parc de les Aigues

Ligne9

Ligne 10

サン・パウ病院 P.40
Hospital de la Santa Creu i Sant Pau

サン・パウ・ドス・
デ・マッチ駅

9号線 10号線

ラ・サグレラ駅

Passeig de Sant Joan

サンジョアン通り

メリディアーナ大通り

ベルタゲル駅 P.12/P.23

1号線 Ligne1

アラゴ大通り

★サグラダ・ファミリア聖堂
Basílica de la Sagrada Familia

2号線 Ligne2

Ronda Litoral

**3**

アシャンプラ
L'Eixample

グロリエス駅

サン・マルティー
Sant Marti

2号線 Ligne2
グラン・ビア・デ・レス・
コルツ・カタラナス大通り

Gran Via de les Corts Catalanes

ペラ通り
Ronda de Sant Pere

ペラ4世通り

ン地区
Born

4号線 Ligne4

•シウタデリア公園
Parc de la Ciutadella

ンサ駅

★バルセロナ動物園 P.143
Zoo Barcelona

P.149
タルーニャ歴史博物館
Museu d'Historia de Catalunya

★フォーラム・ビル P.42
Edifici Fòrum

**4**

バルセロナ市街東部 P.10-11

**D** **E** **F**

**5**

A B C

1

エル・プチェット駅
El Putxet

● トゥロ・デル・プチェット公園
Jardins del Turó del Putxet

★ サンタ・テレサ学院 P.36
Col.legi de les Teresianes

レス・トレス・
トーレス駅
Les Tres Torres

Ronda del General Mitre

6号線

Via Augusta

Carrer de Ganduxer

ラ・ボナノバ駅
La Bonanova

モンテロルス公園 ●
Parc de Monterols

パドウア駅
Pàdua

Ronda del General Mitre

レセップス駅
Lesseps

3号線

2

ムンタネル駅
Muntaner

P.35 カサ・ビセンス ★
Casa Vicens

プラサ・モリーナ駅
Pl. Molina

Carrer de Calvet

Carrer d'Amigó

Carrer del Rector Ubach

サン・ジェルバシ駅
St. Gervasi

Carrer de Calaf

フォンタナ駅
Fontana

● トゥロ公園
Parc del Turó

Carrer dels Madrazo

R ビア・ベネト P.97
Via Vcneto

Carrer de Laforja

Carrer de Marià Cubí

Carrer de Sant Marc

R コルマード・ウィルモット P.95
Colmado Wilmot

グラシア駅
Gràcia

P.135 オリ・サル S
Oli Sal

ディアゴナル大通り
トラム

Carrer de l'Avenir

フランセスク・マシア
Francesc Macià

Travessera de Gràcia

R カサ・ジョルディ P.99
Casa Jordi

P.114 ライア・パピオ S
Laia Papió

R やしま
Yashima

Carrer de Comte d'Urgell

Carrer del Comte Borrell

Carrer del Rosselló

3

Carrer de Londres

Carrer de Villarroel

Carrer de Casanova

Carrer d'Aribau

Via Augusta

C. de Mozart

Carrer Gran de Gràcia

フラッシュ・フラッシュ R
Flash Flash

Ligne 3

Carrer de París

Avinguda Diagonal

6号線 7号線

3号線

Carrer de Calàbria

Carrer de Viladomat

Carrer de Còrsega

オスピタル・
クリニック駅
Hospital Clinic

大学病院
Hospital Clínic i Provincial ✚

5号線 Ligne 5

プロヴェンサ駅
Provença

ディアゴナル駅
Diagonal

Passeig de Gràcia

★ カサ・ミラ
（ラ・ペドレラ）
Casa Milà
(La Pedrera)
P.29/P.32

R ラ・タベルナ・デル・クリニック P.63
La Taverna del Clínic

R ディスフルタール P.12/P.95
Disfrutar

Carrer de Provença

4

**グラシア～アシャンプラ**
Gràcia~L'Eixample
周辺図 P.4-5

0    150    300m
1:15,000

Carrer de Mallorca

Carrer de Muntaner

Carrer de Balmes

バルメス大通り

ドクトール
レタメンディ広場
Pl. del Dr.Letamendi

P.160 コンデス・デ・バルセロナ H
Hotel Condes de Barcelona

P.160 HCCレヘンテ H
Hotel HCC Regente

グラシア通り

H マジェスティック
ホテル&スパ
Majestic
Hotel&Spa P.158

ローマ通り
Avinguda de Roma

Carrer D'Aragó

6

A B C

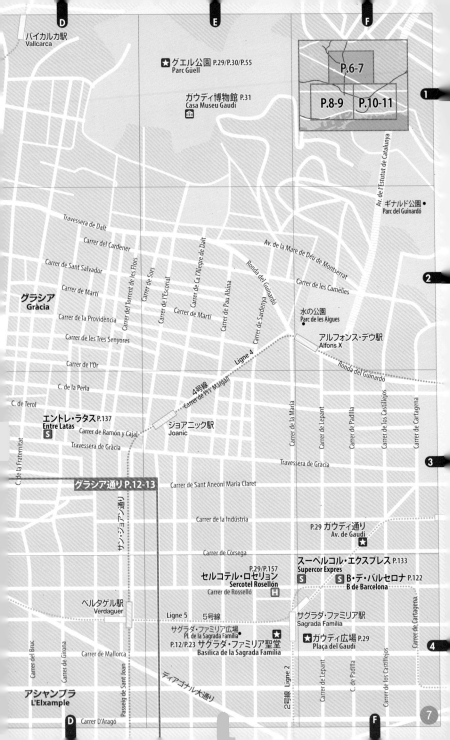

バイカルカ駅
Vallcarca

★ グエル公園 P.29/P.30/P.55
Parc Güell

ガウディ博物館 P.31
Casa Museu Gaudí

P.6-7

P.8-9　P.10-11

Av. de l'Estatut de Catalunya

Av. ギナルド公園 •
Parc del Guinardó

Travessera de Dalt

Carrer del Cardener

Carrer de Sant Salvador

グラシア
Gràcia

Carrer de Martí

Carrer de la Providència

Carrer de les Tres Senyores

Carrer de l'Or

C. de la Perla

C. de Terol

エントレ・ラタス P.137
Entre Latas
S

C. de la Fraternitat

Carrer del Torrent de les Flors

Carrer de Sors

Carrer de l'Escorial

Carrer de Ca l'Alegre de Dalt

Carrer de Martí

Carrer de Pau Alsina

Ronda del Guinardó

Av. de la Mare de Déu de Montserrat

Carrer de les Camèlies

水の公園
Parc de les Aigües

アルフォンス・デウ駅
Alfons X

Ronda del Guinardó

Ligne 4

4号線
Carrer de Pi i Margall

ジョアニック駅
Joanic

Carrer de Ramón y Cajal

Travessera de Gràcia

Carrer de Sardenya

Carrer de la Maria

Carrer de Lepant

Carrer de Padilla

Carrer de los Castillejos

Carrer de Cartagena

Travessera de Gracia

グラシア通り P.12-13

サン・ジョアン通り

Carrer de Sant Aneoni Maria Claret

Carrer de la Indústria

Carrer de Còrsega

P.29 ガウディ通り
Av. de Gaudí
★

P.29/P.157
セルコテル・ロセリョン
Sercotel Rosellón
H
Carrer de Rosselló

スーペルコル・エクスプレス P.133
Supercor Expres
S

B・デ・バルセロナ P.122
B de Barcelona

ベルタゲル駅
Verdaguer

Ligne 5　5号線

サグラダ・ファミリア駅
Sagrada Familia

Carrer de Cartagena

アシャンプラ
L'Eixample

Carrer del Bruc

Carrer de Girona

Carrer de Mallorca

Passeig de Sant Joan

サグラダ・ファミリア広場 •
PL. de la Sagrada Familia
P.12/P.23 サグラダ・ファミリア聖堂
Basílica de la Sagrada Familia

ディアゴナル大通り

2号線 Ligne 2

★ ガウディ広場 P.29
Plaça del Gaudí

Carrer de Lepant

C. de Padilla

Carrer de los Castillejos

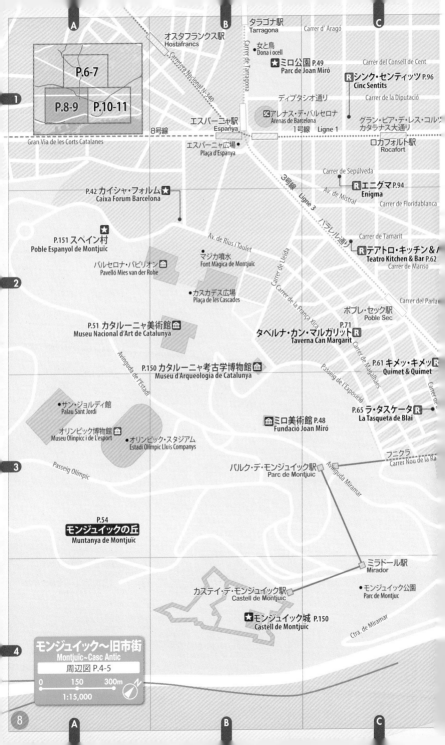

オスタフランクス駅
Hostafrancs

タラゴナ駅
Tarragona

Carrer d' Aragó

女と鳥
Dona i ocell

★ミロ公園 P.49
Parc de Joan Miró

Carrer del Consell de Cent

R シンク・センティッツ P.96
Cinc Sentits

P.6-7

P.8-9　P.10-11

ディプタシオ通り

Carrer de la Diputació

SC アレナス・デ・バルセロナ
Arenas de Barcelona
1号線　Ligne 1

エスパーニャ駅
España

8号線

Gran Via de les Corts Catalanes

エスパーニャ広場
Plaça d'Espanya

グラン・ビア・デ・レス・コルツ
カタラナス大通り

ロカフォルト駅
Rocafort

Carrer de Sepúlveda

R エニグマ P.94
Enigma

P.42 カイシャ・フォルム ★
Caixa Forum Barcelona

Av. de Mistral

Carrer de Floridablanca

★
P.151 スペイン村
Poble Espanyol de Montjuïc

Av. de Rius i Taulet

マジカ噴水
Font Magica de Montjuïc

Carrer de Tamarit

R テアトロ・キッチン＆
Teatro Kitchen & Bar P.62

Carrer de Manso

バルセロナ・パビリオン 🏛
Pavelló Mies van der Rohe

カスカデス広場
Plaça de les Cascades

Carrer del Parla

ポブレ・セック駅
Poble Sec

P.51 カタルーニャ美術館 🏛
Museu Nacional d'Art de Catalunya

タベルナ・カン・マルガリット R
Taverna Can Margarit

Carrer de Magalhães

P.71

P.61 キメッ・キメッ R
Quimet & Quimet

P.150 カタルーニャ考古学博物館 🏛
Museu d'Arqueologia de Catalunya

Passeig de l'Exposició

P.65 ラ・タスケータ R
La Tasqueta de Blai

Avinguda de l'Estadi

サン・ジョルディ館
Palau Sant Jordi

オリンピック博物館 🏛
Museu Olinpicc i de L'esport

オリンピック・スタジアム
Estadi Olímpic Lluís Companys

🏛 ミロ美術館 P.48
Fundació Joan Miró

フニクラ
Carrer Nou de la Ra

パルク・デ・モンジュイック駅
Parc de Montjuïc

Avinguda Miramar

Passeig Olímpic

ミラドール駅
Mirador

P.54
モンジュイックの丘
Muntanya de Montjuïc

モンジュイック公園
Parc de Montjuïc

カステイ・デ・モンジュイック駅
Castell de Montjuïc

★ モンジュイック城 P.150
Castell de Montjuïc

Ctra. de Miramar

**モンジュイック～旧市街**
Montjuïc~Casc Antic

周辺図 P.4-5

0　　150　　300m

1:15,000

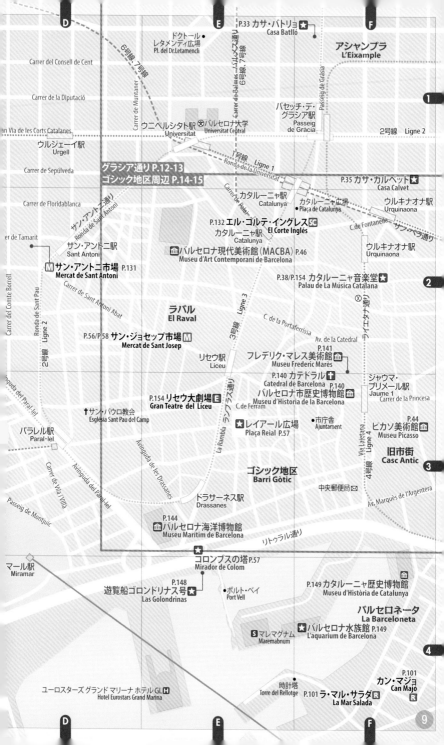

Carrer del Consell de Cent

Carrer de la Diputació

an Via de les Corts Catalanes

ウルジェーイ駅
Urgell

Carrer de Sepúlveda

Carrer de Floridablanca

er de Tamarit

サン・アントニ通り
Ronda de Sant Antoni

サン・アントニ駅
Sant Antoni

Ⓜ サン・アントニ市場 P.131
Mercat de Sant Antoni

Carrer de Sant Antoni Abat

Carrer del Comte Borrell

Ronda de Sant Pau

Ⓜ 2号線 Ligne 2

ラバル
El Raval

Carrer de Sant Pau

P.56/P.58 サン・ジョセップ市場 Ⓜ
Mercat de Sant Josep

†サン・パウロ教会
Església Sant Pau del Camp

パラレル駅
Paral·lel

Avinguda del Paral·lel

Carrer de Vila Vilà

Passeig de Montjuïc

マール駅
Miramar

ユーロスターズ グランド マリーナ ホテル GL Ⓗ
Hotel Eurostars Grand Marina

ドクトール・
レタメンディ広場
Pl. del Dr.Letamendi

6号線 7号線

Carrer de Muntaner

Carrer de Balmes バルメス通り 6号線 7号線

P.33 カサ・バトリョ ★
Casa Batlló

アシャンプラ
L'Eixample

Passeig de Gràcia

バセッチ・デ・
グラシア駅
Passeig
de Gràcia

1 Ligne 2

ウニベルシタット駅 ⊗バルセロナ大学
Universitat Universitat Central

1号線
Ronda de la Universitat

Ligne 1

グラシア通り P.12-13
ゴシック地区周辺 P.14-15

カタルーニャ駅
Catalunya

カタルーニャ広場
Plaça de Catalunya

P.35 カサ・カルベット ★
Casa Calvet

ウルキナオナ駅
Urquinaona

サン・ペラ通り

Carrer de Pelai

P.132 エル・コルテ・イングレス SC
El Corte Inglés

カタルーニャ駅
Catalunya

C. de Fontanella

ウルキナオナ駅
Urquinaona

🏛 バルセロナ現代美術館 (MACBA) P.46
Museu d'Art Contemporani de Barcelona

P.38/P.154 カタルーニャ音楽堂 ★
Palau de La Música Catalana

ライエタナ通り

Ligne 3 3号線

C. de la Portaferrissa

Av. de la Catedral

リセウ駅
Liceu

フレデリク・マレス美術館 🏛 P.141
Museu Frederic Marès

P.140 カテドラル †
Catedral de Barcelona P.140
バルセロナ市歴史博物館 🏛
Museu d'Història de la Barcelona

ジャウマ・
プリメール駅
Jaume 1

Carrer de la Princesa

P.154 リセウ大劇場 Ⓔ
Gran Teatre del Liceu

C.de Ferram

★ レイアール広場
Plaça Reial P.57

・市庁舎
Ajuntament

P.44
ピカソ美術館 🏛
Museu Picasso

La Rambla ランブラス通り

Via Laietana

Ligne 4 4号線

旧市街
Casc Antic

ゴシック地区
Barri Gòtic

中央郵便局 ✉

Avinguda de les Drassanes

ドラサーネス駅
Drassanes

Av. Marquès de l'Argentera

P.144
🏛 バルセロナ海洋博物館
Museu Marítim de Barcelona

リトゥラル通り

コロンブスの塔 P.57
Mirador de Colom

P.149 カタルーニャ歴史博物館 🏛
Museu d'Història de Catalunya

P.148
遊覧船ゴロンドリナス号 ★
Las Golondrinas

・ポルト・ベイ
Port Vell

バルセロネータ
La Barceloneta

Ⓢ マレマグナム
Maremabnum

★ バルセロナ水族館 P.149
L'aquarium de Barcelona

P.101
カン・マジョ
Can Majó

時計塔
Torre del Rellotge

P.101 ラ・マル・サラダ Ⓡ
La Mar Salada

A Carrer D'Aragó B C

アシャンプラ
L'Eixample

4号線　Ligne 4

ジローナ駅
Girona

Passeig de Sant Joan

モヌマンタル駅
Monumental

Carrer dels Enamorats

Carrer del Consell de Cent

ディアゴナル大通り

テトゥアン駅
Tetuan

2号線　Ligne 2

●テトゥアン広場
Plaça de Tetuan

グラン・ビア・デ・レス・コルツ・カタラナス大通り

H アンティベス P.160
Acta Antibes

Carrer de Lepant

C. de Padilla

グロリエス駅
Glòrie

1

グラシア通り P.12-13
ゴシック地区周辺 P.14-15

グロリエス
Glòries

P.154 カタルーニャ国立劇場 E
Teatre Nacional de Catalunya

ウルキナオナ駅
Urquinaona

1号線　Ligne 1

サン・ベラ通り
Catter de Trafalgar

Ronda de Sant Pere

Carrer de Nàpols

Carrer de Sicília

Carrer de Sardenya

Carrer de Ribes

Carrer de la Marina

P.154 E
オーディトリ・デ・バルセロナ E
Auditori de Barcelona

Carrer de Bolí

メリディアーナ大通り

Carrer de

アルク・デ・トリオンフ駅
Arc de Triomf

北バスターミナル
Estació d'Autobusos
Barcelona Nord

マリナ駅
Marina

オーディトリ・
テアトル・ナショナル
Auditori Teatre Nacional

2

●バルセロナ凱旋門
Arc de Triomf

●北駅公園
Parc de l'Estació del Nord

Avinguda Meridiana

マリナ
Marina

Carrer de Sancho de Ávila

旧市街
Casc Antic

Carrer de Roger de Flor

トラム

Carrer dels Almogàvers

Carrer de Pallars

Carrer de Pere IV

Carrer de Pujad

ボガテイ駅
Bogatell

Carrer de la Princesa

Carrer de Comerç

ビカソ通り

Carrer de Princesa

Av. del Bogatell

Carrer de Llull

血 ピカソ美術館 P.44
Museu Picasso

●シウタデリア公園
Parc de la Ciutadella

Wellington | UPA

Carrer de Ramon Turró

3

コメルス通り

Passeig de Picasso

カタルーニャ議事堂●
Parlament de Catalunya

Carrer de Wellington

Carrer de Ramon Trias Fargas

Carrer del doctor Trueta

Av. del Bogatell

Av. Marquès de l'Argentera

フランサ駅
Estació de França

★ バルセロナ動物園 P.143
Zoo Barcelona

シウタデリャ・
ウィラ・オリンピカ
Ciutadella
Vila-Olimpica

シウタデリャ・
ヴィラ・オリンピカ駅
Ciutadella | Vila Olímpica

バルセロネータ駅
Barceloneta

Ronda Litoral

P.149
血 カタルーニャ歴史博物館 P.149
Museu d'Història de Catalunya

Carrer de Ginebra

R チェリフ P.103
Cheriff

Passeig de Salvat
Papasseit

●バルセロネータ市場
Mercat de la Barceloneta

●バルセロネータ公園
Parc de la Barceloneta

⊕総合病院
Hospital del Mar

4

P.67
R ラ・コバ・フマーダ
La Cova Fumada

バルセロネータ
La Barceloneta

Carrer
d'Andrea Dòria

Passeig Marítim de la Barceloneta

R カ・ラ・ヌリ・プラヤ P.103
Ca la Nuri Platja

Carrer de Sant Carles

★ プラヤ・デ・ラ・バルセロネータ P.149
Platja de la Barceloneta

A B C

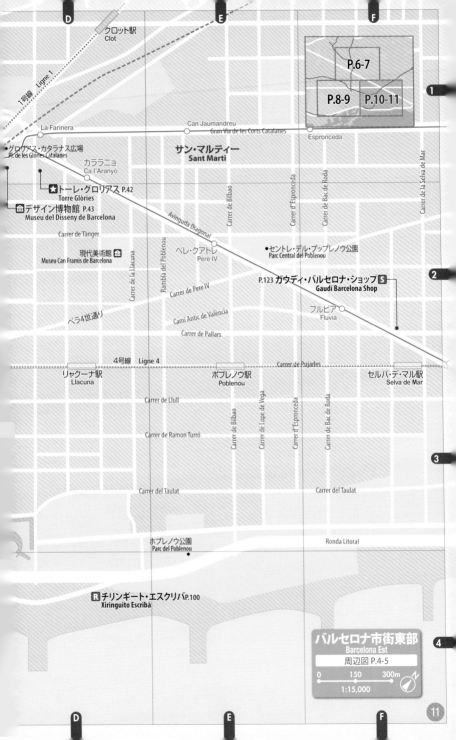

D
クロット駅
Clot

E

F

P.6-7

P.8-9　P.10-11

**1**

1号線　Ligne 1

La Farinera
Can Jaumandreu
Gran Via de les Corts Catalanes
Espronceda

●グロリアス・カタラナス広場
Pl. de les Glòries Catalanes

サン・マルティー
**Sant Marti**

カララニョ
Ca l'Aranyó

★トーレ・グロリアス P.42
Torre Glòries

博物館 デザイン博物館 P.43
Museu del Disseny de Barcelona

Carrer de Tànger

現代美術館 博物館
Museu Can Framis de Barcelona

Carrer de la Llacuna

Rambla del Poblenou

ベレ・クアトレ
Pere IV

Avinguda Diagonal

Carrer de Bilbao

Carrer d'Espronceda

Carrer de Bac de Roda

Carrer de la Selva de Mar

●セントレ・デル・ブップレノウ公園
Parc Central del Poblenou

**2**

Carrer de Pere IV

P.123 ガウディ・バルセロナ・ショップ S
**Gaudí Barcelona Shop**

ベラ4世通り）

Camí Antic de València

フルビア
Fluvià

Carrer de Pallars

4号線　Ligne 4

Carrer de Pujades

リャクーナ駅
Llacuna

ポブレノウ駅
Poblenou

セルバ・デ・マル駅
Selva de Mar

Carrer de Llull

Carrer de Bilbao

Carrer de Lope de Vega

Carrer d'Espronceda

Carrer de Bac de Roda

**3**

Carrer de Ramon Turró

Carrer del Taulat

Carrer del Taulat

ホブレノウ公園
Parc del Poblenou

Ronda Litoral

R チリンギート・エスクリバ P.100
Xiringuito Escribà

**4**

バルセロナ市街東部
**Barcelona Est**

周辺図 P.4-5

0　　　150　　　300m
1:15,000

D

E

F

**A** **B** **R** **C**

Avinguda Diagonal

ラ・ダマ
La Dama

P.118
ミスイ
MISUI
**S**

カン・マルラウ P.62
Can MarLau

Carter de Paris

Carter de d'Aribau

**1**

メゾン・デュ・モンド
Maisons du Mond

ティアゴナル大通り

Carter de Còrsega

P.154 パラシオ・デル・フラメンコ **E**
Palacio del Flamenco

P.127 リヤドロ **S**
Lladró

大学病院
Hospital Clinic i Provincial

ギャラリー **H**
Gallery Hotel

5号線 Ligne 5

プロヴェンサ駅
Provença

P.118 トゥス **S**
Tous

Carter de Casanova

Carter d'Enrique Grandos

Carter de Provença

P.121 サンタ・エウラリア
Santa Eulalia

P.96 ラサルテ **R**
Lasarte

**2**

P.159 モニュメント・ホテル **H**
Monument Hotel

ニノット市場 P.131
Mercat del Ninot **M**

セルベセリア・カタラナ **R**
Cerveceria Catalana

P.66

アレシャンドラ
Hotel Alexandra

Carter de Mallorca

**H**

P.160 コンデス・デ・バルセロナ **H**
Hotel Condes de Barcelona

Carter de Balmes

P.65 タクティカ・ベリ **R**
Taktika Berri

P.160 HCCレヘンテ **R**
Hutel HCC Regente

Carter de València

P.117 カンペール **S**
Camper

アドニア **S** P.128
Adonia

P.128
Carter de Balmes

P.119 ベアトリス・フレスト
Beatriz Fures

ドクトール
レタメンディ広場
Pl. del Dr.Letamendi

P.39 アントニ・タピエス美術館 **血**
Fundació Antoni Tàpies

P.114 ビンバ・イ・ロラ **S**
Bimba y Lola

**3**

P.33 Casa Batlló カサ・バトリョ **★**

P.115 カオティコ **S**
Kaotiko

P.104 ラ・パスティセリア・バルセロナ **C**
La Pastisseria Barcelona

P.41 Casa Amatller カサ・アマトリェール **★**

P.138 ファボリット・カサ・アマトリェール **S**
Faborit Casa Amatller

P.138 カカオ・サンパカ **S**
Cacao Sampaka

Carter del Consell de Cent

P.127 カサ・ビバ **S**
Casa Viva

Carter d'Enric Granados

P.39 カサ・リェオ・モレラ **★**
Casa Lleó Morera

P.71 モンビニック **R**
Món Vinic

P.129 アルキミア・ストア&スパ **S**
Alqvimia Store & Spa

Carter de la Diputació

P.160 エクセ・クリスタル・パラセ **H**
Exe Cristal Palace

Carter de Muntaner

6号線・7号線

エル・アベニーダ・パラセ **H**
P.160 El Avenida Palace

バルセロナ大学
Universitat Central

P.154 コリセウム劇場 **E**
Teatre Coliseum

**4** 1号線 Ligne 1

ウニベルシタ駅
Universitat

P.154 バルセロナ・シティ・ホール **E**
Barcelona City Hall

Gran Via de les Corts Catalanes

Ronda de Sant Antoni

P.129 ドゥルニ **S**
DRUNI

1号線 Ligne 1

**A** **B** **C**

カタルーニャ駅
Catalunya

Ligne 3
3号線

**H** カサ・フステル P.159
Hotel Casa Fuster

C. de Martínez de la Rosa

C. de Torrent de l'Olla

C. dela Fraternitat

C. de la Fraternitat

C. de Santa Teresa

Carrer de Còrsega

**S** プリティ・バレリーナ P.117
Pretty Ballerinas

**H** サー・ビクトール P.160
Sir Victor

**S** ドス・イ・ウナ P.123
Dos i Una

Carrer del Bruc

P.41
**★** ラス・プンシャス集合住宅
Casa de les Punxes

ディアゴナル駅 **S** ,248 P.120
Diagonal       ,248

**C** カフェ・デ・ラ・ペドレラ P.32
Cafè de la Pedrera

カサ・ミラ(ラ・ペドレラ) P.29/P.32
**★** Casa Milà (La Pedrera)

Carrer de Girona

ベルダゲル駅
Verdaguer

5号線   Ligne 5

**H** プラクティック・ベーカリー P.157
Praktik Bakery

Avinguda Diagonal

**H** スイーツ・アベニュー P.160
Suites Avenue Barcelona

ディアゴナル大通り

**H** アルマ・バルセロナ P.156
Alma Barcelona

Carrer de Mallorca

**S** アマトリェール・オリヘン P.137
Ametller Origen

**H** クラリス
Claris

Ligne 3

Carrer de València

**H** マジェスティック・ホテル&スパ P.158
Majestic Hotel &Spa

3号線

P.99/P.134 コルマード・ムリア **R S**
Colmado Múrria

アシャンプラ
L'Eixample

Carrer de Pau Claris

Carrer de Roger de Llúria

Carrer del Bruc

Carrer D'Aragó

**3**

Ligne 4   4号線

P.133 メルカドーナ **S**
Mercadona

ジローナ駅
Girona

**S** マンゴ P.115
Mango

P.109 カフェ・ダル・セントラ **C**
Cafè del Centre

Carrer de Girona

Carrer de Bailèn

Passeig de Sant Joan

**R** エル・ナシオナル P.110
El Nacional

グラン・ハバナ
Gran Havana

テトゥアン広場 ● テトゥアン駅
Plaça de Tetuan   Tetuan

2号線   Ligne 2

**4**

パセッチ・デ・グラシア駅
Passeig de Gràcia

**H** エル・パレス P.160
El Palace Hotel Barcelona

グランビア・デ・レス・コルツ・カタラネス大通り

コンスタンツァ
Hotel Costanza
**H**

P.35 カサ・カルベット
Casa Calvet
**★**

D          E          F

**D** | **E** | **F**

Carrer de Pau Claris
Carrer de Roger de Llúria

★ カサ・カルベット P.35
Casa Calvet

アシャンプラ
L'Eixample

Carrer del Bruc
Carrer d'Ausiàs Marc
Carrer de Girona
Carrer de Bailèn
Passeig de Sant Joan
Carrer d'Ausiàs Marc
Carrer de Roger de Flor

ウルキナオナ駅
Urquinaona

サン・ペラ通り

1号線 Ligne 1

**1**

Ⓗ NHコレクション・バルセロナ・ポディウム
Hotel NH Collection
Barcelona Pódium P.160

Catter de Trafalgar

ウルキナオナ駅
Urquinaona

Ronda de Sant Pere

Catter de Trafalgar

Ⓢ ライマ P.125
RAIMA

Ⓒ カフェ・パラウ P.39
Cafè Palau

★ カタルーニャ音楽堂 P.38/P.154
Palau de La Música Catalana

Ⓢ コスメティカ・ナチュラル・ロラ P.129
Cosmetica Natural Lola

バルセロナ凱旋門 •
Arc de Triomf

アルク・ダ・トリオンフ駅
Arc de Triomf

Carrer de Roger de Flor

Ⓒ チュレリア・ライエタナ P.106
Churreria Laietana

P.159
Ⓒ コロン
Colón

Carrer de Sant Pere Més Baix

**2**

旧市街
Casc Antic

Ⓡ バル・ジョアン P.102
Bar Joan

Carrer del Portal Nou

Passeig de Lluís Companys
Passeig de Lluís Companys
Carrer de Roger de Flor

フレデリク・マレス美術館 P.141
Museu Frederic Marès P.141

Ⓜ サンタ・カタリーナ市場 P.43/P.130
Mercat de Santa Caterina

コメルス通り
Carrer de Comerç

🏛 バルセロナ市歴史博物館 P.140
Museu d'Historia de la Barcelona

Passeig de Pujades

Ⓢ セレリア・スビラ P.124
Cereria Subirà

Ⓡ バル・デル・プラ P.61
Bar del Pla

🏛 チョコレート博物館 P.138
Museu de la Xocolata

• 三頭龍の城
Castell dels Tres Dragons

広場

ジャウマ・
リメール駅
Jaume 1

Ⓢ リサ・レンプ P.119
Lisa Lempp

Ⓢ トゥロン・ラ・カンパーナ P.136
Torrons La Campana

Carrer de la
Princesa

P.117 ヌ・サバテス Ⓢ
Nu Sabates

🏛 ピカソ美術館 P.44
Museu Picasso

P.13 ジャルディネット・デ・ボルン Ⓡ
Jardinet del Born

Ⓡ パラウ・ダルマセス P.75/P.154
Palau Dalmases

Ⓡ リャンベール P.63
Llamber

ンチャ・ブランク P.119
oncha Blanch

Ⓡ エル・シャンパニエト P.61
El Xampanyet

シウタデリア公園
Parc de la Ciutadella

**3**

P.121 コルマード Ⓢ
Colmado

Ⓢ 1748アルテサニア・イ・コサス P.126
1748 Artesania i Coses

ピカソ通り
Carrer de Picasso

★ ボルン・カルチャー・センター P.143
El Born Centre de Culture

109 カフェス・エル・
マグニフィコ Ⓒ
Cafés El Magnifico

Ⓢ ラ・チナタ P.129/P.135
La Chinata

Ⓢ ジェマ P.126
Gemma

P.105 ブボ Ⓒ
Bubó

Ⓡ カル・ペップ P.60
Cal Pep

Passeig de Picasso

Av. Marquès de l'Argentera

🖂 中央郵便局

Ⓢ ミュニック P.117
Munich

P.71 ラ・ビニャ・デル・
セニョール Ⓡ
La Vinya del Senyor

Ⓢ カサ・ジスペール P.136
Casa Gispert

★ バルセロナ動物園 P.143
Zoo Barcelona

**4**

♱ サンタ・マリア・デル・マル教会 P.142
Basílica de Santa Maria del Mar P.142

フランサ駅
Estació de França

ゴシック地区周辺
Barri Gòtic

P.66 カン・パイシャノ Ⓡ
（ラ・シャンパネリア）
Can Paixano
(La Xampanyeria)

周辺図 P.8-9,10-11

0    80    160m

1:8,000

ルセロネータ
a Barceloneta

4号線 Ligne 4

バルセロネータ駅
Barceloneta

**15**

**D** | **E** | **F**

# TRAFFIC INFORMATION
## バルセロナの市内交通

移動手段の基本となるのは地下鉄。チケットはそのほかの交通機関と共通なので、
回数券を利用するとお得。タクシーも使いやすく、効率や安全のため積極的に活用したい。

\ 赤いMが地下鉄のマーク /

## 乗り方簡単、日中の移動に

###  地下鉄 Metro

全12路線があり、TMB（バルセロナ交通局）が主要路線を、近郊路線をFGC（→付録P.20）が運営している。料金は地下鉄のほかバスや鉄道もそれぞれゾーン制で、地下鉄で行ける範囲はすべてゾーン1に入っている。ただし、9号線でエル・プラット空港発着の際のみ、特別なチケットが必要となる。運行時間は通常5〜24時で、金曜と祝前日は翌2時まで、土曜は深夜も運行しており、日曜24時まで通し運行する。路線図上では、「L1」「L2」などの表示。駅・車内での置き引きやすりが多発しているため、十分な注意を。

## チケットの種類

地下鉄、バス、トラムなどのチケットは共通。基本の1回乗車のほか、回数券やトラベルパスがある。最初の乗車から75分以内であれば、別の交通機関へ同一のチケットで乗り換えることができる（ゾーン1の場合）。2022年よりICカードも導入。

デザインは
変更されつつある

### 少ない回数しか利用しないなら

**シングル・チケット　Bitllet senzill**

1回のみ乗車できるチケット。回数券に比べると1乗車につき2倍以上の料金になるため、5回以上乗車するならば、回数券のほうが割安になり、使い勝手も良い。

| 購入場所 | 空港駅を除く駅の窓口、自動券売機 |
| 料金 | ゾーン1のみ€2.55、空港駅は利用不可 |
| 有効期限 | 入場から75分間乗り換え可能 |

### 便利で使いやすい個人用回数券

**T-カジュアル　Targeta T-casual**

10回乗車できるチケット。乗車のつど買わずに済み使いやすい。券売機でも買えるリチャージ可能な紙製ICカードが便利で、残り回数は改札を通すと表示される。以前販売されていたT-10と違い、複数人での同時利用は不可。 購入場所 駅の窓口、自動券売機　料金 ゾーン1€11.35〜 +ICカード€0.50、空港駅は利用不可　有効期限 入場から75分間乗り換え可能

### グループ旅行に最適な回数券

**T-ファミリアー　Targeta T-familiar**

8回乗車できるチケット。利用方法はT-カジュアルと同じく券売機でも買えるリチャージ可能な紙製ICカードが便利だが、複数人での利用も可能。1乗車あたりの料金はやや割高。

| 購入場所 | 駅の窓口、自動券売機　料金 ゾーン1€10.70〜 +ICカード€0.50、空港駅は利用不可 |
| 有効期限 | 入場から75分間乗り換え可能。最初の利用から30日 |

### 集中して動きまわる一日に

**T-ディア　Targeta T-dia**

該当のゾーン内であれば24時間乗り降り自由となる。こちらも券売機でも買えるリチャージ可能な紙製ICカードが便利。空港までの9号線も1往復まで乗車できる。 購入場所 駅の窓口、自動券売機

| 料金 | ゾーン1€11.20〜 +ICカード€0.50 |
| 有効期限 | 最初の利用から24時間 |

### 空港専用のチケット

**エアポート・チケット　Bitllet aeroport**

エル・プラット空港と市内の間を地下鉄で移動する際に必要となる。空港からの移動に地下鉄を使うならば、T-ディアやオラ・バルセロナの購入も検討しよう。

| 購入場所 | 自動券売機　料金 €5.50 |
| 有効期限 | 1回のみ使用可 |

### 1枚あれば期間内乗り放題

**オラ・バルセロナ　Hola Barcelona Travel Card**

有効期間中ゾーン1内の公共交通機間が乗り放題になる、旅行者用のトラベルカード。5日券まであり有効期間は日付ではなく、24時間単位でカウントされる。空港までの9号線でも利用可能。オンラインで事前購入すると10%割引で購入できる。受け取りは地下鉄駅の窓口に購入したらメールで届くコードを持参する。

| 購入場所 | 駅の窓口、自動券売機、オンライン |
| 料金 | 2日券€17.50、3日券€25.50など |
| 有効期限 | 最初の利用から48時間、72時間など |
| URL | www.holabarcelona.com |

## 自動券売機の使い方

### ① チケットを選択する
画面をタッチすると、チケット選択画面となる。オラ・バルセロナなどを事前に購入している場合は、左下の赤いボタンにタッチして、コードを入力。右下の表示で言語を変更できるが、難しいものではないのでそのままでもあまり問題ないはず。

### ② 枚数を選択する

枚数を「＋」と「－」にタッチして選択する。進むときは左下の「Confirmar」にタッチする。T-カジュアルなどは、適用されるゾーンも選択する。

### ③ 料金を投入する

硬貨 クレジットカード 紙幣

表示されている金額を投入する。使えない紙幣には「×」がついているので、それ以外で支払う。おつりはすべて硬貨で出てくる。ク

暗証番号入力

レジットカードの場合は、挿入すると暗証番号を入力する画面となる。入力する際は番号を手で隠す。入力後は支払い通貨を選ぶ画面になる。支払いが終了しても、カードは出てこずアラート音もないので、カードを抜き出すのを忘れずに。

### ④ チケットを受け取る

購入したチケットが下から出てくる。現金の場合は、おつりも同じ場所から出てくる。

不安なときは窓口へ

## 地下鉄の乗り方

### ① 改札を通る
チケットに書かれている矢印の向きに改札に挿入。少し待つと上部から出てくる。チケットを回収するとゲートが開く。ICカードの場合はカードリーダーにタッチ。古い改札ではチケットの挿入箇所が左側にあることも。

残り回数表示

取出口

挿入口

### ② ドアを開けて乗車する
ホームには次の電車が来るまでの時間が表示されている。車両のドアは手動なので、内側から開ける人がいなければ、ハンドルかボタンでドアを開ける。ドアは出発時には自動で閉まる。

### ③ 降車する
ハンドルかボタンでドアを開けて降車。乗り換える場合は、「L1」などの表示を見て乗り換えるホームへ移動。出口は「Sortida」。改札を出る際はチケットを通さなくてよい。

### 地下鉄での注意事項
券売機付近、混雑した車内や降り口、エスカレーターではすりや置き引きが多発しているので荷物は常に抱えるようにする、ホームでは壁を背中にする、混んでいる車両は避けるなど十分な注意を。チケットは出口では不要だが、検札もあるので到着駅まで保管を。

### 主な地下鉄の路線

| 路線名 | 色 | 路線の概要 | 主な乗り換え駅 |
|--------|-----|-----------|---------------|
| 1号線 L1 | | エスパーニャ広場、カタルーニャ広場、ウニベルシタト駅など交通の要衝を経由する。 | Plaça de Sants、Espanya、Universitat、Catalunya、La Sagrera駅 |
| 2号線 L2 | | グラシア通りやサグラダ・ファミリアを経由する観光に便利な路線。 | Sagrada Família、Passeig de Gràcia、Universitat、Paral-lel駅 |
| 3号線 L3 | | 鉄道のサンツ駅、エスパーニャ広場、カタルーニャ広場、グラシア通りのほか、カンプ・ノウへの最寄り駅もある。 | Sants Estació、Espanya、Catalunya、Passeig de Gràcia、Diagonal駅 |

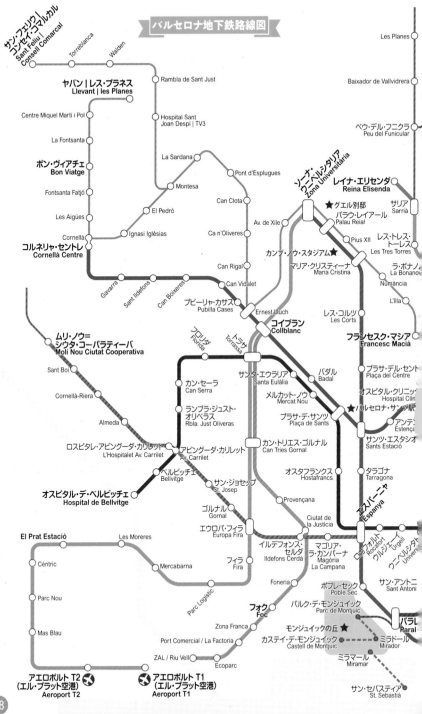

バルセロナ地下鉄路線図

サン・フェリウ｜コンセイ・コマルカル
Sant Feliu｜Consell Comarcal

Torreblanca　Walden

ヤバン｜レス・プラネス
Llevant｜les Planes

Rambla de Sant Just

Centre Miquel Marti i Pol

Hospital Sant Joan Despí｜TV3

La Fontsanta

La Sardana

ボン・ヴィアチェ
Bon Viatge

Pont d'Esplugues

Fontsana Fatjó

Montesa

Can Clota

Les Aigües

El Pedró

Av. de Xile

Cornellà

Ignasi Iglésias

Ca n'Oliveres

コルネリャ・セントレ
Cornellà Centre

Can Rigal

Can Vidalet

Gavarra　Sant Ildefons　Can Boixeres

プビーリャ・カサス
Pubilla Cases

Ernest Lluch

コイブラン
Collblanc

ムリ・ノウ＝シウタ・コーパラティーバ
Molí Nou Ciutat Cooperativa

フロリダ
Florida

トラサ
Torrassa

Sant Boi

カン・セーラ
Can Serra

サンタ・エウラリア
Santa Eulàlia

バダル
Badal

Cornellà-Riera

ランブラ・ジュスト・オリベラス
Rbla. Just Oliveras

メルカット・ノウ
Mercat Nou

Almeda

ロスピタレ・アビングーダ・カリレット
L'Hospitalet Av. Carrilet

アビングーダ・カリレット
Av. Carrilet

プラサ・デ・サンツ
Plaça de Sants

カン・トリエス・ゴルナル
Can Tries Gornal

ベルビッチェ
Bellvitge

サン・ジョセップ
St. Josep

オスタフランクス
Hostafrancs

オスピタル・デ・ベルビッチェ
Hospital de Bellvitge

ゴルナル
Gornal

Provençana

El Prat Estació

Les Moreres

エウロパ・フィラ
Europa Fira

Ciutat de la Justicia

Cèntric

Mercabarna

フィラ
Fira

イルデフォンス・セルダ
Ildefons Cerdà

マゴリア・ラ・カンパーナ
Magòria La Campana

Parc Nou

Foneria

ポブレ・セック
Poble Sec

Mas Blau

Parc Logistic

フォク
Foc

バルク・デ・モンジュイック
Parc de Montjuic

Zona Franca

モンジュイックの丘 ★

アエロポルト T2
(エル・プラット空港)
Aeroport T2

Port Comercial / La Factoria

カステイ・デ・モンジュイック
Castell de Montjuic

ミラドール
Mirador

ミラマール
Miramar

ZAL / Riu Vell

Ecoparc

アエロポルト T1
(エル・プラット空港)
Aeroport T1

サン・セバスティア
St. Sebastià

Les Planes

Baixador de Vallvidrera

ペウ・デル・フニクラ
Peu del Funicular

ソーナ・ウニベルシタリア
Zona Universitària

レイナ・エリセンダ
Reina Elisenda

サリア
Sarrià

★ グエル別邸

バラウ・レイアール
Palau Reial

レス・トレス・トーレス
Les Tres Torres

Pius XII

カンプ・ノウ・スタジアム ★

マリア・クリスティーナ
Maria Cristina

ラ・ボナノ
La Bonanov

Numància

レス・コルツ
Les Corts

L'Illa

フランセスク・マシア
Francesc Macià

プラサ・デル・セント
Plaça del Centre

オスピタル・クリニッ
Hospital Clín

★ バルセロナ・サンツ駅

アンテ
Estenç

サンツ・エスタシオ
Sants Estació

タラゴナ
Tarragona

エスパーニャ
Espanya

ロカフォルト
Rocafort

ウルジェーイ
Urgell

ウニベルシタ
Universi

サン・アントニ
Sant Antoni

バラル
Paral

サン・アントニ
Sant Antoni

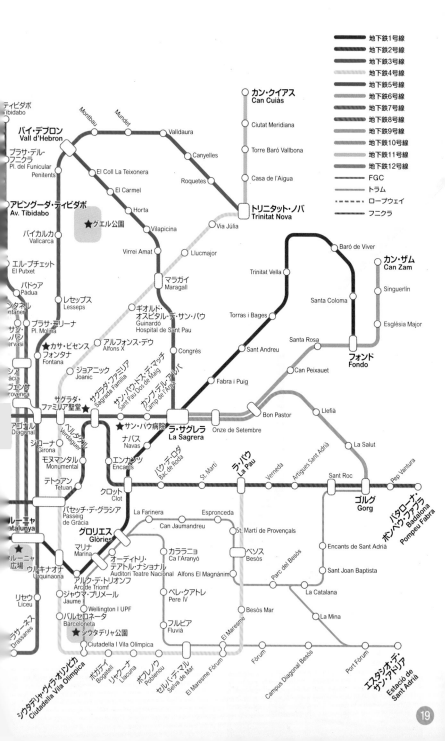

## バルセロナ近郊を結ぶ

### 近郊鉄道 Rodalies de Catalunya - Renfe

スペインの国鉄Renfeが運営する鉄道。バルセロナ近郊区間は、地下鉄と共通のチケットもあるが、各駅がどのゾーンに入るかは一部異なるので、乗車前に確認する。路線図上では「R1」「R2」などの表示で、エル・プラット空港とサンツ駅を結ぶR2N(Nord)線などがある。乗り方はチケット購入時に目的駅を選ぶのと降りる際にもチケットを改札に通すほかは、地下鉄とほぼ同じ。

## 地元に密着した路線

### FGC Ferrocarrils de la Generalitat de Catalunya

カタルーニャ州の公営鉄道で、近郊鉄道と同様に地下鉄と共通のチケットもあるが、料金体系のゾーンは異なる部分もあるので乗車前に確認。路線図で「S1」「S2」などの表記がされる8路線のほか、地下鉄の6〜8号線、近郊鉄道のR5・6線もFGCの運営。バルセロナ中心部では、カタルーニャ広場とエスパーニャ広場が起点で、モンセラットやコロニア・グエルなどに行く際に利用する。乗り方はチケット購入時に目的駅を選ぶのと降りる際にもチケットを改札に通すほかは、地下鉄とほぼ同じ。

## ローカルの通勤用交通機関

### トラム Tram

フランセスク・マシア駅を起点とするTrambaix(トラムバス)のT1〜3、シウタデリャ・ヴィラ・オリンピカ駅を起点とするTrambesòs(トランベソス)T4〜6の2系統6路線が運行されている。観光エリアではないため、あまり使用することはない。料金は地下鉄と共通のゾーン制ですべてゾーン1内で乗車した際に、チケットを機械に通す。ティビダボを走るブルートラムもあるが、2024年現在設備更新のため運休中。

## 使いこなせたらとても便利

### 路線バス Autobus

100近い路線で街を網羅している。路線が複雑で利用は難しく感じるが、車窓の風景を見ながらの移動は地下鉄では味わえない楽しみ。料金は地下鉄などと共通のゾーン制でチケットも共通。地下鉄入場後75分以内であれば、同一乗車とみなされる。

### 路線の種類

ツーリスト・インフォメーションで紙の路線図が手に入るほか、TMBのサイトで路線図のPDFが配信されているので入手するか、乗り換えアプリ「TMB App」を利用したい。路線名に付いたHは海岸線と平行、Vは垂直、Dは斜めに走ることを表し、Nは22時以降運行するナイトバス。各バス停にバス停名の表示はなく、通りや広場の名前でどのバス停か区別している。市内は一方通行が多いため、同じ路線でも行きと帰りでバス停が離れていることも多い。

## バスの乗り方

### ① バス停を探す

バス停は赤い「B」が目印。路線名と行き先が表示されている。電光掲示板があるバス停には次のバスが到着するまでの待ち時間が表示されている。

### ② バスに乗車する

乗車したいバスが近づいたら手を挙げて合図を。乗車は前のドアから。地下鉄からの乗り換えやT-カジュアルなどを持っていれば、機械にチケットを通すか、タッチする。1回券はタッチ式のクレジットカードや国際キャッシュカードがあれば、車内で購入することもできる。

### ③ 下車する

目的地が近づいたら車内の赤いボタンを押して合図を。降車は前後どちらからでもOK。

 観光バス「バルセロナ・シティ・ツアー」

観光名所を2階建てバスで周回する観光バスも有用。乗り降り自由で、路線もわかりやすい。(→本誌P152)

## 安心で料金も高くなく使いやすい

 **タクシー** Taxi

### どこから乗る?

黄色と黒のツートンカラーが正規タクシー。広場などに乗り場もあるが、流しのタクシーも簡単につかまる。白タクはほとんどおらず、料金もメーター制なので、安心して利用できる。

### 料金はどのくらい?

初乗り€2.60で、1kmあたり€1.27、待機時間1時間あたり€25.60が基本料金。平日20:00〜翌8:00と土・日曜、祝日は1kmごとに€1.56。いくつかの特別料金 (suplments) があり、空港での乗り降り、港での乗車には€4.50、サンツ駅と見本市会場での乗車には€2.50が加算される。また、空港での乗り降りには、€21の最低金額が設定されている。2019年まで荷物にも特別料金があったが廃止されている。怪しいと感じたら、レシートを要求しよう。

**バルセロナのタクシー料金**

| 初乗り | €2.60 |
|---|---|
| 平日8:00〜20:00 | €1.27/km (€25.60/1h) |
| 平日20:00〜翌8:00、土・日曜、祝日終日 | €1.56/km (€25.60/1h) |

## モンジュイックへの登山電車

 **フニクラ** Funicular

地下鉄2・3号線パラレル駅とモンジュイックの丘の上のパルク・デ・モンジュイック駅をつなぐ。ゾーン1内のため、パラレル駅まで地下鉄やバスで来ていれば同じチケットで乗り換えでき、実質的に無料で利用できる。ほかにティビダボやバルビドレラにもある。

## 海岸沿いと丘の上を結ぶ

 **ロープウェイ** Teleféric del Port (Cable Car)

バルセロネータとモンジュイックをつなぐ赤いレトロなロープウェイ。絶景が望め人気。料金は片道€12.50、往復€20.00。季節により異なるが10:30〜20:00の運行。モンジュイック城へ続く線もあり、こちらは往復€14.40。

---

## タクシーの乗り方

### ① タクシーに乗る

タクシー乗り場か、流しのタクシーをつかまえる。空車は屋根の上の緑のランプと、フロントガラスの「LIBRE」、もしくは「LLIURE」が目印。満車は「OCUPADO」。ドアは自分で開けて乗車する。

### ② タクシーを降りる

悪質なドライバーは少ないが、メーターが動いているかは確認。目的地に着いてからsuplmentsがメーターの金額に加算される。不審な追加料金があれば確認を。チップは€1未満の端数程度が一般的。右側通行なので、右側から降りよう。

### 🔽 自動車配車アプリ

バルセロナでは、配車サービスで有名な「Uber」もあるが利用が多いのは「Cabify」のほか、既存のタクシーを利用する「FREENOW (Mytaxi)」などである。通常利用と同じくメーター制と事前に提示される固定料金を選んで、アプリ経由で支払い。なお呼び出しの場合は、€8の最低料金が設定されている。

## 自由にバルセロナを動きまわる

 **レンタサイクル** Alquiler de bicicletas

自転車レーンも整備されており、自転車での移動も快適。市内にはレンタサイクルの店がいくつかあり、料金は4時間€10など。公営のレンタサイクル「Bicing」もあるが、残念ながら観光客は利用できない。

## 基本フレーズ

**□□□をください（お願いします）。**

□□□, please.
プリーズ

**ex. コーヒーをください。**

Coffee, please.
コーフィー プリーズ

**□□□はどこで買えますか。**

Where can I get □□□ ?
ウェア キャナイ ゲットゥ

**ex. 水はどこで買えますか。**

Where can I get mineral water ?
ウェア キャナイ ゲット ミネラル ウォーター

**□□□へどうやって行けばいいですか。**

How do I get to □□□ ?
ハウ ドゥ アイ ゲットゥ

**ex. ランブラス通りへはどうやって行けばいいですか。**

How do I get to la Ramnbla ?
ハウ ドゥ アイ ゲットゥ ラ ランブラ

**《タクシー内で》□□□まで行ってください。**

To □□□, please.
トゥ　　　　　　　プリーズ

**ex. サグラダ・ファミリアまで行ってください。**

To Sagrada Família, please.
トゥ サグラダ ファミリア プリーズ

**タクシー乗り場はどこですか。**

Where can I get a taxi ?
ウェア キャナイ ゲッタ タクシー

**《地下鉄・バス内で》この席は空いていますか。**

May I sit here ?
メアイ シット ヒア

**両替はどこでできますか。**

Where can I exchange money ?
ウェア キャナイ エクスチェンジ マニー

**写真を撮っていただけますか。**

Could you take our pictures ?
クッジュー テイク アワ ピクチャーズ

**日本語を話せる人はいますか。**

Is there anyone who speaks Japanese ?
イズ ゼア エニワン フッ スピークス ジャパニーズ

**トイレはどこですか。**

Where is the restroom ?
ウェア イズ ダ レストルーム

## ショップ・レストランでの会話

**試着してもいいですか。**

Can I try it on ?
キャナイ トゥライット オン

**大きい（小さい）サイズはありませんか。**

Do you have a bigger(smaller) one ?
ドゥ ユー ハヴァ ビッガー(スモーラー) ワン

**これはいくらですか。**

How much is this ?
ハウ マッチ イズ ディス

**返品（交換）したいのですが。**

I'd like to return(exchange) this.
アイドゥ ライク トゥ リターン(エクスチェンジ) ディス

**おすすめの料理はどれですか。**

What is the recommended dish ?
ホワッティズ ザ リコメンデッド ディッシュ

**注文してもいいですか。**

May I order ?
メアイ オーダー

**会計をお願いします。**

Check, please.
チェック プリーズ

## ホテルでの会話

**荷物を預かってください。**

Please keep my luggage.
プリーズ キープ マイ ラゲッジ

**部屋のシャワーが壊れています。**

Shower is broken in my room.
シャワー イズ ブロークン イン マイ ルーム

**Wi-Fiのパスワードを教えてください。**

Could you tell me the Wi-Fi password ?
クッジュー テルミー ザ ワイファイ パスワード

**締め出されてしまいました。**

I locked myself out.
アイ ロックド マイセルフ アウト

**チェックアウトお願いします。**

Check out, please ?
チェック アウト プリーズ

**タクシーを呼んでください。**

Could you call a taxi ?
クッジュー コーラァ タクシィ

# カタルーニャ語＆スペイン語の基本単語

## ●あいさつ／応答

**やあ**
[カ]Hola
オラ
[ス]Hola
オラ

**おはよう**
[カ]Bon dia
ボン ディア
[ス]Buenos días
ブエノス ディアス

**こんにちは**
[カ]Bona tarda
ボナ タルダ
[ス]Buenas tardes
ブエナス タルデス

**こんばんは**
[カ]Bona nit
ボナ ニット
[ス]Buenas noches
ブエナス ノーチェス

**ありがとう**
[カ]Gràcies/Mercí
グラシアス／メルシ
[ス]Gracias
グラシアス

**ごめんなさい**
[カ]Ho sento
ウ センテュ
[ス]Lo siento
ロ シエント

**さようなら**
[カ]Adeú
アデウ
[ス]Adiós/Chao
アディオス／チャオ

**お願いします**
[カ]Si us plau
シ ウス プラウ
[ス]Por favor
ポル ファボール

**はい/いいえ**
[カ]Si/No
シ／ノ
[ス]Si/No
シ／ノ

## ●街なかで

**出発**
[カ]Sortida
ソルティーダ
[ス]Salida
サリーダ

**到着**
[カ]Arribada
アリバーダ
[ス]Llegada
ジェガーダ

**入口**
[カ]Entrada
エントラーダ
[ス]Entrada
エントラーダ

**出口**
[カ]Sortida
ソルティーダ
[ス]Salida
サリーダ

**駅**
[カ]Estació
エスタシオ
[ス]Estación
エスタシオン

**トイレ**
[カ]Lavabos
ラバブス
[ス]Baño
バーニョ

**地図**
[カ]Mapa
マパ
[ス]Mapa
マパ

**チケット・きっぷ**
[カ]Bitllet
ビリェット
[ス]Billete
ビジェテ

**時刻**
[カ]Hora
オラ
[ス]Hora
オラ

## ●料理・食材

**肉類**
[カ]Carn
カルン
[ス]Carne
カルネ

**魚類**
[カ]Peix
ペイシュ
[ス]Marisocos
マリスコス

**サラダ**
[カ]Amanida
アマニダ
[ス]Ensalada
エンサラダ

**スープ**
[カ]Sopa
ソパ
[ス]Sopa
ソパ

**デザート**
[カ]Postres
ポストラス
[ス]Postre
ポストレ

**水**
[カ]Aigua
アイグア
[ス]Agua
アグア

**ワイン**
[カ]Vi
ビ
[ス]Viño
ビーニョ

**ビール**
[カ]Cervesa
サルベサ
[ス]Cerveza
セルベサ

**おいしい**
[カ]Molt bo
モルト ボ
[ス]Muy bien
ムイ ビエン

## ●トラブル時

**警察**
[カ]Policia
プリシア
[ス]Policía
ポリシア

**病院**
[カ]Hospital
ウスピタル
[ス]Hospital
オスピタル

**日本領事館**
[カ]Consolat de Japó
クンスラット デ ジャポー
[ス]Consulado de Japón
コンスラド デ ハポン

**盗難証明書**
[カ]Certificat de robatori
セルティフィカット デ ロバトリ
[ス]Celficado de robo
セルフィフィカード デ ロボ

**パスポート**
[カ]Passaport
パサポルト
[ス]Pasaporte
パサポルテ

**クレジットカード**
[カ]Targeta de crèdit
タルヘタ デクレディト
[ス]Tarjeta de credito
タルヘタ デクレディト

**泥棒**
[カ]Lladre
リャドレ
[ス]Ladrón
ラドロン

**助けて!**
[カ]Ajuda!
アジュダ!
[ス]¡Socorro!
ソコーロ

**やめて!**
[カ]Prou!
プロウ
[ス]¡Basta!
バスタ

おとな旅 プレミア PREMIUM

付録

JN101014

とりはずして
使える

P.29/P.30/P.55

博物館 P.31
eu Gaudi

P.8-9

Travessera de Dalt

Carrer del Cardener

Carrer de Sant Salvador

Carrer de Marti

Carrer de la Provid

Carrer de les

Carrer del Torrent de les Flors

Carrer de les Sors

Carrer de l'Escorial

Carrer de G. l'Alegre de Dalt

Alsina

Ronda del Guinardó

Av. de la Mare de Déu de Montserrat

Carrer de les Camèlies

グラシア
Gr

r de Martí

水の公園
Parc de les Aigües

アルフォン
Alfons X

ロ・サル **S**
Oli Sal

C. de Terol

Carrer de la Maria

Carrer de Lepant

・パビオ **S**
aia Papió

C. del Torrent de l'Olla

C. de la Fraternitat

Travessera de Gràcia

Travessera de Gràcia

C. de Mozart

C. de Martínez de la Rosa

サン・ジョアン通り

グラシア通り P.12-13

Carrer de Sant Aneoni Maria Claret

Carrer de la Indústria

P.29 ガウディ
Av. de C

Carrer de Còrsega

P.29/P.157
セルコテル・ロセリョン
Sercotel Rosellón **H**
Carrer de Rosselló

スーペルコル・エ
Supercor Expres
**S** **S** B

サ・ミラ
asa
La
29

ベルタゲル駅
guer

地図凡例

Ligne 5    5号線

サグラダ・ファミリア広場
Pl. de la Sagrada Família
P.12/P.23 サグラダ・ファミリア聖堂
Basílica de la Sagrada Família

サグラダ・ファミリ
Sagrada Família

★ガウディ広場
Plaça del Gaud

allorca

★ 観光・見どころ
血 博物館・美術館
✝ 教会
R 飲食店
C カフェ
SC ショッピングセンター
S ショップ

M マーケット
E 劇場
N ナイトスポット
H 宿泊施設
✈ 空港
i 観光案内所

ジ
テル&スパ

L'Eixample

eig de Sant Joan

ディアゴナル大通り

**TAC出版**
TAC PUBLISHING Gro

切り取り線 ✂

おとな旅
プレミアム
PREMIUM

付録

## CONTENTS

# バルセロナ
# MAP
## 街歩き地図

街の
交通ガイド
付き

# バルセロナ
## BARCELONA

### 日本からのフライト時間
約18時間～
日本からバルセロナへの直行便はない

### バルセロナの空港
エル・プラット空港 ▶P.164
バルセロナ市内へ空港バスで約35分

### ビザ
90日以内の観光なら不要

### 通貨と換算レート
ユーロ（€）
€1＝約162.6円（2024年9月現在）

### チップ
習慣はあるが義務ではない
▶P.167

### 言語
スペイン語（カスティーリャ語）、
カタルーニャ語ほか

### 時差

東京

| 0 | 1 | 2 | 3 | 4 | 5 | 6 | 7 | 8 | 9 | 10 | 11 | 12 | 13 | 14 | 15 | 16 | 17 | 18 | 19 | 20 | 21 | 22 | 23 |
|---|---|---|---|---|---|---|---|---|---|----|----|----|----|----|----|----|----|----|----|----|----|----|----|

バルセロナ

| 16 | 17 | 18 | 19 | 20 | 21 | 22 | 23 | 0 | 1 | 2 | 3 | 4 | 5 | 6 | 7 | 8 | 9 | 10 | 11 | 12 | 13 | 14 | 15 |
|----|----|----|----|----|----|----|----|---|---|---|---|---|---|---|---|---|---|----|----|----|----|----|----|

バルセロナ（夏時間）

| 17 | 18 | 19 | 20 | 21 | 22 | 23 | 0 | 1 | 2 | 3 | 4 | 5 | 6 | 7 | 8 | 9 | 10 | 11 | 12 | 13 | 14 | 15 | 16 |
|----|----|----|----|----|----|----|---|---|---|---|---|---|---|---|---|---|----|----|----|----|----|----|----|

日本時間の前日

夏時間は、3月最終日曜の深夜2時～10月最終日曜の深夜3時

# バルセロナ

## CONTENTS

## バルセロナでぜったいしたい11のコト … 21
### BEST 11 THINGS TO DO IN BARCELONA

## GOURMET … 91
### グルメ

## SHOPPING … 111
### ショッピング

©iStock.com/Ihor_Tailwind

# AREA WALKING… 139
歩いて楽しむ

# HOTEL … 155
ホテル

## 本書の使い方

●本書に掲載の情報は2024年8月～2024年11月の取材・調査によるものです。料金、営業時間、休業日、メニューや商品の内容などが、本書発売後に変更される場合がありますので、事前にご確認ください。

●本書に紹介したショップ、レストランなどとの個人的なトラブルに関しましては、当社では一切の責任を負いかねますので、あらかじめご了承ください。

●料金・価格は「€」で表記しています。また表示している金額とは別に、税やサービス料がかかる場合があります。

●電話番号は、市外局番から表示しています。日本から電話をする場合には→ P.161を参照ください。

●営業時間、開館時間は実際に利用できる時間を示しています。ラストオーダー(LO)や最終入館の時間が決められている場合は別途表示してあります。

●休業日に関しては、基本的に年末年始、祝祭日などを除く定休日のみを記載しています。

### 本文マーク凡例

| | | | |
|---|---|---|---|
| ☎ | 電話番号 | 料 | 料金 |
| 交 | 最寄り駅、バス停などからのアクセス | ⊕ | 公式ホームページ |
| Ⓜ | 地下鉄駅 | J | 日本語が話せるスタッフがいる |
| 所 | 所在地 Hはホテル内にあることを示しています | Ⓙ | 日本語のメニューがある |
| 開 | 開館/開園/開門時間 | E | 英語が話せるスタッフがいる |
| 営 | 営業時間 | Ⓔ | 英語のメニューがある |
| 休 | 定休日 | ♻ | 予約が必要、または望ましい |
| | | 💳 | クレジットカードが利用できる |

### 地図凡例

| | | | | | |
|---|---|---|---|---|---|
| ★ | 観光・見どころ | Ⓡ Ⓐ | 飲食店 | Ⓜ | マーケット |
| 血 | 博物館・美術館 | Ⓒ | カフェ | Ⓝ | ナイトスポット |
| 🕆 | 教会 | SC | ショッピングセンター | Ⓗ | 宿泊施設 |
| Ⓔ | 劇場 | Ⓢ | ショップ | ✈ | 空港 |

あなたのエネルギッシュな好奇心に寄り添って、
この本はバルセロナ滞在のいちばんの友だちです！

## 誰よりもいい旅を！ あなただけの思い出づくり

# バルセロナへ出発！

ランブラス通りをぶらぶらと市場やゴシック地区を歩くか
それともサグラダ・ファミリアか
いずれにしても、あなたは1日目にしてもう、
すっかりこの街が気に入ってしまう！ それがバルセロナ。

ランブラスを歩くだけで
この街の虜になる

GOURMET

サン・ジョセップ市場にあ
る地元民も通うエル・キム・
デ・ラ・ボケリア（P.58）

# BARCELONA

PORT VELL

IMMIGRATION
出国
DEPARTED
10. SEP 2026
IMMIGRATION

バルセロナ港側は地中海
が広がり、コロンブスの
塔や水族館などがある

バルセロナを訪れたら
誰もが通る、賑わいあ
る代表的な通り

ランブラス通り(P.56)

ガウディ！
この大天才に会いたくて

BASILICA DE LA SAGRADA FAMÍLIA

綿密な彫刻が迫りくる
外観は、バルセロナ観
光では必見のスポット

市場のぞきは街さんぽではマスト
さぁ、どこから歩きますか？

44 43 42

ニノット市場(P.131)

ティビダボの丘(P.52)
©iStock.com/JorgeBurneoCeli

ミニチュアのような街で、
バルセロナの旅路を振り返る

MUNTANYA DE MONTJUÏC

カタルーニャ博物館を
背景に夜のライトアップ
の撮影は必須！

# 出発前に知っておきたい

どこに何がある?
どこで何する?

## ▶ 街はこうなっています!
# バルセロナのエリアと主要スポット

どこもかしこもSNS映えのグエル公園

**バルセロナはココ**

サグラダ・ファミリア聖堂など世界遺産が集まるバルセロナの街。
観光の中心となる街歩きエリアの位置を押さえておこう。

スペイン

・マドリード

---

### ガウディ建築を堪能できる街

#### Ⓐ アシャンプラ
● L'Eixample

現在も建築中のサグラダ・ファミリア聖堂やカサ・ミラ(ラ・ペドレラ)などガウディ建築物が集中するエリア。モデルニズム建築が残るグラシア通りはブランド街としておしゃれなショップが並ぶ。

---

ミリャーレス邸の門 ●

スポティファイ・カンプ・ノウ ●

---

### 市街と港が見渡せるビュースポット

#### Ⓑ モンジュイック ▶P150
● Montjuïc

市街一望のスポットで街並み展望

広大なモンジュイックの丘にはオリンピックスタジアム、ミロ美術館にカタルーニャ考古学博物館などが点在。モンジュイック城からはバルセロナの街のパノラマが広がる。

スペイン村 ●

カタルーニャ美術館 ●
カタルーニャ考古学博物館 ●

ミロ美術館 ●

Ⓑ モンジュイック

モンジュイック城 ●

ラバル地

0        500m

## バルセロナってこんな街

古くから城塞が築かれていたモンジュイックの丘と、交易都市として栄えた歴史を伝える港町・バルセロネータに挟まれて、中世の街並みを残す旧市街が広がる。旧市街の周囲で正方形に区画されている一帯が、19世紀に整備された「拡張地区」を意味するアシャンプラ。街の区画は東西南北ではなく海岸線に合わせて作られていて、バルセロナの地図は約45度傾いているので、地図アプリと併用する際は注意しよう。地下鉄やバスも発達しているが、思わぬ店の発見ができる散策もおすすめ。

### 国際色豊かに活気づくエリア

#### C ラバル地区 ▶P144
● El Raval

移民の街としてかつてはスラム化していたが、再開発されてトレンド感のある店が増えている。特に地元のデザイナーが発信するファッションや雑貨の店に注目したい。

市民の台所・サン・ジョセップ(ラ・ボケリア)市場

### 中世の香り漂う路地の旧市街

#### D ゴシック地区 ▶P140
● Barri Gòtic

ローマ時代の城壁で囲まれた古くから栄えた地区。密集する石積みの建物と迷路のような路地の間に、教会、美術館、バルやカフェ、おしゃれなショップが点在する。

### 新旧が融合するおしゃれな路地

#### E ボルン地区 ▶P142
● El Born

旧市街の趣深い路地に、星を獲得したレストランから多国籍料理を味わえるバルや、洗練された個性的なブティックなどが揃い、地元の人にも人気があるエリア。

### 人気のウォーターフロント

#### F バルセロネータ ▶P148
● La Barceloneta

リゾート気分たっぷりのシーサイド

昔ながらの港町の風情を残しながら、再開発で多彩なレジャー施設が集まるポルト・ベイや、砂浜が広がるビーチなど地中海の雰囲気が楽しめる。シーフード料理が有名。

# まずはこれをチェック！
# 滞在のキホン

芸術、自然、グルメ、ショッピング。魅力いっぱいの
バルセロナに出かける前に基本情報を知っておこう。

## スペインの基本

❖ **地域名(国名)**
　エスパーニャ王国
　Reino de España
❖ **首都**
　マドリード
❖ **人口**
　約4869万人
　(2024年4月推計)
　バルセロナの人口は
　約165万人
❖ **面積**
　約50万6000km²

❖ **言語**
　スペイン語(カスティー
　リャ語)、カタルーニャ
　語など
❖ **宗教**
　主にカトリック
❖ **政体**
　議会君主制
❖ **元首**
　フェリペ6世
　(2014年6月〜)

## 日本からの飛行時間
### ❖ 乗り換え時間を含めて最短で16時間〜

日本からバルセロナへの直行便はないが、ほかのヨー
ロッパの都市、中東、韓国など、乗り継ぎ便の選択肢
は豊富。所要時間が短いのはパリやアムステルダムな
ど近隣都市を経由する便で、所要18〜20時間程度。
特に同じスペインのマドリード便にこだわる必要はな
い。**エル・プラット空港** ▶ **P.164**

## 為替レート＆両替
### ❖ €1(ユーロ)=約162.6円。銀行、両替所を利用

ユーロは一般的に日本国内での両替がレートが良い。
ある程度は出発前に両替しておこう。現地にも日本円
を扱う銀行や両替所があるが利用できる時間帯が限ら
れるため、クレジットカードの利用がおすすめ。

## パスポート＆ビザ
### ❖ パスポートの有効期限に注意

スペインとシェンゲン協定加盟国(→P.162)への滞
在が過去180日中90日以内であれば、観光目的の日本
人はビザが不要。ただしシェンゲン協定加盟国出国
予定日からパスポート有効残存期間が3カ月必要。

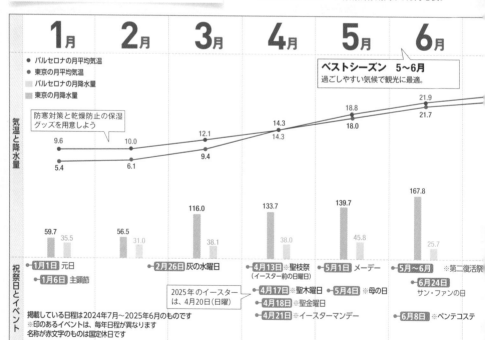

| | 1月 | 2月 | 3月 | 4月 | 5月 | 6月 |
|---|---|---|---|---|---|---|

**ベストシーズン　5〜6月**
過ごしやすい気候で観光に最適。

● バルセロナの月平均気温
● 東京の月平均気温
▨ バルセロナの月降水量
▨ 東京の月降水量

**気温と降水量**

防寒対策と乾燥防止の保湿
グッズを用意しよう

バルセロナの月平均気温: 9.6 / 10.0 / 12.1 / 14.3 / 18.8 / 21.9
東京の月平均気温: 5.4 / 6.1 / 9.4 / 14.3 / 18.0 / 21.7

バルセロナの月降水量: 59.7 / 56.5 / 116.0 / 133.7 / 139.7 / 167.8
東京の月降水量: 35.5 / 31.0 / 38.1 / 38.0 / 45.8 / 25.7

**祝祭日とイベント**

- ●1月1日 元日
- ●1月6日 主顕節
- ●2月26日 ※灰の水曜日
- ●4月13日 ※聖枝祭
  (イースター前の日曜日)
- 2025年のイースター
  は、4月20日(日曜)
- ●4月17日 ※聖木曜日
- ●4月18日 ※聖金曜日
- ●4月21日 ※イースターマンデー
- ●5月1日 メーデー
- ●5月4日 ※母の日
- ●5月〜6月 ※第二復活祭
- ●6月24日 サン・ファンの日
- ●6月8日 ※ペンテコステ

掲載している日程は2024年7月〜2025年6月のものです
※印のあるイベントは、毎年日程が異なります
名称が赤文字のものは国定休日です

## 🕐 日本との時差

❖ **日本との時差は−8時間。日本が正午のとき、バルセロナは午前4時。サマータイム期間は−7時間の時差**

| 東京 | 0 | 1 | 2 | 3 | 4 | 5 | 6 | 7 | 8 | 9 | 10 | 11 | 12 | 13 | 14 | 15 | 16 | 17 | 18 | 19 | 20 | 21 | 22 | 23 |
|---|---|---|---|---|---|---|---|---|---|---|---|---|---|---|---|---|---|---|---|---|---|---|---|---|
| バルセロナ | 16 | 17 | 18 | 19 | 20 | 21 | 22 | 23 | 0 | 1 | 2 | 3 | 4 | 5 | 6 | 7 | 8 | 9 | 10 | 11 | 12 | 13 | 14 | 15 |
| バルセロナ（夏時間） | 17 | 18 | 19 | 20 | 21 | 22 | 23 | 0 | 1 | 2 | 3 | 4 | 5 | 6 | 7 | 8 | 9 | 10 | 11 | 12 | 13 | 14 | 15 | 16 |

## 🄰🄰 言語

❖ **基本はスペイン語、カタルーニャ語**

バルセロナのあるカタルーニャ州の公用語は、スペイン語（カスティーリャ語）とカタルーニャ語など。カタルーニャ語は固有の言葉として重要視されているため、看板も多くがカタルーニャ語表記が第一に書かれている。住人の多くは両方の言語を理解することができる。多くの移民が暮らしているのと、観光業が盛んなため、英語が通じる場所も多い。

## 👛 物価＆チップ ▶P.167

❖ **チップの習慣はあるが義務ではない**

バルセロナは観光客向けの店が多く、食費は高くなりがち。チップは義務ではないので、難しければ払わなくても問題ない。感謝の気持ちにコインを渡す程度で。

## 🚕 交通事情

❖ **地下鉄が便利だが、犯罪には気をつけて**

街全体をめぐっている地下鉄が基本となる移動手段。ただし、地下鉄車内や駅は観光客を狙ったすりや置き引きが多いのでしっかりと対策を（→ P.171）。混雑する時間帯はタクシーを利用したい。道路は右側通行で、普段とは気をつける方向が逆なので要注意。

## 🏰 サマータイム

❖ **切り替わる日のフライトには注意**

スペインをはじめとしたEU諸国では3月の最終日曜から10月の最終日曜までサマータイムとなり、標準時を1時間進めている。切り替わる日のフライト出発時刻など、間違えないように気をつけよう。サマータイム中の特に6・7月は、21時近くまで日は沈まない。

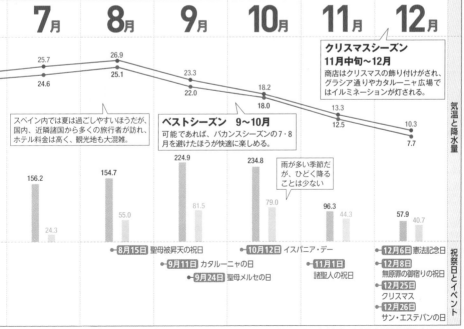

**クリスマスシーズン**
**11月中旬〜12月**
商店はクリスマスの飾り付けがされ、グラシア通りやカタルーニャ広場ではイルミネーションが灯される。

スペイン内では夏は過ごしやすいほうだが、国内、近隣諸国から多くの旅行者が訪れ、ホテル料金は高く、観光地も大混雑。

**ベストシーズン　9〜10月**
可能であれば、バカンスシーズンの7・8月を避けたほうが快適に楽しめる。

雨が多い季節だが、ひどく降ることは少ない

| 7月 | 8月 | 9月 | 10月 | 11月 | 12月 |
|---|---|---|---|---|---|
| 25.7 | 26.9 | 23.3 | 18.2 | 13.3 | 10.3 |
| 24.6 | 25.1 | 22.0 | 18.0 | 12.5 | 7.7 |
| 156.2 | 154.7 | 224.9 | 234.8 | 96.3 | 57.9 |
| 24.3 | 55.0 | 81.5 | 79.0 | 44.3 | 40.7 |

気温と降水量

祝祭日とイベント

- 8月15日 聖母被昇天の祝日
- 9月11日 カタルーニャの日
- 9月24日 聖母メルセの日
- 10月12日 イスパニア・デー
- 11月1日 諸聖人の祝日
- 12月6日 憲法記念日
- 12月8日 無原罪の御宿りの祝日
- 12月25日 クリスマス
- 12月26日 サン・エステバンの日

月平均気温、月平均降水量は国立天文台編『理科年表2024』より

# NEWS & TOPICS

ハズせない
街のトレンド！

## バルセロナのいま！最新情報

変化を続けるサグラダ・ファミリア聖堂のように、バルセロナのトレンドには事欠かない。

©Anna Moradell Casademont

### 2026年の完成に向け再び注目される

**サグラダ・ファミリア聖堂** ▶P.23

新型コロナなどの影響もあり一度は工期の延長が発表されたものの、ガウディ没後100年に当たる2026年の完成を目標に建設が続いている。チケットはオンライン販売が基本となっ
て長い行列がなくなり、携帯アプリを利用したオーディオガイドもさらに充実。2024年7月にはガウディ評議会により、2026年を「ガウディ・イヤー2026」としてさまざまなイベントを行うことが発表されており、こちらも見逃せない。

↑2021年には「マリアの塔」、2023年には
「福音史家の4塔」が完成し、着々と建設が進む

ティビダボの丘
（→P.52）山頂
にある1901年
開園の遊園地

2024年7月リニューアル

### スペイン最古の **ティビダボ遊園地** に
### 高さ52mの絶叫アトラクションが登場

眺望スポットが多いバルセロナで最も高い見晴らし台としても有名な遊園地に360度の眺望を誇るフリーフォール「メルリ」が誕生。「魔法の杖」をテーマにしたタワーからの景観とスリルは、まさに息をのむ感動体験。

●**Parc d'Attractions Tibidabo**
バルセロナ北西部 **MAP** 付録P.4 C-1
☎932-117942 ⊗カタルーニャ広場から鉄道L7号線でAv. Tibidaboアベニーダ・ティビダボ下車、Plaza Kennedyケネディ広場からTibiBusティビブス（遊園地営業日のみ）などでフニクラ（ケーブルカー）乗り場まで移動し、頂上へ ⑯Plaza Tibidabo 3-4 ⑤❸季節により異なる ⑭€35 ⊟

↑レトロな雰囲気のなか
絶景と絶叫を同時に楽しめる

### 2024年版の世界No.1レストラン

**ディスフルタール** ▶P.95

2024年6月受賞

毎年グルメ界で話題となる「世界のベストレストラン50」。2024年のNo.1はバルセロナで躍進を続ける「ディスフルタール」が受賞。かつて「世界一予約が取れない」とされた伝説の「エル・ブジ」でシェフを務め、料理開発プロジェクトにも携わった3名によるレストランだ。受賞理由は、比類ない創造性と卓越した技術、そして遊び心たっぷりの盛り付けなど。同店を訪れる有名シェフらも「とにかく革新的で予測がつかない」と絶賛する。

2014年の開業
以来、予約は
ますます取りに
くくなっている

© Joan Valera

# バルセロナの街並みを一望できる
## いま最も旬でおしゃれな ルーフトップバー に注目

### 流行のボルン地区で
### 市街地を見渡しながら一杯

## ジャルディネット・デ・ボルン
**Jardinet del Born**

今やすっかりスタイリッシュな地区の代名詞となったボルン。なかでも人気のプリンセサ通りにあるホテル・シウタット屋上のバル・レストラン。ホテルの呼び鈴を押して中に入り、エレベーターで6階まで上がる。ずらりと並ぶ色とりどりのカクテルのほか、バルセロナで流行中のおつまみや、季節の料理をアレンジした品々もおいしい。カクテルやアートの講習会もあり、気軽に参加できる。

ボルン地区 **MAP** 付録P.15 E-3
☎610-012-610 Ⓜ4号線Jaume I ジウマ・プリメール駅から徒歩5分 🏠 Carrer de la Princesa, 33 🕐13:00～23:00(金・土曜は～24:30、日曜は～22:00) 🈳月曜
📧▭

➡カクテル€10～、サングリア€25～など

フレンドリーな雰囲気。昼夜問わず気軽に楽しめる

### 海を見ながらカクテルと
### 音楽で解放感を満喫

## ジャルディネット・デ・マル
**Jardinet del Mar**

バルセロナのビーチで異彩を放つホテル「Wバルセロナ」の裏手にあるビーチ・バル。市街地からは少し離れているため、DJやバンドが入りコンサートやパーティが行われることもあるので公式サイトも要チェック。インターナショナルな雰囲気で解放感を味わいたい。

バルセロネータ
**MAP** 付録P.4 C-4
☎非公開
Ⓜ4号線Barceloneta バルセロネータ駅から徒歩25分 🏠 Pg. de Joan de Borbó 🕐14:00～24:00 🈳無休 📧▭

音楽×お酒×絶景のコンボで一日中賑わいをみせる

広がる海を眺めながらゆっくりと時間を過ごせる

⬆カクテル€10～など

### 市内をぐるりと見渡す
### 眺望でゆったりくつろぐ

## テラサ360°
**Terraza 360°**

ラバル地区 **MAP** 付録P.14 A-2
☎933-201490 Ⓜ3号線Liceu リセウ駅から徒歩9分 🏠 Rambla del Raval, 17, 21 🕐11:00～翌1:00 🈳無休 📧▭

ボテロの猫の銅像から遊歩道を挟んですぐ向かいにあるバルセロ・ラバルホテル11階のバル。文字どおり360度ぐるりと市街を望む豪華な景色が売りで、ゆっくり食事を楽しんだり、デッキチェアに寝そべってカクテルを楽しんだりと、至福の時を味わうことができる。中心部にあるため夜遅くまでのパーティはないが、夕方にDJを招いたイベントやアコースティック音楽を企画することもある。

⬆ビール€5.50～、カクテル€12.50～

13

# TRAVEL PLAN BARCELONA

## 至福のバルセロナ モデルプラン

とびっきりの **4泊6日**

ガウディに代表される19世紀末芸術が街の広範囲に広がるバルセロナ。
少ない日数で欲張ってまわる効率的なプランをご提案。

### 旅行には何日必要？

大人のバルセロナを満喫するなら

**4泊6日**以上

日本との往復にまるまる2日かかるので、1週間の予定なら現地で過ごせるのは中5日。1週間が無理でも見どころ満載、美食の街バルセロナを満喫するには最低でも4泊6日はほしい。

### プランの組み立て方

❖ **スポットのチケット購入**
サグラダ・ファミリア聖堂をはじめグエル公園などガウディ作品を訪れる際は、事前に各公式サイト（英語）でチケットを購入しておきたい。オンラインチケットが主流となり、行列がなくなり、スムーズに入場できるようになった。

❖ **ランチタイム、ディナータイム**
店によって営業時間が違うので、立ち寄りスポットの近くでサクッと済ませるランチ、夜は遅くまでやっているので予約していくディナー、食事は旅の重要な要素なのでどちらも満喫のプランを立てたい。

❖ **レストランの予約**
人気店は予約したい。プランどおりにいくかどうか時間の設定が難しいので、事前にスマホに電話番号を登録しておいて、予約は途中でフレキシブルに。

❖ **移動手段**
バルセロナは地下鉄や市バスの路線網が発達しており、タクシーも多いので、効率よくまわるには何を使えばいいか事前にチェックしておく。主要スポットを巡るツーリストバスはいたるところにあるバス停で乗降できるので便利。

---

**【移動】日本⇄バルセロナ**

# DAY 1

日本からバルセロナへの直行便はなく、日本を夕方〜夜に発って約16時間でバルセロナ着。

**20:00** ➞ **バルセロナ到着** ✈

> 20:00→空港からエアポートバス利用で約35分

ホテルまで直接行けるタクシーが楽だが約€45〜と高い。エアポートバスは中心地まで€7.25、地下鉄は€5.50。

◖空港ではターミナル1に到着する

**21:30** ➞ **ホテルにチェックインし、ディナーへ** 🧳 🍴

スペインの夜は遅く、21時でもディナーには遅くないが、明日にそなえてホテル内か近場のレストランで。

---

**【移動】バルセロナ市内**

# DAY 2

ガウディ満喫の一日。バルセロナ最大の見どころサグラダ・ファミリアから、ガウディ建築群を巡る。

◖主祭壇の十字架に磔にされたキリスト像

**9:00** ➞ **まずはサグラダ・ファミリア聖堂** ▶P23 🏛

地下鉄サグラダ・ファミリア駅からすぐ。天高くそびえるその姿に圧倒される。堂内各所を巡るには2時間はほしい。

> カサ・ミラ（ラ・ペドレラ）へサグラダ・ファミリア駅から地下鉄移動で約3分

**アドバイス**
地下博物館と生誕のファサードにあるミュージアムショップはここでしか買えないグッズがあり必見

ガウディの意思を引き継いだ人々の手によって建設が続き完成予定は2026年

**11:00** → **ガウディの<br>傑作建築群を巡る** ▶P30

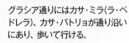

色とりどりのタイルで飾られたメルヘンチックな建物が楽しい

グラシア通りにはカサ・ミラ（ラ・ペドレラ）、カサ・バトリョが通り沿いにあり、歩いて行ける。

通りを見物しながら歩く

カサ・バトリョはガウディの装飾芸術満載

↓カサ・ミラ・（ラ・ペドレラ）はガウディの住宅建築の代表作

**15:00** → **ガウディの魅力が詰まった<br>グエル公園へ** ▶P30

ガウディとパトロンのグエル氏の夢が詰まった宝石箱のような庭園。市内が見渡せる広場やガウディがかつて暮らした住居が残る。

カタルーニャ広場へ戻り、シャトルバスで移動

**13:00** → **ランチは気軽に<br>フードコートで** ▶P110

地下鉄でアルフォンス・デウ駅へ。シャトルバスで15分

エル・ナシオナルはバルセロナ最大のフードコートで内装もおしゃれ。

↓もちろんバルも充実している

**17:00** → **フニクラに乗って<br>ティビダボの丘へ** ▶P52

標高535mの丘は市内が一望できる。遊園地があって地元で人気のデートコース。

シャトルバスで移動

**19:00** → **グラシア通りに戻って<br>ショッピング** ▶P146

高級ブランドショップやカフェが軒を連ねる。ガウディと同時代に設計された華麗な街灯も注目。

旧市街までタクシー利用で15分

## こちらもおすすめ ▶P38

19世紀に誕生した、放物線や曲線、自然の色を取り入れた建築モデルニスモ。カタルーニャ芸術の精華として見逃せない。モンタネールやカダファルクが作ったアール・ヌーヴォー様式の建築群は、ガウディ建築に劣らないほど芸術性が高い。時間に余裕があったら、ぜひ立ち寄りたい観光地。

↑サン・パウ病院。細部の装飾に注目

↑ラス・プンシャス集合住宅

**21:00** → **フラメンコを鑑賞しながら<br>タブラオでディナー** ▶P75

「タブラオ」は板張りの舞台があるレストランやバルのこと。迫力満点のフラメンコを生で見ると食欲もモリモリ!!

ランブラス通りにある老舗タブラオのコルドベス

**[移動] バルセロナ市内**

# DAY3

ローマ時代から続くバルセロナの歴史が詰まった旧市街。
活気あふれる街並みをすみずみまで楽しもう。

**8:30** ── カタルーニャ広場から
旧市街散策を始める

旧市街のメインストリート、ランブラス
通りの起点となるカタルーニャ広場から
通りをそれて東に向かって散策開始。

徒歩7分

**9:00** ── モデルニスモ建築の傑作
カタルーニャ音楽堂へ ▶P38

モンタネールの最高傑作といわれる色と
りどりの花の装飾が見事な音楽堂は、現
在もコンサートホールとして稼働中。

徒歩5分

> ステージ上部
> や手すりの迫
> りくる彫刻群
> も見どころの
> ひとつ

細部にいたるまで手の込んだ華麗なス
テンドグラスで囲まれた大ホール

**10:30** ── サンタ・カタリーナ市場で
カタルーニャ食材を探る ▶P130

古い市場を「現代のガウディ」と呼ばれ
たエンリケ・ミラーレスが改築。買い物
客は地元住民ばかりの地域密着型。

> イベリコ豚
> の生ハムや
> チョリソが
> 大盛り

徒歩5分

**11:30** ── 王の広場周辺の
歴史スポットを巡る ▶P140

ゴシック地区のな
かで最も由緒ある
王の広場。隣接す
るカテドラルは完
成までに150年を要
した13〜15世紀の
建物。

> 王の広場の
> 噴水のある
> パティオを
> 囲む回廊

コロンブスが新大陸発見後イサベル女
王に謁見した歴史的な場所

徒歩7分

↑バルセロナの守護聖人を祀るカテドラル

16

**13:00**

### カタルーニャの名物料理を 老舗レストランで ▶P46

かつてピカソやミロが通ったことで知られるカフェレストランで、芸術家たちが愛したカタルーニャ料理を堪能する。

徒歩5分

↑クアトロ・ガッツは1897年の創業

**14:30**

### 街路樹が美しい ランブラス通りへ ▶P56

海へと延びるランブラス通りはプラタナスの並木が続く。遊歩道には露店のみやげ物屋が並び観光客で賑わう。

徒歩すぐ

ランブラス通りはいつも多くの観光客で賑わっている

**14:40**

### 賑わいが楽しい サン・ジョセップ市場に行く ▶P58

ラ・ボケリアの名で親しまれる市民の台所。スペイン各地から新鮮な野菜や肉、魚介、フルーツが集まる食材の宝庫。

スペイン随一の規模を誇り、一流レストランのシェフも足を運ぶ

徒歩5分

**15:30**

### アラブ風な建物が目を引く グエル邸へ ▶P34

ガウディ初期の建築で、地下は馬小屋、1階は馬車庫、2階はサロン、3階は寝室、4階が使用人部屋と厨房だった。

徒歩14分

↑最もガウディ的な装飾のサロン

**17:00**

### サンタ・マリア・デル・マル 教会でひと休み ▶P142

航海の安全を祈って建てられた、無駄な装飾のない、すっきりとしたゴシック様式の教会。街歩きで疲れた体にやさしい場所。

徒歩2分

↑天井から漏れる光もやわらか

**17:30**

### ピカソ美術館もバルセロナ 観光では外せない ▶P44

多感な思春期をこの街で過ごしたピカソの9歳から「青の時代」を中心に展示。ベラスケスの名画『ラス・メニーナス』をアレンジした作品も見られる。

ミュージアムショップも必見！

徒歩すぐ

かつて貴族の館であった建物を改装して1963年にオープン

**19:30**

### 気軽なバルで晩ごはん 旧市街には名店多数 ▶P60

カル・ペップ、イラティ、チャペラなど、どの店も期待を裏切らない味。老舗、新進気鋭、地方色豊かと店の特色も多彩だ。

エル・シャンパニェットは、ワインと炭酸を混ぜたシャンパニェットが名物

【移動】バルセロナ市内

# DAY4

市街からちょっと足を延ばして海や丘から街を望むとバルセロナが海洋王国であることがわかる。

**10:00**

## コロンブスの塔から バルセロナ港周辺へ ▶P.148

ビーチ沿いにおしゃれなレストランが並ぶバルセロネータ地区。ランドマークのコロンブスの塔の展望台からは大パノラマが。

徒歩11分

アーチ状の橋「海のランブラス」を渡って再開発地区「ポルト・ベイ」へ

◐人気のショッピングセンター「マレマグナム」

**11:00**

## バルセロナの海の生態がわかる バルセロナ水族館

地中海生物を専門に扱っていて、バルセロナが保護する海岸について学んだり、そこに生息する多様な生物を見学できる。

▶P.149

徒歩18分

頭上をサメが泳ぐ人気の水中トンネル

**12:30**

## ビーチに沿う プロムナードを散策 ▶P.149

夏は海水浴場として大いに賑わう

18世紀に再開発によって作られたビーチは全長2km。海岸沿いにカフェやレストランが並び、遊歩道や自転車道も設けられている。のんびり日光浴をする人も。

**13:30**

## 周辺のシーフードや ▶P.103 地中海料理店でランチ

ポルト・ベイの中のレストランやビーチ沿いのレストランはどの店もシーフードや地中海料理を出していて新鮮さが売り。

徒歩10分

**15:00**

## レトロなロープウェイから、 バルセロナの街を空中散歩

ロープウェイで約20分

バルセロネータのトーレ・ダ・サンセバスティア駅とモンジュイックの丘を結ぶロープウェイ(テレフェルコ)。高さ50mの上空から空中散歩を。

◐レトロ感漂う塔

**アドバイス**
夏のハイシーズン中はたいへん混雑。炎天下で1時間待ちもあるとか

晴れた日の地中海と伝統的な街並みの絶景は見事

**15:30**

### モンジュイックの丘から市街を一望 ▶P150

丘の上には17世紀に建てられたモンジュイック城が建つ。監獄や監視塔として使われてきたが、現在はアートなどの展示スペースになっている。

*徒歩20分*

> 丘の上はサグラダ・ファミリアも望める抜群の眺望

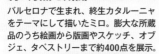

> **アドバイス**
> モンジュイック城に行くならバルセロネータ駅からロープウェイを利用する

**16:00**

### ミロ美術館は約1万点を所蔵 ▶P48

バルセロナで生まれ、終生カタルーニャをテーマにして描いたミロ。膨大な所蔵品のうち絵画から版画やスケッチ、オブジェ、タペストリーまで約400点を展示。

*徒歩10分*

**17:00**

### カタルーニャ美術館 ▶P51 でロマネスク美術を鑑賞

中世から近代の美術をコレクションしているが、特にロマネスク美術が充実している。カタルーニャの芸術を知るうえで見逃せない美術館。

*徒歩10分*

バルセロナ万博(1929)時に建造されたパビリオンを改装して美術館に

◆美術館前で行われるライトアップ

**18:30**

### 各地の街並みを再現したスペイン村でミニ旅行 ▶P151

1929年のバルセロナ万博のために造られたテーマパーク。各地の名所がミニチュアではなくすべて実物大で造られている。各地の特産品や手工芸品も売っている。

> レストランもあるのでここで食事をしてもいい

*徒歩12分*

**20:00**

### 最後の夜は憧れのレストランでディナー ▶P94

最も予約の取りにくいレストランのひとつ、エニグマ。料理の概念を超えた「分子ガストロノミー」と称する品々に驚く。

◆店内はレストランというよりまるでアミューズメントパーク

> **アドバイス**
> 予約は困難。早い段階でHPから予約し、その日時に合わせて旅程を組む必要がある

【移動】バルセロナ➡日本

# DAY5

最終日は午前中にバルセロナを発っても、時差の関係で日本着は翌日、6日目の午前中となる。

# プラス1日 モデルコース

日帰りで行けるカタルーニャの聖地モンセラットは、サグラダ・ファミリア発想の源になった人気の街。

8:36 バルセロナのエスパーニャ駅発。アエリ・デ・モンセラット駅でロープウェイに乗り換えてモニストロ・デ・モンセラット駅に9:41着。バルセロナからモンセラットへは、8:36〜16:36発の間、1日12便

**9:45** ── **黒いマリア像がある大聖堂 モンセラットへ** ▶P76

巨大な岩山を背にした小さな街。11世紀に創建されたベネディクト派修道院の聖堂には、カタルーニャ州の守護聖人である黒いマリアが祀られている。

> モンセラット（のこぎり山）の景観が観光客を呼ぶ

**11:00** ── **登山鉄道に乗って サン・ジョアン展望台へ**

**アドバイス**
ランチは大聖堂前のカフェで。ここはカダファルクのモデルニスモ建築なので必見

街なかは徒歩でまわれるが、展望台へは登山鉄道（フニクラ）で行くのが便利。サン・ジョアン行き乗り場から約15分。

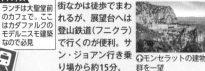

↑モンセラットの建物群を一望

**14:00** ── **登山鉄道に乗って サンタ・コバ洞窟へ**

↑洞窟への道のモニュメント

黒いマリア像が見つかった洞窟がある。徒歩で40分ほどで、登山鉄道を利用することもできる。

15:41 モニストロ・デ・モンセラット駅発。アエリ・デ・モンセラット駅からカタルーニャ鉄道に乗り換えて、バルセロナのエスパーニャ駅には16:45着。モニストロ・デ・モンセラット駅発アエリ・デ・モンセラット駅行きは22:41発が最終便

---

# オプショナル・ツアーを利用

各旅行社が郊外への1日プランをオプションとして提供。やや行きにくい場所は送迎バスなどを活用。添乗員の説明で理解も深まる。

## アクセスの心配なく訪れる
### モンセラット ▶P76

オプショナルツアーを利用すれば、市内から現地までバスで直行。乗り換えや待ち時間なしで行けて便利。

↑観光客をひきつける街

## 歴史にふれる
### ジローナ ▶P82

フランスとの国境近く、コスタ・ブラバと呼ばれる海岸地区への中継点にある中世の石造りの街並みが美しい街。『天地創造のタペストリー』で有名なカテドラルがある。

↑情趣あふれるひっそりとした路地

## サルバドール・ダリ
### フィゲラス＆カダケス ▶P50

世界中からファンが訪れる鬼才サルバドール・ダリの誕生地であり終焉の地フィゲラス。ダリのシュールな世界に浸れる。近くのリゾート地カダケスも時間があればまわりたい。

↑外観が目を引くダリ劇場美術館はダリのデザイン

# BEST 11 THINGS TO DO IN BARCELONA

## バルセロナで

ぜったい
したい

## 11のコト

### Contents

ガウディの最高傑作たる
成長を続けるバルセロナの象徴

唯一無二の
未完の聖堂

# 01 サグラダ・ファミリアに 100年の祈りを見る

バルセロナ観光のハイライトは、
天才建築家ガウディが後世に託した斬新な聖堂。
モデルニスモ建築の最高峰に会いに行く。

*Sagrada Família*

←聖書にある神を賛美する言葉が刻まれている

↓鐘楼の先端には、司教を表す杖や指輪、冠の鮮やかな装飾が見られる

## 有機的な塔が天を貫く ガウディ未完の大作

# サグラダ・ファミリア聖堂

Basilica de la Sagrada Familia

アシャンプラ **MAP** 付録P.7 E-4

「聖家族」を意味するサグラダ・ファミリアは、キリストとその家族に捧げる聖堂。民間カトリック団体のサン・ホセ協会が建設を計画し、1882年に着工し、翌年にアントニ・ガウディが2代目主任建築士に着任。ガウディは当初の伝統的ゴシック建築を変更。象徴的な彫刻を無数にちりばめ、曲線を多用した独自のデザインを取り入れた。後半生をサグラダ・ファミリアの建設に捧げたガウディだったが生涯を閉じ、現在は地下礼拝堂に眠る。建設は現在も進行中で、ガウディ没後100年の2026年にはイエスの塔が完成予定。ガウディ生存中に完成した生誕のファサードと地下礼拝堂が世界遺産に登録された。

☎932-080414 ✖Ⓜ2・5号線Sagrada Familia サグラダ・ファミリア駅からすぐ ⚐ C. Mallorca 401 🕐9:00(日曜10:30)〜20:00(11〜2月は〜18:00、3・10月は〜19:00) 土曜は〜18:00、12/25・26と1/1・6は〜14:00 Ⓚ無休

### ⓘinformation

● チケットの購入
当日券のチケット売り場がなくなり、オンラインでの予約が必須。サグラダ・ファミリア公式HPから3カ月先

まで予約可能。チケットの種類、鐘楼の見学、訪問日・時間等のほか、氏名などの必要事項を入力してクレジットカードでチケットを購入。購入手続きの途中で鐘楼への入場を追加するかどうか質問が出る(後から追加はできないので注意)。PDFを印刷したものか、スマホなどのQRコードを当日に提示する。
⚐ sagradafamilia.org/en/tickets

● チケットの種類
どのチケットもアプリでオーディオガイドが利用でき、日本語もある。
Sagrada Familia: €26
聖堂内(地下博物館、付属学校含む)に入場できるチケット。
Sagrada Familia with guided tour: €30
聖堂内の公式ガイド付きグループツアーのチケット。
Sagrada Familia and Towers: €36
聖堂内に加え鐘楼にも上れるチケット。
Sagrada Familia with Guided Tour and Towers: €40
聖堂内の公式ガイド付きグループツアーで、鐘楼の見学付きのチケット。

バルセロナでぜったいしたい11のコト

01 サグラダ・ファミリアに100年の祈りを見る

2つのファサードの対照的な装飾と物語

# ファサードに秘められたストーリーを追う

聖堂の東と西に設けられた2つのファサード(正面)には、イエスの生と死を伝える多数の彫刻が刻まれている。南側の栄光のファサードが完成するとキリストの物語は完成を迎える。

## 生誕のファサード
**Fachada del Nacimiento**

聖堂東の入口を飾るファサードで、ガウディ生存中に建設が始まった。キリストの生誕から幼少期までを表現した多くの繊細な彫刻が見られる。日本人で唯一、建設に参加している彫刻家の外尾悦郎氏が天使像など多くの彫刻を担当した。

### 生命の木

生誕の門の中央にそびえる糸杉の木は、生命のシンボル。糸杉にとまるハトは聖霊や純潔の象徴とされる。

### 聖母マリアの戴冠

神への献身的な愛への報いとして、イエス・キリストが聖母マリアに冠を授ける場面が刻まれている。左端にいるのは、マリアの夫でイエスの養父の聖ヨセフ。

### キリストの生誕
キリストの誕生シーンを刻んだ彫刻。両側で母マリアと養父ヨセフがやさしく見守る。周囲には、キリストの生誕を祝福する天使や人々の彫刻が刻まれている。

キリスト生誕の喜びを表現

### 天使と子どもたち

キリストの誕生を祝う天使たち。左右の天使が楽器を奏で、中央の子どもたちは合唱隊。スペイン内戦で損傷し、日本人彫刻家の外尾悦郎氏が修復を行った。

### 東方三博士の礼拝
星に導かれてイエスの生誕を知り、祝福に訪れた3人の博士。新約聖書に描かれるシーンで、それぞれ贈り物を携えてベツレヘムのイエスのもとを訪ねている。

### 羊飼いの礼拝
キリストの生誕を最初に天使たちから告げられたのは羊飼いたち。彼らはキリストを訪ね、礼拝を行った。羊飼いは信者のシンボル。

### 生誕の門
中央にキリストに捧げる「慈悲の門」、右が聖母マリアのための「信仰の門」、左は聖ヨセフの「希望の門」。ブロンズ製扉の植物や昆虫の装飾は外尾氏の作品。

### 動物たちに注目!
ガウディは生誕のファサードにカメやロバ、鳥、昆虫など多くの生き物の彫刻を施した。門柱を支えるカメは「不変」、門の脇のカメレオンは「変化」などを象徴するとされる。

### 見学のコツ
生誕のファサードの魅力は、キリストの誕生を祝福する数多くの繊細な彫刻群。聖堂に入る前に細かな装飾をじっくり眺めたい。高い位置にも彫刻があるので、双眼鏡を持参すると便利だ。

## 受難のファサード
### Fachada de la Pasión

聖堂の西側にあり、最後の晩餐からイエスの死、復活までを表している。死がテーマのため、生誕のファサードのような華やかな装飾彫刻を廃し、シンプルで幾何学的なデザイン。左下から上部へS字を描くように物語が進んでいく。バルセロナ出身の彫刻家Josep Maria Subirachsによって制作された。

### 福音の扉

受難のファサードの中央にある扉。上部には、イエスの最後の2日間の物語を『新約聖書』から抜粋した文字がびっしり刻まれている。

### この人を見よ

捕らえられて鞭打ち刑を受け、イバラの冠を被せられたイエス。その横には、イエスを無罪と認めながら処刑を行ったローマ総督ピラトがいる。

## 栄光のファサード
### Fachada de la Gloria

現在建設途中で、聖堂の正面入口となる最も重要なファサード。キリストの栄光を表し、3つのファサードで最も豪華になる予定だ。7つの扉のうち中央の扉が完成した。扉の内部には、主の祈りの言葉が50カ国語で刻まれている。

海に向かった方向に栄光のファサードが造られる

**完成が待たれる正面入口**

### ロンギヌス

ローマ兵のロンギヌスは磔にされたキリストを槍で刺した。そのとき流れたキリストの血が目に入り、眼病が治癒したことから改宗した。

### キリストの磔刑

磔にされ命を落としたイエス。嘆き悲しむマリアとマリアを慰める聖ヨハネ、マグダラのマリアがいる。頭蓋骨が死を象徴。

### ヴェロニカ

ゴルゴタの丘へ向かうイエスが汗をぬぐったヴェールを掲げる聖ヴェロニカ。ヴェールにはイエスの顔がくっきりと浮かび上がった。

**キリストの最期を見つめる**

### ユダの接吻

弟子のユダが、師が誰かをローマ兵に知らせるためイエスに接吻した裏切りのシーン。近くに武装したローマ兵士たちが潜む。

### ペテロの否定

弟子のペテロは自身の保身のため、イエスなど知らないと3度も否定。イエスはこのできごとを予言していた。

縦、横、斜めに数字を足すとキリストの享年の33になる魔法陣。さまざまな場所にあるので探してみよう

### 📍 見学のコツ

彫刻は下段が磔までの物語、中段がゴルゴタの丘へと向かうキリスト、上段がキリストの最期と埋葬までを表している。下段左から右へ、中段右から左へ、上段左から右へと物語が進む。鐘楼に挟まれた最上部には昇天したキリスト像がたたずんでいる。

光に映える森の聖堂
# 幻惑の美に包まれる聖堂の内部へ

林立する樹木の柱の隙間から差し込む木洩れ日。ガウディが巨大な森をイメージした壮大な異空間。

## 聖堂内部
**Basilica**

2010年に内部がほぼ完成した。平面構造はラテン十字型で、十字の交差部に主祭壇を配置。樹木を思わせる36本の柱と葉の装飾を施した放物線状のアーチ型天井が空間を支える。ステンドグラスの窓や天井から幻想的な光が差し込む。

### 主祭壇

聖堂の中心部。祭壇上の天蓋にはキリストの十字架像が下がり、ブドウと小麦(キリストの血と肉を表すワインとパンの原料)の飾りや無数のランプが囲む。

輝く天蓋の下のイエス像

↑中央部の高さは約45m。天井の上には高さ172.5mのイエスの塔が建つ予定だ

↑美しい光に照らされるイエス像

### 天井

曲線を多用するガウディならではの独創性あふれるアーチ天井。シュロの葉をモチーフにした装飾が独創的で華やか。葉の隙間から光が差し込む。
↑頭上を見上げると、幾何学模様のよう

独創的な装飾に圧倒

### 柱

ヤシの木をモチーフにした巨大な柱。上部は樹木のように枝分かれして天井を支える。主祭壇を囲む柱には、4人の聖人のシンボルが装飾されている。

樹木のような巨大柱

←聖人ルカのシンボル

←オレンジに染まる夕方が最も神秘的

時間で変化する輝き

### ステンドグラス

聖堂内のステンドグラスはバルセロナ出身の画家・ガラス職人のジョアン・ビラグラウによるもの。太陽の昇る生誕のファサード側には青や緑、西日の差し込む受難のファサード側には赤やオレンジのガラスがはめ込まれており、午前と夕方では光の色が変化する。

→聖堂内が多彩な色に染まる

## 鐘楼
**Torres**

生誕のファサードと受難のファサードのいずれかの鐘楼にエレベーターで上れる。バルセロナの街並みを望み、鐘楼の装飾を間近に眺められる。下りは階段を利用。完成後は18本の鐘楼に約60個の鐘が付く予定。事前に専用チケットが必要。

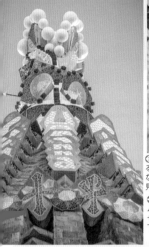

↓生誕の塔から市街や地中海を遠望。受難側からはモンジュイックの丘や旧市街を望む

街や聖堂を眼下に望む

◐鐘楼の先端を飾るカラフルな装飾などをすぐ近くで見られる

→帰りは、カタツムリや巻貝を思わせるらせん階段を下っていく

### 📍 見学のコツ

鐘楼へ上るには事前に専用チケット（→P73）を購入し、エレベーターの利用時間を予約しておく。生誕のファサード側の鐘楼は、ガウディが制作した生命の木が近くに見られるため特に人気がある。

## 地下博物館
**Museo**

聖堂の地下にある博物館で、サグラダ・ファミリアの歴史を紹介。ガウディのスケッチや模型、写真資料などを展示。なかでも、ガウディが考案した、アーチ構造のバランスを図るための懸垂型模型が有名。模型制作の作業工程を見学できる。

↓博物館への入口は聖堂をいったん出た受難のファサード側にある

模型や完成図を展示

◐サグラダ・ファミリアのたくさんの模型が展示されている

▲職人たちが模型作りを行う工房をガラス越しに見学

↑ガウディのアトリエを再現した部屋もある

## 付属学校
### Escuela

サグラダ・ファミリアの敷地内にあり、建設労働者の子どもや近隣の子どもたちのために建設された。ガウディが設計を手がけ、建設費も負担した。直線を廃した波打つ屋根や壁面はガウディならでは。現在は使われておらず、内部を見学できる。

ガウディが設計した学校

⤵壁も屋根も曲線。低予算で構造の強度を上げる効果もあるという

### 見学にはガイドを利用！

**日本語のパンフ＆音声ガイド**
聖堂内のインフォメーションで案内図の入った日本語パンフレットが手に入る。日本語で解説が聞けるオーディオガイドもある。サグラダ・ファミリアの歴史や建築について理解が深まるのでおすすめ。

⤴各国語のパンフレットを用意

⤴⤴日本語対応のオーディオガイド。各ポイントに表示された番号を押すと説明が流れる

### SHOP

聖堂内部と外の2カ所にギフトショップがある。サグラダ・ファミリアをモチーフにした文具や雑貨など多彩なグッズを販売。

€7

**皿**
サグラダ・ファミリアの各所が描かれたお皿

€130

**模型**
精巧に作られた完成予想図の模型

### サグラダ・ファミリア年表

| | |
|---|---|
| 1882 | 主任建築士ビリャールの設計で建設開始 |
| 1883 | 施主との意見対立でビリャール辞任。アントニ・ガウディが主任建築士に |
| 1889 | 地下礼拝堂が完成。以降はガウディのデザイン案で建設が進められる |
| 1905 | 生誕のファサードが頂上部を除きほぼ完成する |
| 1909 | 敷地内に労働者の子どもらのための付属学校を建設 |
| 1914 | ガウディが建設に専念し始める |
| 1926 | 路面電車に轢かれてガウディ逝去。地下礼拝堂に埋葬 |
| 1936 | スペイン内戦で地下礼拝堂などが火災に遭う。スケッチや模型が焼失 |
| 1961 | 地下博物館を設立 |
| 1978 | 日本人彫刻家・外尾悦郎氏がサグラダ・ファミリアで働き始める |
| 2000 | 栄光のファサードの基礎工事が開始される |
| 2005 | 生誕のファサードと地下礼拝堂が世界遺産に登録 |
| 2010 | 聖堂身廊が完成。ローマ教皇がミサを行い、カトリック教会に認められる |
| 2018 | 受難のファサード完成 |
| 2026 | サグラダ・ファミリア完成予定 |

角度によってまったく違う顔が魅力

# サグラダ・ファミリアを眺める BEST スポット

サグラダ・ファミリアの超個性的な外観全体を写真に収められるとっておきのポイント。撮影者の美的センスが試される!?

サグラダ・ファミリアはどこから撮る？

人通りの少ない時間に。夕方は神秘的

**A**

## ガウディ通り
**Av. de Gaudí**
MAP 付録P.7 F-3

生誕・受難の2つのファサードの両方が映り込むスポット。ほどよい大きさで収められ、通りの風景がアクセントに。
交M 2・5号線Sagrada Famíliaサグラダ・ファミリア駅からすぐ 所Avenida de Gaudí

青い海をバックに建物を際立たせて

**B**

## グエル公園
**Parc Güell**
MAP 付録P.7 E-1

高台にあるので、遮るもののない景色を楽しめる。遠景にはなるが、地中海をバックに街並みとともに撮影できる。
P30

昼間、夕方、夜で雰囲気ががらりと変わる

**C**

## ガウディ広場
**Plaça de Gaudí**
MAP 付録P.7 F-4

生誕のファサードがバッチリ撮れる。池越しに逆さサグラダ・ファミリアを撮ったり、ライトアップの様子を撮ったり。
交M 2・5号線Sagrada Famíliaサグラダ・ファミリア駅からすぐ 所C. Lepant 278
時休料見学自由

*地図（グエル公園 周辺）*
☆グエル公園
0 500m
カサ・ビセンス
サグラダ・ファミリア聖堂
ガウディ通り
ディアゴナル駅
セルコテル・ロセリョン
★カサ・ミラ（ラ・ペドレラ）
ガウディ広場
サグラダ・ファミリア駅
グロリアス駅
Avinguda Diagonal
Gran Via de les Corts Catalanes

アーチのフレームいっぱいに収めよう

**E**

## カサ・ミラ（ラ・ペドレラ）
**Casa Milá(La Pedrera)**
MAP 付録P.13 D-2

屋上にあるアーチの中にサグラダ・ファミリアがすっぽり収まる人気の写真映えスポット。行列を覚悟して。
P32

屋上のテラスからも眺望が楽しめる

**D**

## セルコテル・ロセリョン
**Sercotel Rosellón**
MAP 付録P.7 E-4

サグラダ・ファミリアまでの距離はわずか200m。ホテルの屋上テラスから、刻々と移りゆく姿を独り占めできる。
P157

## 夜の幻想的なサグラダ・ファミリアを再訪！
ライトアップされてオレンジ色に浮かび上がるサグラダ・ファミリアは、いっそう神秘的な雰囲気に。ライトアップの時間帯は毎月少しずつ変動するので事前に確認をしておこう。

広場の芝生に寝転びながら見よう！

独創性があふれ出す
天才建築家の作品群

**サグラダ・ファミリア
だけじゃない！**

## 02 ガウディ建築の描く 曲線美に心奪われる

バルセロナの街をシンボリックに彩るガウディ建築。
芸術の街にひときわ異彩を放つ
天才建築家の作品世界をのぞいてみよう。

### Antoni Gaudi

**自然を手本に生まれた
曲線構造と緻密な装飾**

　バルセロナの建築家アントニ・ガウ
ディは、樹木や海、生物などの自然か
ら多くのヒントを得て建物をデザイン
した。うねるような曲面や放物線の
アーチを多用し、色彩や装飾で細部を
飾り立て、奇抜ともいえる独創的なス
タイルを確立した。なかでもブルジョ
アたちの依頼により設計した邸宅の
数々は、華やかで目を奪われる。多く
のガウディ建築が世界遺産に登録さ
れ、内部見学も楽しめる。

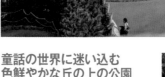

### 童話の世界に迷い込む 色鮮やかな丘の上の公園

#### グエル公園
**Parc Güell**
バルセロナ北部 **MAP** 付録P.7 E-1

ガウディのパトロン、グエル氏の依頼で
1900年に着工した英国風の住宅街。60戸の
住宅が建設予定だったが、売却されたのは2
戸のみで計画は中断。バルセロナ市に寄贈さ
れ公園となった。中央広場を囲む波打つ
ベンチが有名だ。助手のジュジョールらが
手がけたカラフルな破砕タイルが園内を飾
り、おとぎの国のよう。ガウディが晩年を
過ごした住宅はガウディ博物館になってい
る。入場制限があるのでネット予約が便利。
☎934-091831 交M4号線Alfons Xアルフォンス・
デウ駅からシャトルバスで15分（予約のみ）、3号線
Lessepsレセップス駅から徒歩20分 所C. Olot 5 時
9:30～19:30（季節により変動あり）チケットに表示
された時間から30分以内に入場する 休無休 料有料
ゾーン€10 url parkguell.barcelona

⬆公園の外壁には、タイルで作られた
シンボルが各所に

⬆中央広場の全長110mのベンチ。デザイン
性のみならず、座り心地にもこだわっている

⬆洗濯女の回廊。洗濯
女の像の柱が1本ある

⬆「お菓子の家」と
も呼ばれる守衛の家

バルセロナでぜったいしたい11のコト

02 ガウディ建築の描く曲線美に心奪われる

高台のグエル公園から、バルセロナの街と地中海を一望。遠くにサグラダ・ファミリアも!

## ここに注目したい!!

**バルセロナが一望できる**
高台にあるため眺望は抜群。広場からバルセロナ市街や地中海を見晴らせる。ガウディの大作、サグラダ・ファミリアも眺められる。

**大階段を飾るトカゲの噴水**
タイルで飾られたトカゲの噴水は公園のシンボル。実はドラゴンやオオサンショウウオではとの説も。実物を見て確かめてみよう。

**道路の下の列柱の通路**
高低差のある土地を生かし、道路の下に列柱が支える歩道を設けた。雨もしのげる利便性の高い通路。高さごとに建築様式が異なる。

**座り心地抜群のロングベンチ**
中央広場に連なる波打つベンチは、実際に座った人の型を取り、人間工学に基づいて設計された。実際の座り心地をぜひ確認してみよう。

◑大階段のトカゲは人気の撮影スポット。近くにカタルーニャ紋章のヘビの噴水も

### 園内にあるガウディ晩年の住居

**ガウディが売れ残った住居を買い取って移り住んだ。**

暮らしの跡を再現
## ガウディ博物館
**Casa Museu Gaudí**
バルセロナ北部 **MAP** 付録P.7 E-1

ガウディの右腕だったフランセスク・ベレンゲールがモデルハウスとして設計。買い手がつかなかったためガウディが買い取り、1906年から1925年まで暮らした。当時の様子が再現され、ガウディのデザインした家具なども見られる。現在は改装中のため内部の見学は不可。

☎ 932-193811 **交**⊕グエル公園内
**営休料**現在改装中のため内部の見学不可

↑グエル公園とは別料金。サグラダ・ファミリアとの共通チケットあり

↑礼拝室と寝室。サグラダ・ファミリアに没頭し始めた頃で、ガウディの信仰心の深さがうかがえる

↑博物館に展示されているガウディ像

↑ガウディのデザインした椅子が並ぶ

## 直線は一切使わず
## 海を表現した邸宅建築
# カサ・ミラ（ラ・ペドレラ）
**Casa Milà (La Pedrera)**
アシャンプラ MAP 付録P.13 D-2

実業家ペレ・ミラの依頼を受けてガウディが設計し1912年に完成した邸宅。建築主の居住フロア以外は、高級賃貸マンションに利用された。石を積み上げたような外観から石切場（ラ・ペドレラ）とも呼ばれる。曲線構造の建物は地中海や雪山がモチーフ。最上階の博物館、煙突の並ぶ屋上テラス、住宅の一部を見学できる。

☎ 932-142576 Ⓜ 3・5号線Diagonalディアゴナル駅から徒歩3分 ⒹPasseig de Gràcia 92 Ⓗ9:00〜18:30(3〜11月は20:30)、19:00(3〜11月21:00)〜23:00 ※HP要確認 Ⓗ無休 Ⓖオーディオガイド付(日本語あり)€28など、当日窓口では+€2 ⒽP www.lapedrera.com

石と鉄を組み合わせてデザインした

↑自然光が差し込む中庭。柱や天井などには植物や海洋生物などが装飾されている

---

### ここに注目したい!!

**煙突が立ち並ぶ屋上テラス**
雪山をイメージしたという屋上には、奇妙な煙突や換気口が林立。陶器や大理石など素材もフォルムもまちまちでユニーク。見晴らしも抜群だ。

**住居の窓が集まる中庭**
換気と自然光を取り込むために設けられた楕円形の中庭。住居の窓が無数に並ぶ風景は壮観。中庭から続く階段はオーナー宅への直通階段。

**屋根裏回廊の展示**
最上階の屋根裏スペースはアーチ型天井を持つ特殊な空間。ガウディ作品の資料や建築模型などを展示する博物館に利用されている。

↑居住空間の一部を見学でき、ブルジョア階級の暮らしぶりが再現されている

---

### Café
#### 海の波を模したガウディの天井が美しい
# カフェ・デ・ラ・ペドレラ
**Cafè de la Pedrera**
アシャンプラ MAP 付録P.13 D-2

カサ・ミラの1階にあるカフェ兼レストラン。朝食、ブランチ、タパス、昼食、夕食をいずれも供しており、料理は地中海料理。ライブコンサートを開催することもある。

☎ 93-4880176 Ⓗ9:30〜21:00 Ⓗ無休

↑人は多いがくつろげる雰囲気。アルコール飲料もある

↑クロワッサンとカフェ・コン・レチェ €5.50

細部にまでこだわって
増改築した海の邸宅

# カサ・バトリョ

**Casa Batlló**

グラシア通り MAP 付録P.12 C-3

実業家バトリョ氏の所有する1877年建造の邸宅をガウディが増改築し、1906年に完成させた。海をイメージした建物は青が基調。外観は廃材の色ガラスや陶器の破片を再利用し、光に反射して海面のように青く輝く。内部は海底や海底洞窟をイメージした内装。階段の手すりなど細部の室内装飾もガウディがデザインした。

☎93-2160306 Ⓜ2・3・4号線Passeig de Gràciaパセッチ・デ・グラシア駅から徒歩3分 Passeig de Gràcia 43 ⏰9:00〜22:00 無休 ブルー(オーディオガイド付、日本語あり)€29〜、ゴールド(ファストパスや無料キャンセルなどのサービス付)€39〜 www.casabatllo.es

↑ユニークなバルコニーの形状から「骨の家」、外観の印象から「あくびの家」とも呼ばれる

←内部は青タイルが多く使われ、海中の雰囲気を演出。ガウディのデザインしたドアや階段手すりなどの装飾もチェック(左)。ユニークな煙突が並ぶ屋上も必見だ(右)

↓華やかな装飾の中央サロン。窓からたっぷり光が差し込み、渦巻き状の天井が美しい

## ここに注目したい!!

### 自然光の差す中庭

ガウディはすべての部屋に自然光が入るように中庭を拡張。青タイルの下の色を薄く、上を濃くすることで光を均一に分散させている。

### ガウディ真骨頂の曲線の美

ほかの多くのガウディ作品同様、曲線のみでデザインされている。階段の形状や手すり、部屋の入口にいたるまで徹底的に曲線にこだわった。

### 屋上の煙突の森がキュート

屋上にはモザイクに飾られたキノコのようなキュートな煙突が並ぶ。うろこ状の屋根瓦もユニーク。ガウディの協力者、ジュジョールの作品。

### ガウディの家具や装飾

扉やドアノブ、階段など、ガウディがデザインした装飾に注目。2階のオーナーの邸宅の家具もガウディが細部までこだわってデザインした。

華麗な装飾と光が作る
ガウディの美学の宝庫

# グエル邸

**Palau Güell**

ランブラス通り **MAP** 付録P.14 B-3

重厚な印象の外観とうってかわり、内装は細部までこだわった豪華なもの。天井から光が降り注ぐ2階にある吹き抜けの中央サロンは教会のよう。屋上にはカサ・ミラ(ラ・ペドレラ)やカサ・バトリョでも見られる奇抜な形の煙突が20本ある。

☎ 93-4725775 ✕ Ⓜ 3号線Liceuリセウ駅から徒歩3分 🏠 C. Nou de la Rambla 3-5 🕐 10:00〜20:00(11〜3月は〜17:30) 🚫月曜(祝日の場合は開館)、1/1・6、1月の最終週 💰オーディオガイド付(日本語あり)€12、第1日曜、2/11、4/23、5/20、9/11・24は無料(要確認)
🌐 www.palauguell.cat

⬆入口正面にある錬鉄製の紋章はグエル家の紋章といわれている

## ここに注目したい!!

**ファサードの繊細な鉄細工**
邸宅の外観は内部に比べればシンプルだが、鉄細工の装飾は見事。堅い素材とは思えない繊細で緻密な装飾だ。中に入る前に眺めてみよう。

**不思議で芸術的な屋上煙突**
20本の煙突が並ぶ屋上は、邸宅内とは異世界。カラフルな煙突はそれぞれデザインが異なり、廃材の石などが使われた。

**華やかな内装の美しさ**
石や木、鉄、ガラスなど、多様な素材で飾られる邸宅内部。天井や壁、柱、窓の華麗な装飾は、部屋ごとに趣を変えている。

⬆中央サロンはアルハンブラ宮殿の影響が見られるイスラム建築風

⬆中2階の重厚な階段。採石場を所有していたグエル氏は邸宅に大理石をふんだんに使用した

⬆来客用の待合室。金箔や鉄を組み合わせた木製の天井装飾が細密で素晴らしい

⬆屋上の採光用の塔にはたくさん小窓が開いている

## 迫力ある「龍の門」が出迎える
### グエル別邸
**Finca Güell**
バルセロナ西部 **MAP** 付録P.4 B-2

ガウディ最大のパトロンであるエウセビ・グエルが初注文したのがこの邸宅の増改築。ガウディが手がけた門や塀、厩舎などが残されている。破砕タイルやパラボラアーチなど、ガウディ建築に欠かせない手法が随所に見られる。

⬆厩舎の頭頂部。すでに破砕モザイクを使用している

☎93-3177652 ⊗Ⓜ3号線Palau Reialパラウ・レイアル駅から徒歩10分⬛Av. De Pedralbes 7⬛2024年3月から改修のためクローズ。外観は見学可⬛なし

⬆鉄製の門を飾るドラゴンはギリシャ神話に登場する龍がモチーフ

## 建築賞の受賞歴あり装飾を抑えた建物
### カサ・カルベット
**Casa Calvet**
アシャンプラ **MAP** 付録P.15 D-1

実業家カルベット氏の依頼で1900年に建造した住居兼事務所兼賃貸マンション。ガウディ作品としては地味だが、市の第1回年間建築賞を受賞した。

⬆現在もマンションとして人が居住している。1階部分に中国宮廷料理レストラン「China Crown」がオープンした

☎なし ⊗Ⓜ1・4号線Urquinaonaウルキナオナ駅から徒歩3分⬛C. Casp 48⬛レストラン「China Crown」Webサイト参照 www.restaurantec hinacrownbarcelona. com/

## イスラム文化の影響が見られる
### カサ・ビセンス
**Casa Vicens**
バルセロナ北西部 **MAP** 付録P.6 C-2

施主のマヌエル・ビセンスがタイル業者だったこともあり、タイルがふんだんに使われている。幾何学模様の装飾や直線的な構造はイスラム文化とキリスト教文化を融合したムデハル様式で、ほかのガウディ作品と趣が異なる。

☎93-2711064 ⊗Ⓜ3号線Fontanaフォンタナ駅から徒歩5分⬛C. les Carolines 20-26⬛9:30〜20:00(2024年4〜10月)。それ以降は問合せ、またはWebサイトを参照⬛2024年は12/25⬛€18 ⬛casavicens.org/

⬆1885年にビセンス家のサマーハウスとして建てられた。ガウディ最初の邸宅建築

⬇屋根上の煙突もエキゾチック ⬇タイル装飾が鮮やか

⬆男性の間のイスラム風天井

▎ここに注目したい!!
エキゾチックな装飾
イスラム建築とキリスト教建築が混合したムデハル様式が建物の特徴。壁面の幾何学模様、男性の間の天井に見られるモスク風の装飾など、エキゾチックな装飾が随所に見られる。

## 現在も学校として使われている
# サンタ・テレサ学院
**Col.legi de les Teresianes**
バルセロナ西部 **MAP**付録P.6 A-1

前任者が2階まで造っていたところからガウディが引き継いで建てた。赤レンガを主体としたシンプルなつくりで重厚な雰囲気が漂う。尖塔の4本枝の十字架はガウディ作品でよく見られるが、この建物で初めて登場した。

🔺1890年に完成したムデハル様式のカトリック女学院

☎なし 🚇6号線La Bonanovaラ・ボナノバ駅から徒歩5分 🏠C. de Ganduxer 85-105 🕐休料内部見学不可 🅿なし

## まるで城のようなワイナリー
# ボデガス・グエル
**Bodegas Güell**
ガラフ **MAP**付録P.3 D-3

この土地一帯を購入したグエル氏のためにガウディがデザインしたワイナリーで、1階が酒蔵、2階が管理人用の住宅、3階が従業員用の礼拝堂になっている。石灰石を利用した建物があたりの景観となじんでいる。

🔺最上階にある礼拝堂

☎なし 🚇Garrafガラフ駅から徒歩10分 🏠Carretera c-246, Barcelona-Sitges 🕐休料現在閉鎖中につき見学不可

🔺ゆるやかな曲線を描く屋根や独特の形の煙突はガウディならでは

## 門の中央にはガウディの像が立つ
# ミリャーレス邸の門
**Porta de la Finca Miralles**
バルセロナ西部 **MAP**付録P.4 B-2

邸宅は現存していないが、ドラゴンをイメージしたという波打つ形の門と塀が残されている。建設当時は塀の長さは36mもあったという。中央の大きな出入口は馬車用で、その隣の鉄柵のはまった小さな出入口が歩行者用。

☎なし 🚇3号線Maria Cristina マリア・クリスティーナ駅から徒歩12分 🏠Passeig de Manuel Girona 55 🕐休料門のみ見学自由

🔺門は1902年に完成。門の下にはガウディ像がたたずむ

## 光の大聖堂と呼ばれる
# カテドラル
**Catedral de Mallorca**
マヨルカ島 **MAP**P.88

13～16世紀に建てられた大聖堂で、1903年の修復工事ではガウディが招聘された。ガウディが担当したのは聖歌隊席や祭壇、天蓋など。バラ窓やステンドグラスが数多く設置され、天井から差し込む光が神々しい。 **P.88**

🔺高い天井を持つ全長121mの大聖堂。奥にガウディの祭壇がある

🔺海に面してたたずむ

# アントニ・ガウディの生涯を見つめる

深い探求心とチャレンジ精神で、斬新な建築を生み出し続けた天才建築家ガウディ。
手本としたのは神が創造した「自然」。ガウディの生涯を知り、建築の魅力を再認識しよう。

## 自然とふれあい、経験を重ねた若き日のガウディの暮らし

アントニ・ガウディは、バルセロナ南西の都市・レウスで銅板器具職人の末っ子として1852年に生まれた。病弱な少年だったガウディは、一家が所有する隣町の農園で長い時間を過ごし、動植物などの自然とふれあった。当時の経験が、自然の造形を生かす彼のデザインの源となったようだ。21歳となった1873年、ガウディはバルセロナの建築学校に進学。家計が苦しく、建築事務所やガラス工房、錠前屋などのアルバイトで学費を稼いだ。教授のビリャール(サグラダ・ファミリア初代主任建築士)の仕事を手伝い、旧城塞地区の公園化事業(現シウタデリャ公園)にも携わった。こうした経験がのちの作品に大いに役立っている。

1878年に26歳で学校を卒業したガウディは、同年開催されたパリ万博の展示ショーケースのデザイン依頼を受けた。この作品が実業家グエルの目にとまり、ガウディは生涯にわたる支援者を得る。

Antoni Plàcid Guillem Gaudí i Cornet
(1852〜1926)

## 多くの傑作を通して見るガウディ建築デザインの変遷

19世紀末のバルセロナは、工業の発展による好景気で空前の住宅建設ラッシュが続いた。ガウディにとって、格好の活躍の舞台が用意されていた。グエルらブルジョアたちからの設計依頼が舞い込み、ガウディの斬新な建築が街を飾った。1880年代のガウディ初期のデザインが、レンガと色彩タイルを用い、イスラム風のムデハル建築やゴシック建築に影響を受けた、古典建築との折衷建築が主流だった。規則的な2色タイルで外観を包むカサ・ビセンス(1885年)がその代表作だ。50代を迎えた1900年代以降は曲線や植物モチーフなどの装飾を多用した独創的デザインが主役となる。住宅公園として計画されたグエル公園やカサ・バトリョ、カサ・ミラなどの傑作が次々と世に生み出された。

⬆無名だった時代のガウディが設計に携わったシウタデリャ公園の噴水

⬆ガウディが生存中に建設が進められていたサグラダ・ファミリア聖堂の生誕のファサード

## 大聖堂サグラダ・ファミリアに生涯を捧げた晩年のガウディ

ガウディがサグラダ・ファミリアの主任建築士となったのは31歳のとき。初代主任建築士のビリャールが建築主との意見対立から辞任し、そのあとを任された。敬虔な信者ではなかったガウディだったが、サグラダ・ファミリアの建設に携わるうちに信仰心を深めていく。62歳になった1914年以降は、ほかの仕事を一切断って大聖堂建設に専念した。

建設費の資金難が続くなか、1925年からは聖堂内の工房に泊まり込んで質素に暮らしながら作業に没頭。翌年の6月7日、路面電車の事故に遭い、3日後に逝去する。享年73歳。非社交的な性格などから一度も家庭は持たなかったが、3万人以上の市民が葬儀に参列して彼の死を悼んだ。現在はサグラダ・ファミリア聖堂の地下礼拝堂に埋葬されている。

## ガウディだけじゃない！
## 華麗なる建築を見る

伝統を生かした
表現技法を見る

# 03 斬新な驚きに満ちた 街に点在する近代建築

**19世紀末にカタルーニャで開花した芸術様式「モデルニスモ」。
普遍性と地方性を併せ持つ独自の近代芸術として、
建築界に多大なる影響を与えた。**

*Modernismo*

### カタルーニャで発展した 美しいモデルニスモ建築

19世紀末から20世紀初頭にかけて、フランスのアール・ヌーヴォーの影響を受けて、バルセロナを中心に発展したモデルニスモ。建築では華やかな造形を特徴とする。カタルーニャの民族主義的な機運の高まりとともに発展し、ドミネク・イ・モンタネール、ガウディ、プッチ・イ・カダファルクがその3大巨頭とされている。バルセロナの一画には、カサ・バトリョ、カサ・アマトリェール、カサ・リュオ・モレラと、3巨匠が建築した作品が立ち並び、「不和のりんご」と呼ばれている。

### リュイス・ドミネク・イ・モンタネール
**Lluís Domènech i Montaner**

1850～1923。バルセロナ出身の建築家。25歳でバルセロナ建築学校の教授となり、ガウディを教えたこともある。優美な曲線を用いた独特のスタイルを生み出し、代表作のカタルーニャ音楽堂とサン・パウ病院はユネスコの世界遺産に登録されている。

➡「芸術は人を癒やす」という言葉を残した天才

➡天井の名前やベランダの胸像など、作曲家にちなんだ装飾も多い

### 庶民のための音楽堂は モデルニスモの代表作
# カタルーニャ音楽堂
**Palau de la Música Catalana**

ボルン地区 **MAP** 付録P.15 D-2

20世紀初頭のカタルーニャ・ルネサンスで指導的役割を果たしたウルフェオー・カタラー合唱団のためにモンタネールが建築したモデルニスモ建築のコンサートホール。外壁にはバルセロナの守護聖人ゲオルギウスが彫刻され、トレンカディスと呼ばれる工法のモザイクの柱や壮麗な天井のステンドグラスに覆われたシャンデリアは圧巻。1980年代には大規模な修復が行われ、1997年にユネスコの世界遺産に登録。

☎93-2957207 Ⓜ1・4号線ウルキナオナ駅から徒歩5分 ⓐ C. Palau de la Música 4-6 Ⓣ9:00～15:30 Ⓗ無休 €18(50分)Ⓟ www.palaumusica.cat

➡外観の角には、聖ゲオルギウスが民衆を音楽の世界へ誘う場面が彫刻されている

➡カタルーニャのアール・ヌーヴォー様式を今に伝える現役のコンサートホール

上部の美しいステンドグラスが目を引く音楽堂の大ホール

ホールの上部にも楽器を演奏したり、踊っている女性の像が置かれている

## 出版社の社屋を
## 現代アートの発信地に

# アントニ・タピエス美術館

**Fundació Antoni Tàpies**

グラシア通り **MAP** 付録P.12 C-3

ドミネク・イ・モンタネールが設計した出版社の社屋を利用した、スペインを代表する現代芸術家、アントニ・タピエスの美術館。独創的な作品を開放的な空間で鑑賞できる。タピエス以外の現代アートをテーマにした特別展も開催。

☎93-4870315 ❷M2・3・4号線Passeig de Gràciaパッセッチ・デ・グラシア駅から徒歩3分 ⑯C. d'Aragó 255 ⑰10:00〜19:00(日曜は〜15:00)⑭月曜 ⑲€12 ⑯fundaciotapies.org/

⬆屋上にある針金で作られた作品が目を引く

## グラシア通りの街角を彩る
## 華やかな集合住宅

# カサ・リェオ・モレラ

**Casa Lleó Morera**

グラシア通り **MAP** 付録P.12 C-3

ドミネク・イ・モンタネールが改築したバルセロナで最も美しい建物のひとつ。ブルジョワたちが住んだマンションなだけあって、細部にいたるまで華麗。3階のバルコニーには改築当時発明されたばかりの蓄音機やカメラなどを持った女性の像がある。

☎なし ❷M2・3・4号線 Passeig de Gràciaパッセッチ・デ・グラシア駅から徒歩3分 ⑯Passeig de Gràcia 35 ⑭外観のみ自由 ⑯www.casalleo-morera.com

⬇グラシア通りの交差点の角にある建物。高級ブランドのロエベが1階に入る

**Café**

## 音楽堂の併設カフェ

# カフェ・パラウ

**Cafè Palau**

ボルン地区 **MAP** 付録P.15 D-2

音楽堂に併設されているカフェ。簡単に食べられるサンドイッチ類がカウンターに並んでいるため、軽食は見て指さしで頼めるのもうれしい。野菜とツナのサンドイッチはレタスが新鮮で美味。

☎なし ⑰9:00〜24:00 ⑭無休

⬆メニュー一例。カタルーニャ風プティファラソーセージときのこ(上)。きのこのリゾット(下)

🔔コンサート開始までの待ち合わせに、コンサート前の乾杯に、または音楽の余韻に浸りながらコーヒーやお茶を楽しめる

親子で作り上げた
モデルニスモの傑作

# サン・パウ病院
**Hospital de la Santa Creu i Sant Pau**

バルセロナ北東部 MAP 付録P5 D-3

1401年に起源を持つ6つの病院を1902～30年にかけてドミネク・イ・モンタネールと彼の死後、息子が統合・増築した総合病院。4.5haの広大な敷地に48棟の建物が並び、豪華絢爛なムハデル様式の病棟の内部には、モザイクタイルやステンドグラス、彫刻が施され、世界一美しい病院といわれている。

☎93-5117876 Ⓜ5号線Sant Pau Dos de Maigサン・パウ・ドス・デ・マッチ駅から徒歩3分 ❿Carrer de Sant Quinti, 89 🕐9:30～18:30(11～3月は～17:00) Ⓕ無休 Ⓟ€17、ガイド付€21 HP www.santpaubarcelona.org

⬆ガウディ通りに面したシンメトリーが美しい正面玄関。2009年まで診療が行われていた

⬆管理事務分館の右側にある入口のモザイク画

⬆庭園から見た正面入口の管理事務分館。ロビーの装飾が見事

⬆イスラム教とキリスト教が融合したサン・サルバドール分館

⬆中庭のほぼ中央に位置する手術棟はモンタネールによる設計

⬆管理事務分館2階の礼拝堂には、磔にされたキリスト像が

⬇管理事務分館。階段ホールから天井のステンドグラスを見上げる

## ジョセップ・プッチ・イ・カダファルク
**Josep Puig i Cadafalch**

1867〜1956。バルセロナ郊外の裕福な家庭で育ち、モンタネール、ガウディと並びモデルニスモの3大巨頭に数えられる。中世ロマネスク様式やゴシック様式などの要素を取り入れ、邸宅から工場にいたるまで、バルセロナの建築物を数多く手がけている。

→中世建築の研究など学術活動にも励んでいた

## チョコレート王が娘と暮らした中世ゴシック風の邸宅
# カサ・アマトリェール
**Casa Amatller**

グラシア通り **MAP** 付録P.12 C-3

カサ・バトリョの隣に建ち、階段状のファサードが目を引く。1797年に創業したスペイン最古のチョコレート店の3代目、アントニ・アマトリェールの邸宅で、古い建物を内装やインテリアを含めプッチ・イ・カダファルクが大々的に改装。豪華な装飾やレリーフも見応えがある。

↑1階のカフェでは、アマトリェールのチョコレートも食べられる

☎934-617460 Ⓜ2・3・4号線 Passeig de Gràciaパセッチ・デ・グラシア駅から徒歩すぐ 所Passeig de Gràcia 41 ⏰10:00〜20:00 休12/25 料オーディオガイド付ツアー50分€17、ガイド付ツアー1時間€20 HPamatller.org/

↑モデルニスモ建築のなかでも独特な存在。1階にはカフェテリアがあり、その奥には、アマトリェールのチョコレートショップもある

## 突き刺さるような6本の塔
# ラス・プンシャス集合住宅
**Casa de les Punxes**

バルセロナ西部 **MAP** 付録P.13 E-2

繊維業で財を成した一家の3姉妹のためにプッチ・イ・カダファルクがデザイン。3つの建物が単一の建物に見えるように、6つの尖塔を建てることで統一感を持たせている。

☎なし Ⓜ4・5号線 Verdaguerベルダゲル駅から徒歩5分 所Avinguda Diagonal 420 料休 料入館不可 HPcasadelespunxes.com

→内部への入館は不可で、外観のみを見学できる

## ピカソが通ったカフェ
# カサ・マルティ（クアトロ・ガッツ）
**Casa Marti(4 Gats)**

ゴシック地区 **MAP** 付録P.14 C-2

プッチ・イ・カダファルクの初期作品。彫刻に覆われた外壁やアーチ状の入口など、カダファルクの特徴が見て取れる。1階にあるレストランの「クアトロ・ガッツ」は10代だったピカソなど芸術家らが通ったことで知られている。

▶P46

→20世紀初頭の芸術家たちのたまり場だった

## 街の形は変わり続ける
# 現代の建築が街に新しい色合いを与える
モデルニスモの建築とともに、バルセロナで注目すべき近年建てられている現代建築。
街には目を引く建物が点在し、専門家ならずとも「建築」を旅の目的にしたいほど。

### 近未来的なランドマーク
## トーレ・グロリアス
**Torre Glòries**
バルセロナ東部 **MAP** 付録P.11 D-1

世界的建築家ジャン・ヌーベル設計の水道局のビル。モンセラットの岩山や吹き上がる水がモチーフのビルは、赤と青のパネルに覆われユニーク。高さ144.4mでバルセロナで3番目の高さ。展望台として公開中。

☎93-5478982 ◎Ⓜ1号線Glòriesグロリエス駅から徒歩3分 ㊙Avinguda Diagonal 211 ㊙9:00～18:00 ㊟無休 ㊐€15
㊛www.miradortorreglories.com

➡グランヴィア通りとメリディアナ通りの交差点に建つ高層ビル

㊦地中海をイメージした青い外壁が特徴的

### 高さ25mの巨大な青い三角
## フォーラム・ビル
**Edifici Fòrum**
バルセロナ東部 **MAP** 付録P5 F-4

スイスの建築家ヘルツォーク＆ド・ムーロンが設計した、2004年の万国文化フォーラムのメイン会場になった建物。巨大な柱によって持ち上げられた一辺180m、高さ25mの正三角形の建物はまるで宙に浮いているよう。

◎Ⓜ4号線El Maresme | Fòrumエル・マレズマ・フォルム駅から徒歩3分 ㊙Parque del Forum, Plaça Leonardo da Vinci s/n ㊙㊟㊐外観見学のみ自由

### モデルニスモ建築をリノベ
## カイシャ・フォルム
**Caixa Forum Barcelona**
モンジュイック **MAP** 付録P8 B-2

1911年に建てられたプッチ・イ・カダファルク設計の紡績工場を、2002年に地元銀行の「カイシャ」が文化センターとして改築。エントランスのデザインを磯崎新氏が担当したことで話題を呼んだ。建物についてのオーディオガイドが借りられる(€2)。

☎93-4768600 ◎Ⓜ1・3・8号線Pl. Espanyaエスパーニャ駅から徒歩5分 ㊙Av. de Francesc Ferrer i Guàrdia 6-8 ㊙10:00～20:00(12/24・31, 1/5は～18:00) ㊟12/25、1/1・6 ㊐展示会によって異なる ㊛caixaforum.es

㊦モデルニスモとアートが融合したギャラリー

⬆波打つ屋根が印象的

### 「現代のガウディ」の遺作
## サンタ・カタリーナ市場
**Mercat de Santa Caterina**
ボルン地区 **MAP** 付録P.15 D-2

1848年創業の老舗市場をエンリク・ミラーレスが大胆にリニューアル。外壁は元の市場を生かし、そこに波打つような木組みの屋根を配した。屋根には野菜や果物をイメージしたカラフルなモザイクタイルを敷き詰めている。
▶ **P.130**

⬆バルセロナ市民に愛されるローカル市場

⬆➡2005年に大規模にリニューアルした

### デザインの歴史を学べる
## デザイン博物館
**Museu del Disseny de Barcelona**
バルセロナ東部 **MAP** 付録P.11 D-2

4つの美術館・博物館を統合し、デザインの殿堂として誕生した博物館。陶芸、装飾、衣服、グラフィックアートなど、多彩なジャンルの展示品を鑑賞できる。上部が大きくせり出した建物も実にアーティスティック。

☎93-2566700 ✉Ⓜ1号線Glòriesグロリエス駅から徒歩1分🏠PL. de les Glòries Catalanes 37-38 🕐9:00〜21:00(12/24・31など15:30〜の場合あり) 🈺月曜(祝日の場合は開館)、1/1、5/1、6/24、12/25 💴常設展€6、特別展€3
🌐www.dissenyhub.barcelona/

⬆新旧さまざまな分野のデザインを展示公開

➡デザイン関係の資料が充実したライブラリーもあり、気軽にデザインにふれることができる

## 現代美術の3大巨匠
## カタルーニャ前衛の到達点

奇想天外な芸術に
心惹かれる

# 04 ピカソ、ミロ、ダリ
# 前衛美術の足跡

⬆美術館があるのは、中世の雰囲気を残すモンカダ通り。路地歩きも楽しみたい

後世に影響を与えた巨匠たちゆかりの地であるバルセロナとカタルーニャの地。3人の芸術にたっぷりふれられるスポットへ。

**2階／First Floor**

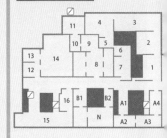

## 多感な青春時代をバルセロナで過ごした稀代の天才画家

# パブロ・ピカソ
Pablo Picasso

キュビスムの生みの親であり、史上最も多くの芸術作品を残した画家・ピカソ。ゆかりの場所をチェックしよう!

### 少年期の作品に陶器、版画
### 天才画家の源流にふれる

## ピカソ美術館

**Museu Picasso**
ボルン地区 **MAP** 付録P.15 D-3

14歳でバルセロナに移り住み、画家としての活動をスタートさせたパブロ・ピカソ。1963年にオープンしたピカソ美術館には、幼少期や修業時代、また「青の時代」と呼ばれる初期の作品が数多く並ぶ。年代順に展示された絵を見れば、彼が若い頃から卓越した技術とセンスを持っていたことがうかがえる。ほかにも、ピカソが創作した版画、陶器、素描、油絵なども展示されており、多角的にピカソの芸術を鑑賞できる。

☎932-563000 ⊗Ⓜ4号線Jaume I[ジャウマ・プリメール]駅から徒歩5分 ㊟C. Montcada 15-23 ㊟9:00～20:00(木～土曜は～21:00)11～4月10:00～19:00 ㊡月曜、1/1,5/1,6/24,12/25 ㊞€12
ⓗwww.museupicasso.bcn.cat/

*information*

● チケットの購入はWebで バルセロナでも人気のピカソ美術館では、チケット購入に時間がかかることもある。事前に購入しておきたい。チケットは、公式サイトの「Buy Tickets」から購入することができる。
● 入館時間の予約 チケット購入時にネットで入館時間帯を選ぶことができる。入場待ちにも長い行列ができる。

⬆中世に建築されたアギラール邸を利用した美術館。ミュージアムショップも充実している

### 鳩
**Els colomins** 1957年
幼少期から鳩が好きで、絵のモチーフとして何度も使用していたというピカソ。美術館にも、鳩を題材とした作品が数多く展示されている
●Room 15

**鑑賞の
ポイント**
赤、黄、緑、黒などの原色を用いて描き上げた。黄色の背景と、赤い服が作品全体に華やかさを醸し出す

### マルゴット
**L'espera (Margot)** 1932年
ゴッホに影響を受けたといわれる、点描法を使って描いた娼婦の絵。ピカソが初めてパリを訪れた20歳のときに描いたもので、彼が国際的に注目を浴びた出世作としても名高い
●Room 7

### ハーレクイン
**Arlequín** 1917年
ピカソの絵には、よく道化が登場する。こちらはバルセロナ滞在初期のもので、衣装の深い青とカーテンの赤のコントラストが美しい
●Room 9

**鑑賞の
ポイント**
南仏・カンヌのアトリエで描かれた作品。燦々と降り注ぐ太陽や、青い海が美しい

**鑑賞の
ポイント**
ギリシャ時代から、世の矛盾をユーモラスに告発する役割を担っていた道化。この絵からは、弱者を思うピカソの精神も感じ取れる

### ラス・メニーナス
**Las Meninas (conjunt)**
1957年
ピカソ美術館の目玉的な作品。スペインの宮廷画家・ベラスケスの『ラス・メニーナス』をもとに、ピカソが描いた58枚のうちの1点
●Room 12

**鑑賞の
ポイント**
1957年に描かれた「キュビスム時代」の作品。陰影のコントラストや人物の描写などピカソらしいアプローチで絵画が再構成されている

若き日の天才画家の足跡をたどってみよう
# 訪ねてみたい! ピカソゆかりのスポット

14歳から約10年間、パリに移り住むまでピカソが青春時代を過ごしたバルセロナ。
街なかには、足繁く通ったカフェやデッサン画が使用された建物など、ゆかりの場所が点在。

ピカソら芸術家が愛した
老舗レストラン
## クアトロ・ガッツ
**Cuatro Gats**
ゴシック地区 **MAP** 付録P.14 C-2

1897年創業。芸術家が集い、また
ピカソが通いつめた、ゴシック地
区を代表するレストラン。ウディ・
アレン監督の映画『それでも恋す
るバルセロナ』にも登場した。
☎93-3024140
❽Ⓜ1・4号線Urquinaonaウルキナオナ
駅から徒歩4分 ㉿C. Montsió 3
11:00〜24:00 日曜12:00〜17:00 ❻
月曜 ♨📷

⬆レストランを立ち上げ
た4人を猫になぞらえた「4
匹の猫」を意味する店名は、
日本語でいえば「閑古鳥」
にあたる慣用表現

⬇壁にはラモン・カザス
の絵が飾られている

⬆ムール貝€14

⬅ジントニック
小€9、大€15

街角でピカソのデッサンに会う
## カタルーニャ建築家協会
**Col.legi d'Arquitectes de Catalunya**
ゴシック地区 **MAP** 付録P.14 C-2

カテドラル前のノバ広場にあるカ
タルーニャ建築家協会。壁には、
民族舞踊・サルダナや巨人人形ヒ
ガンテスなどを描いたピカソの
デッサンが描かれている。
☎933-015000 ❽Ⓜ4号線Jaume Iジャ
ウマ・プリメール駅から徒歩4分 ㉿Plaça
Nova 5

⬆シンプルながらも、躍動感にあふれた、力強いタッチ
が特徴

スペインの現代美術を見る美術館
多くの芸術家を生み出したバルセロナ。
その流れは脈々と受け継がれる。

コンテンポラリーアートが揃う
## バルセロナ現代美術館(MACBA)
**Museu d'Art Contemporari de Barcelona**
ラバル地区 **MAP** 付録P.14 A-1

通称マクバ。館内には、1950年代以降のコンテンポ
ラリーアートが数多く展示されている。ショップに
は、ニューヨークのMOMAなどのグッズも並ぶ。
☎934-813368 ❽Ⓜ1・3号線Catalunyaカタルーニャ駅か
ら徒歩5分 ㉿Plaça dels Angels 1 🕚11:00〜19:30 土曜
10:00〜20:00 日曜・祝日10:00〜15:00 ❻火曜 💰€12
🔗www.macba.cat

⬆白で統一された建物はアメリカのリチャード・マイヤーによるもの

# ピカソ、ミロ、ダリの原点・バルセロナ

スペインを代表する巨匠・ピカソ、ミロ、ダリ。枠にはまらない独自の表現を追求した彼ら
にとって、バルセロナは「特別な場所」ともいえる。三者三様の関わり方を見ていこう。

## バルセロナで今も愛される
## 現代美術の3巨匠たち

20世紀を代表する天才画家・ピカソ。鮮やかな色彩で抽象的な絵を描く異才・ミロ。シュールレアリスムの巨匠・ダリ。20世紀初頭のバルセロナは、アーティストたちが集まり、芸術の生まれる場所そのものであった。なかでも、この3人の名は多くの人々が知るところだろう。古来、さまざまな民族が行き交い、地中海に開けていることから常に新しいものを受け入れ、国際的な街としても発展してきたバルセロナ。独特の文化を築いてきた都市が3人に与えた影響について見ていこう。

## バルセロナの独立心が
## ピカソの精神的な支柱に

マラガで生まれたパブロ・ピカソがバルセロナを訪れたのは1895年、14歳の頃だ。当時のバルセロナは、カタルーニャ・ルネサンスと呼ばれるほど芸術運動が盛んであり、活気あふれる街の雰囲気は多くの若手アーティストたちを引き付けていた。その中心ともいえるのが「クアトラ・ガッツ（4匹の猫）」という名のバル・レストラン。芸術家のたまり場であったこのバルにピカソも足繁く通い、さまざまなインスピレーションを受けた。ピカソが初の個展を開いたのもこの店で、店のポスターのデザインを手がけることもあった。

活動の拠点をパリに移したあとも、ピカソのカタルーニャ時代の友人との交流が続いていたという。バルセロナのアビニョン通りの売春婦たちを描いた『アビニョンの娘たち』はキュビスムの原点ともいえるもので、パリで注目を浴びた。代表作のひとつとして知られる『ゲルニカ』は、スペイン内戦時におけるゲルニカ地方への無差別爆撃への抗議として描かれたもので、ピカソの故国に対する思いを感じさせる。バルセロナはピカソの画家人生における出発点であると同時に、独立的精神を育んだ場所であったのかもしれない。

## 故郷の自然との精神的な
## つながりを大事にしたミロ

真っ青な空の下には、枝を広げ天に向かって伸びるユーカリの木、家畜小屋、古びた農家、細部にはさまざまな生き物たちが独特のタッチでていねいに描かれている。ジョアン・ミロの初期の代表作『農園』は、ミロが生涯愛したスペインの原風景を描いたものだ。

バルセロナの裕福な宝石商の家に生まれたミロが画家になることを決意したのは18歳の頃。神経衰弱を患い、静療のために訪れた近郊の街・モンロッチの別荘で、豊かな自然に大きく心を打たれての決心だった。翌年、ミロはバルセロナのガリ美術学校に入学。色彩感覚の素晴らしさを見いだされ、ジョセップ・ダルマウの画廊で個展を開くなど、バルセロナを中心に活動を続けた。

ミロがその独創的な画風をつかむきっかけも、当時のバルセロナにあった。ピカソが確立したキュビスム（ひとつの物体をさまざまな角度から見て描く技法）からは形体の多角的な描写を、フォービスム（野獣派、明るい色合いを用いながら、細部を簡略化する技法）からは生命力あふれる色彩や簡略化を身につけた。その後、パリとモンロッチの間を行き来し『農園』などを発表。パリに向かう際も、カタルーニャのオリーブやイナゴ豆を持参していたほど故郷を愛していたという逸話も残っている。

「芸術家が普遍的であろうとするならば自分自身の大地に深く根ざしてなくてはいけない」。ミロの画家としての活動はカタルーニャの大地に深く根ざしていたのだ。

⬆『バルセロナ・ミロ美術館からバルセロナの街並みを望む

⬆ダリが愛し晩年を過ごした、カダケスのポルリガートの入り江

## カタルーニャの地を愛し
## そこで伴侶と人生を謳歌

1904年にバルセロナ近郊の農業都市・フィゲラスに生まれたダリは、幼い頃からバルセロナ文化を身近に育った芸術家の一人だ。母方の叔父はバルセロナで書店を経営しており、ダリ少年は、冬の休暇を利用してバルセロナへ行き、叔父の店を訪問したり、建設中のグエル公園を散策したりしていた。

また、夏にはフィゲラス近郊の港町カダケスに滞在していたダリ一家。幼いダリにとって楽しみだったのが、美しい海岸線と岬にある波に侵食された奇岩を見ることであったという。ダリが愛したカダケスには「卵の家」と呼ばれ、ダリが愛妻ガラと晩年を過ごした家がある。

⬅3人が個展を開いたジョセップ・ダルマウの画廊があった、ゴシック地区のプルタフェリサ通り

独立精神を培ったピカソ、原風景のなかに精神世界を見いだしたミロ、カタルーニャを愛し、そこでの暮らしを楽しんだダリ。あなたは、バルセロナの明るい日差しと、自由な文化のなかに何を見つけるだろうか？

バルセロナで生まれ育った、遅咲きのシュールレアリスト

## ジョアン・ミロ
### Joan Miró i Ferrà

生涯にわたり、カタルーニャの原風景を描き続けたといわれる
ミロ。モチーフを極限まで単純化した、
鮮やかな抽象画を数多く残した。

### モンジュイックの丘に建つ
### 世界最大の個人美術館

## ミロ美術館
**Fundació Joan Miró**
モンジュイック **MAP** 付録P8 B-3

バルセロナの青空に映える白亜の建物
の中には、ミロの作品約1万点を所蔵。
絵画以外にも、ミロらしいカラフルな
オブジェや、巨大なタペストリー、版
画、スケッチなどが年代別に展示され
ている。設計はル・コルビュジェの下
で働いていたジョゼップ・リュイス・
セルトによるもので、モンジュイック
の森に溶け込むようなデザインが特徴。
バルセロナ市民には「ミロからの贈り
物」といわれ親しまれている。

☎937-439470 ◆フニクラ・Parc de
Montjuicパルク・デ・モンジュイック駅から徒歩
3分 ⓟParc de Montjuic 働10:00~20:00(日
曜は~19:00) 休月曜 ⍟€15
Ⓗwww.fmirobcn.org

◆バルセロナの街を見下ろす丘に建つ美術
館は「市民が文化遺産にふれられるように」
というミロの思いによって建てられた

### information

● チケットの購入はWebで　公式HPか
らチケット購入が可能。行列スキップ(一般
チケット€13とガイド付きツアー€20の2
種類から選択できる。ツアーは英語、スペ
イン語、フランス語のみ。
● 入館時間の予約　チケットを事前予約
すると、並ばずにミロ美術館に入場できる。

### モーニング・スター
**Morning star** 1940年

23点に及ぶ『星座シリーズ』のなかの1作。
戦争の足音が迫るなか、争いとは対照的で普
遍的な存在である宇宙を描き出した作品

**鑑賞のポイント**
薄い赤と青のグラデーション
を背景に、星や生き物たちを黒
線や原色で軽快に描いている

◆開放的な空間でミロの世界を楽
しめる。中央に展示されているの
は『夜明けの鳥たち』という晩年の
作品(『Birds at daybreak』1970年)

### 鳥の愛撫
**The caress of a bird** 1967年

麦わら帽子(顔部分)やカメの甲
羅といった、雑多な要素を組み
合わせて作られたブロンズ像

↑1975年に開館のミロ美術館。カラフルな
展示棚にも、ミロらしさがあふれている

### 高さ22mの巨大なオブジェ
# ミロ公園
**Parc de Joan Miró**
アシャンプラ **MAP** 付録P.8 B-1

☎なし ✕ Ⓜ 1・3号線 Eapanyaエスパーニャ駅から徒歩5分 所 C. d'Arago 2 開 10:00〜23:00 休 無休 料 無料

エスパーニャ広場に近いミロ公園には、晩年の彫刻『女と鳥』がそびえ立つ。セメントで作られ、陶板で覆われたカラフルなオブジェがミロの世界観を表している。

● 人工池の中にそびえ立つ『女と鳥』。バルセロナ市役所のために作られたこの作品は、ミロの最後の彫刻作品ともいわれている

---

### 財団のタペストリー
**Tapiz de la Fundación** 1979年

女性をモチーフにした鮮やかな色使いが特徴的なウール製タペストリー。編んだのは、タペストリーデザイナーのジョセップ・ロヨ

**鑑賞のポイント**
無地のタペストリーを燃やし焦げ跡をつけてから、布や糸を縫い付け色を加えるという独特な手法で作られた

### 駅前に現れるカラフルなモザイク画
# ミロのモザイク床  ▶ **P56**
**Mosaic de Joan Miró**
ランブラス通り **MAP** 付録P14 B-3

ランブラス通りの真ん中あたりにある、ミロがデザインしたモザイク画。単純化されたモチーフと鮮やかな色彩が特徴的。

### 蒼天の金
**The gold of the azure** 1967年

多くの天体を描いたミロの作品のひとつ。黄色と青のコントラストが美しく、アジア的ともいわれる、詩的な性質を持つ作品

**鑑賞のポイント**
絵をよく見ると、白い隙間や細かい渦巻き状の線があり、独特の空気感を醸し出している

### 足を延ばしてもうひとつの美術館へ
**ミロが晩年を送ったマヨルカ島にも、充実したコレクションが残されている。**

### アトリエ跡地そばに造られた美術館
# ミロ美術館（マヨルカ島）  ▶ **P89**
**Fundació Miró Mallorca**
**MAP** P88

晩年を過ごした地には、後半生の作品が多く集まる。開放的な島の風景とともにミロの作品が鑑賞できる。

夢と現実が交錯する世界を描いた異端の画家

# ダリの世界を体感する美術館

カタルーニャの小さな街、フィゲラスにあるダリ美術館をはじめ、
近郊にはダリの足跡を残すスポットが多い。各地の美術館を巡ろう!

フィゲラスに眠る稀代のシュールレアリスムの画家

## サルバドール・ダリ
Salvador Dalí

写実的に非現実的なものを描いた幻想画家。
不気味ながら、どこかユーモラスな作風が特徴。

↑外観からインパクト抜群のダリ美術館。元は劇場だった建物をダリ自身がデザインした。外壁には、作中でもよく描かれた卵のオブジェが並ぶ

トリックだらけの館内で
ダリの幻想世界を堪能!

### ダリ劇場美術館
Teatro-Museo Dalí

フィゲラス **MAP** 付録P.3 E-2

ダリの生誕地、フィゲラスにあった市
民劇場を改装し、1974年にオープン。
館内には初期から晩年までのダリ作品
およそ1万点が所蔵され、ところどこ
ろにあるダリらしい「仕掛け」が訪れ
る人々を驚かせ楽しませてくれる。小
難しいことは考えず、存分にダリ・ワー
ルドを楽しんでみてはいかがだろうか。

☎972-677500 ✕Figueresフィゲラス駅か
ら徒歩12分 ⊕Gala-Salvador Dali Square
5匣10:30(9月9:30)~17:15 7・8月9:00~
19:15休月曜(開館日あり、夏期は無休)、ほか
HPで要確認 料€17 www.salvador-dali.
org

**information**

● チケットの購入はWebで
HPからオンラインでも予約が可能。オン
ラインで購入すると€1安くなるが、併設
のダリ宝石館には入れないので注意。

↑中庭から見える、リンカーン大統領の顔。近寄ってみると、地中海を眺めるダリの妻・ガラの絵
になる。ダリは愛妻家で知られており、ガラをモデルとした絵を数多く残している

↑焦点レンズを通すと、女優メイ・ウエストの
顔が浮かび上がる『メイ・ウエストの部屋』

↑見上げてみると、天井に人がぶら下がってい
るように見える『ウィンド・パレスの天井画』

## 遊び心がいっぱい ダリの晩年の家
### ダリの家美術館
**Casa-Museu Salvador Dalí**

カダケス **MAP** 付録P.3 F-1

卵のオブジェがあることから「卵の家」として親しまれる、ダリの元住居兼アトリエ。館内には描きかけの絵や、ダリが愛用した画材などが当時のままに置かれている。

☎972-251015 🚌バス停Cadaquésカダケスから徒歩15分 🏠Platja Portlligat s/n ⏰10:30～17:10 夏期9:30～19:50 🚫月曜(夏期は無休)、ほかHPで確認 💴€15 🌐www.salvador-dali.org

ↄダリが愛したカダケスの地、地中海を見下ろす入り江に建つ白亜の建物

ↄダリの家美術館に立つダリの像。トレードマークのピンと尖った髭も健在

## 愛妻ガラへの贈り物は 美しい中世の古城
### ガラ・ダリ城美術館
**Castell Gala Salvador Dalí de Púbol**

プボル **MAP** 付録P.3 E-2

ダリを語るうえで欠かせない、愛妻ガラ。奔放ながらも、ダリを世界的な画家にした敏腕マネージャーの顔もある。館内には、ガラの衣装やダリの版画などが展示されている。

☎972-488655 🚌バス停La Gasolinera De La Peraラ・ガソリネラ・デ・ラ・ペラから徒歩20分 🏠Pl. Gala Dalí E-17120 ⏰10:30～17:15(季節により変動あり) 🚫月曜(開館日あり、夏期は無休)、ほかHPで要確認 💴€9 🌐www.salvador-dali.org

↑美しい田園風景のなかにたたずむ、中世の面影を残した古城・プボール城

### カタルーニャの美術を概観する

**3人の作品を鑑賞したあとは、カタルーニャの美の歴史をたどろう。**

モンジュイックの丘に建つカタルーニャの美の殿堂
## カタルーニャ美術館
**Museu Nacional d'Art de Catalunya**

モンジュイック **MAP** 付録P8 B-2

1928年にバルセロナで開催された、万国博覧会の建物を利用した美術館。玄関から左側にはロマネスク美術、右側にはゴシック美術が展示されている。『タウイのサンタ・マリア聖堂の壁画』や『全能のキリスト』の絵画など、ロマネスク美術については世界有数のコレクションを誇り、ピカソが絶賛したほど。夜には美術館の建物がライトアップされるので、併せてチェックしてみよう。

☎93-6220360 🚇M1・3号線Eapanyaエスパーニャ駅から徒歩10分 🏠Parc de Montjuïc ⏰10:00～18:00(5～9月は～20:00)日曜・祝日は～15:00 🚫月曜(祝日の場合は開館)、1/1、5/1、12/25 💴€12 🌐www.museunacional.cat

↑バルセロナの街を見下ろすモンジュイックの丘に建つ、威風堂々としたたたずまいの美術館

地中海都市・バルセロナの
歴史に思いを馳せる

*View Spot*

## 05 街を見渡す眺望スポット

ほぼ平坦な街のところどころに小高い丘があり、
サグラダ・ファミリアをはじめ、街並みを見渡すことができる。
建物に囲まれた市街地散策のあとに、ぜひ足を運びたい。

散策してきた場所が
どこかわかるかな?

バルセロナ北部の絶景スポット

街がまるでミニチュアのよう

### ティビダボの丘
**Tibidabo**

バルセロナ北西部 **MAP** 付録P4 C-1

標高535mの丘で、バルセロナ周辺ではいちばん高い場所。頂上には1901年創業の遊園地があり、空中パノラマが楽しめるアトラクションが揃っている。遊園地の隣にはサグラド・コラソン教会があり、夜にはライトアップされる。

☎932-117942(ティビダボ遊園地)
❸カタルーニャ広場から鉄道L7号線で
Av. Tibidaboアベニーダ・ティビダボ
下車, Plaza Kennedyケネディ広場か
らTibiBusティビブス(遊園地営業日の
み)などでフニクラ(ケーブルカー)乗り
場まで移動し、頂上へ❸Cumbre del
Tibidabo❸❹季節により異なる

サグラド・コラソン
教会の上からは
抜群の眺めが広がる

➡天空の教会として知られるサグラド・コラソン教会。60年近い歳月をかけて1961年に完成したという

©iStock.com/Paopano

眼下にはティビダボ遊園地があり、その先にバルセロナの街並みが広がる

©iStock.com/Jorge Burneo Celi

⬆カタルーニャ美術館からバルセロナ見本市会場を望む

## モンジュイックの丘
**Muntanya de Montjuïc**

モンジュイック **MAP** 付録P4 B-4

1929年には万国博覧会が開かれ、1992年にはバルセロナ・オリンピックの会場になった場所。カタルーニャ美術館など、文化施設も数多くある。

🚇Ⓜ2号線Paral-lelパラレル駅からフニクラ(ケーブルカー)を利用。もしくは1・3号線Espanyaエスパーニャ駅から徒歩10分(カタルーニャ美術館)🕐休施設により異なる

文化施設も多い絶景スポット

市街中心部にある小高い丘は

⬆モンジュイック城まで続くゴンドラからの景色も素敵

⬅カタルーニャ美術館で行われる壮大なライトアップ

## ギナルド公園
**Parc del Guinardó**

バルセロナ北部 **MAP** 付録P5 D-2

SNSで注目を浴びるようになった展望スポット。市街地からは比較的近く、見学自由とあって若者を中心に人気だ。公園内には1936〜39年のスペイン内戦時に要塞として使われていたカルメル要塞がある。

🚇Ⓜ4号線Guinardó・Hospital de Sant Pauギオルド・オスピタル・デ・サン・パウ駅から徒歩15分🕐休入園自由

人気絶景スポットとして注目

かつての要塞は

⬆市街地にほど近く、グエル公園からはのんびり散策しても30分程度でアクセスできる

### グエル公園

**Parc Güell** ▶P30

バルセロナ北部 **MAP**付録P.7 E-1

グエルの依頼でガウディが進めた田園
住宅街開発の名残を見学できる。住人
たちの憩いの場として造られた広場か
らは市街地を見渡せる。破砕タイルで
彩られたベンチは人間工学に基づいた
デザインで座り心地もよい。

公園内のゴルゴダの丘から
眺望は十字架が立つ

ドーリア式の列柱が立ち
並ぶ上は広場になってお
り、モザイクタイルの
ベンチが並ぶ

バルセロナでぜったいしたい11のコト

**05** 街を見渡す眺望スポット

©iStock.com/Diego Fiore

スペインの街の雰囲気が
詰まった賑やかな目抜き通り

寄り道しながら
行ったり来たり

## 06 プラタナスの並木が美しい ランブラス通りを歩く

市街中心部のカタルーニャ広場からコロンブスの
塔までの約1.5kmを南北に延びる通り。バルセロナに
訪れたなら誰もが一度は歩く美しい並木道。

*Las Ramblas*

↑「この水を飲
んだ者はバルセ
ロナに戻ってく
る」といわれる
カナレタスの泉

● カタルーニャ
広場

↑バルセロナ随一の
賑わいの遊歩道だ

Ⓜ カタルーニャ駅　ランブラス通り　ミロのモザイク床 Ⓑ リセウ駅

Ronda de la Universitat

0　　　100m

Ⓜ 地下鉄駅

Carrer de Pelai

カナレタスの泉

Carrer del Bonsuccés

サン・ジョセップ市場 Ⓐ
(ラ・ボケリア)

↑カラフルに並
んだフルーツも
写真映えしそう

Ⓐ
### サン・ジョセップ市場 ▶P.58
**Mercat de Sant Josep**
ランブラス通り MAP 付録P.14 B-2
バルセロナで最も有名な市場。ランブラス通
りの中心にあるため、特に賑わいをみせる場
所でもある。場内外には新旧のバーやレスト
ラン軒も連ねる。
🚇Ⓜ3号線Liceuリセウ駅から徒歩1分

↑日本では珍しい食材
も多く見かける

Ⓑ
### ミロのモザイク床
**Mosaic de Joan Miró**
ランブラス通り MAP 付録P.14 B-3
活気にあふれるランブラス通りにあるバル
セロナ出身の芸術家、ジョアン・ミロによる
作品。ミロらしい単純化されたモチーフと鮮
やかな色彩で描かれたモザイク床は日常に
溶け込み、多くの人がその上を行き交う。
🚇Ⓜ3号線Liceuリセウ駅から徒歩1分

バルセロナでぜったいしたい11のコト

↑塔の周りの彫刻にも
注目したい

## C
### レイアール広場
**Plaça Reial**
ランブラス通り **MAP** 付録P.14 B-3
ヤシの木とアーチ状の回廊に囲まれた異国
情緒あふれる広場。回廊をテラス席にしたレ
ストランやバルが立ち並び、多くの人で賑
わっている。建築学校を卒業したガウディが
初めて手がけた街灯があることで有名だ。
🚇Ⓜ3号線Liceuリセウ駅から徒歩3分

↑市民の憩いの場所

↩旧市街を走るバルセロ
ナのメインストリート

## E
### コロンブスの塔
**Mirador de Colom**
ランブラス通り **MAP** 付録P.14 B-4
カタルーニャ地方とアメリカの交易を記念
して建てられた塔。高さは60mあり、エレ
ベーターで上ることができ、360度の景色を
見ながら、新大陸発見の歴史にふれられる。
🚇Ⓜ3号線Drassanesドラサーネス駅から徒歩2分

↩塔の台座には新大陸
発見に関わった人物の
像が彫られている

バルセロナ港 ↩

Ⓒレイアール広場

Las Ramblas

コロンブスの塔

ドラサーネス駅Ⓜ

Ⓔ

Carrer de l'Arc del Teatre

Av. de les Drassanes

Passeig Josep Carner

**06**
プラタナスの並木が美しいランブラス通りを歩く

Ⓓグエル邸

↩屋上にもガウディを
感じる世界観が

## D
### グエル邸　▶P.34
**Palau Güell**
ランブラス通り **MAP** 付録P.14 B-3
地下1階地上4階の邸宅で、外観はシックで
左右対称のクラシカルなつくりだが、内装は
ガウディらしい華やかさに。当初は別館とし
て建てられていたが、グエルがこの邸宅をた
いへん気に入り、本館として使用したという。
🚇Ⓜ3号線Liceuリセウ駅から徒歩3分

↑複合施設や水族館などが
立ち並ぶポルト・ベイ

↩かつて港だった場所
を再開発したウォー
ターフロント

57

## バルセロナ最大の老舗市場へ行く
# サン・ジョセップ市場を観光!

300店舗を擁し、生鮮食品の売買だけでなくおみやげも
豊富にある。2500㎡以上の敷地はまるで迷路のよう。
ここで売られる新鮮な果物を使ったスムージーが有名。

### サン・ジョセップ市場
**Mercat de Sant Josep**
ランブラス通り **MAP** 付録P.14 B-2
ランブラス通りの中央に広がるマーケッ
ト。地元の愛称「ボケリア」はカタルー
ニャ語で「胃袋」を指し、名前のとおり
生鮮品、乾物、調味料、菓子やお茶・
コーヒー類まで、胃袋に収まるありとあ
らゆる食品を取り揃え、市民やレストラ
ンにも食材を提供している。

☎93-3182017 ✕Ⓜ3号線Liceuリセウ駅か
ら徒歩1分 🏠Rambla 91 ⏰8:00~20:30
🈺日曜、祝日 💳

↑ラ・ボケリアは胃袋
の意味。サン・ジョセッ
プといってもピンとこ
ない地元民も

サンブリーニャ貝や新鮮
なエビ、ガリシア風タコ
など魚介料理もたくさん

### 黄色い看板が目印
### ┃エル・キム・デ・ラ・ボケリア
**El Quim de la Boqueria**
ランブラス通り **MAP** 付録P.14 B-2
1987年、目立たない場所に幅3
メートル、5席でスタートしたが、
市場内で移転し、現在は好位置
を占める。地元の新鮮な食材を
使ったタパスや本格料理で、味
とサービスは第一級。朝食・ブ
ランチ・昼食に利用できる。

☎93-3019810 ⏰7:00(月曜12:00)
~16:00(金・土曜は~17:00) 🈺日曜
💳

オーナー兼料理人の
キン氏の笑顔も魅力

↑気さくなバルのスタッフ

### ボケリア市場の老舗バル
### ┃バル・クレメンス
**Bar Clemen's**
ゴシック地区 **MAP** 付録P.14 B-2
1969年から営業する市場内最
古のバルのひとつ。市場の新鮮
な素材の地元料理で、特に魚介
類がおいしい。場所は市場内の
角だが、観光客のみならず地元
のファンも訪れる。

☎93-3171084 ⏰7:00~16:00
🈺日・月曜 💳

↑賑わう店内の様子

↑↑↑バルセロナ市
民にも大人気の店

イカと卵(一例)
Huevos con
chipirones

エビのアヒージョの
カヴァ煮込み(一例)
Gambas al ajillo

タラのトマト・
ビストゥソース
添え€17
bacalla amb pisto

生ハムのハムエッグ
€12.50
ous i patates

58

バルセロナでぜったいしたい11のコト

↓↑エキゾチックなフルーツなども並ぶ。名物の新鮮フルーツカップ€2〜。スムージーもさまざまな果物をお好みで混ぜてもらえ、その場で飲むことができる

スペインの美味が集結した、バルセロナ市民の台所

**06** プラタナスの並木が美しいランブラス通りを歩く

肉製品は日本へは持ち帰れないので、ホテルなどで楽しもう

### ハモン・イベリコならこのお店へ！
### ▮マルコス
Marcos

ランブラス通り **MAP** 付録P.14 B-2

ボケリア市場内で1972年から店舗経営する、ハムやチョリソ、またカタルーニャでよく食べられる細めの薄味サラミのようなフエッなど、セミドライ、ドライ系の腸詰の専門店。品質はどれも一流のものばかりで、地元の固定客も多い。

☎93-3022873 営8:00〜20:30
休日曜 🏷

↑チーズ好きにはたまらない品揃えの豊富さ

### チーズや保存食品の専門店
### ▮エリサ
Formatgeria i Queviures Elisa

ランブラス通り **MAP** 付録P.14 B-2

1949年から市場内で営業する、チーズやハム、腸詰、オリーブなど保存食品を置く店。オリーブオイル、酢などの調味料や、缶詰、ジャム、ワインなども取り扱う。

☎93-3181137 営8:00〜19:30
休日曜 🏷

↓「ブランカフォルトBlancafort」はカタルーニャ産のチーズ。ヤギのチーズ小（一例）

厳選した質の良い品々は、地元客にも観光客にも人気

↑少量でもテイクアウトできるので、気軽に立ち寄ろう

↪放し飼いイベリコ豚のハムやセミドライの手作りフエッ（一例）

↑フランスの有名メーカー「エシレ Échiré」のバター（一例）

スペインの食文化の
一端を担う街の社交場

*Bar*

# 07 飲んで食べて楽しい！ バルにハマる！

**街歩きの途中で小腹がすいたとき、ひと休みしたいとき、ビールが飲みたくなったとき、いつでも便利な居酒屋食堂！**

**スペインの街歩きが楽しいのは気軽に寄れるバルがあるから！**

　バルセロナはスペインでも美食で知られるカタルーニャの大都市。だからバルの食べ物も充実。ステーキなど本格的な料理があるバルもあるけれど、基本はタパスという小皿料理とやや小振りなピンチョスをつまみにビールを飲む店。旨い早い安い！のがバルの特徴。

## 街で評判！ ココが旨い！
### 行列も覚悟の 人気バル

味が絶品で、お皿の数が多くて、楽しい店なら並ぶのは当たり前！

⬆行列を避けるなら開店前には着いておきたい

## カル・ペップ
**Cal Pep**

ボルン地区 **MAP** 付録P.15 E-4

ユーモアたっぷりで誇り高きシェフ・ペップ氏が生み出す独自のスタイルの地中海料理。4人以上で予約可。カウンター席は予約不可だが、ペップ氏と料理人たちの仕事の様子を見ることができる。

☎93-3107961 ⓂⓂ4号線Barceloneta バルセロネータ駅から徒歩4分 ⓅPlaça de les Olles 8 🕐13:00（土曜13:15）〜15:45、19:30〜23:30 🈺月曜のランチ、日曜 💳🈂

➡デザートには自家製のクレマ・カタラナ€7.50

⬅アサリとハムの煮物€20。魚介とハムの旨みが絶妙

身近な旬の素材をシンプルに味わい深く

⬆小イカとヒヨコ豆の煮込み€18.50

➡トルティーヤはピリ辛チョリソのトラップ入り€10

⬆マグロのタルタル€23.50

奥にあるテーブル席のほか、店頭にカウンター席がある

## エル・シャンパニェト
**El Xampanyet**

ボルン地区 **MAP** 付録P.15 D-3

1925年創業の老舗バルで、バルセロナ市内でも最も人の集まる人気名物店のひとつ。あらゆる種類のタパス、ピンチョス、腸詰、チーズ、漬物などが食べられる。予約は不可でとにかく混雑するので、早い時間に行くことがおすすめ。

☎93-3100839 **M**4号線Jaume Iジャウマ・プリメール駅から徒歩4分 **所**C. Montcada 22 **営**12:00〜22:00 **休**日・月曜、祝日、8/25〜9/9

*クラシックな雰囲気が魅力の老舗バル*

↑メニューはないのでカウンターで指をさして注文

↑タラのマリネ（一例）

↑店名にもなっているシャンパニェト（発泡ワイン）はグラスでも注文できる

↑カタルーニャ名物のパン・コン・トマテもおすすめ。生ハムやアンチョビをのせて

↑マグロの腹身をローストしたもの（一例）

←ピカソ美術館のすぐ近く

## バル・デル・プラ
**Bar del Pla**

ボルン地区 **MAP** 付録P.15 D-3

4人のソムリエが生み出したタパスバルで、おいしいワインとともに、新鮮な季節の味を地元で味わおう、というコンセプト。同時に、国境を越えた各国の味や食の未来を見据える心意気も持ち合わせ、創作タパスにも意欲的。

☎93-2683003 **M**4号線Jaume Iジャウマ・プリメール駅から徒歩3分 **所**C. Montcada 2 **営**12:00〜23:00（金・土曜は〜24:00) **休**日曜

*地元・世界の料理にワインを合わせて*

↑ひよこ豆入りカリョス（モツを煮込み）€9.80

↑牛タルタルのフォアグラ添え€16.50

↑スタイリッシュで居心地のよい店。店員も親切

## キメッ・キメッ
**Quimet Quimet**

ポブレ・セック **MAP** 付録P8 C-3

市内でも最も古いバルのひとつで、1914年創業。名物のモンタディート（小ぶりのサンドイッチ）のほか、オリジナルのタパスも多く、価格はお手ごろで味も保証つき。立ち飲みの小さな店舗で混み合うが、ボトルや絵がぎっしりと飾られたフレンドリーな雰囲気で楽しめる。

☎93-4423142 **M**2・3号線Paral·lelパラル／ル駅から徒歩3分 **所**C. Poeta Cabanyes 25 **営**12:00〜16:00、18:00〜22:30 **休**土・日曜

*オリジナルタパスが評判の老舗立ち飲みバル*

↑ここで一杯飲んでから遊びに行く、というのが若者の定番だったこともあるという超有名店

↑燻製カキと赤ピーマン（一例）

↑鮭とギリシャ風ヨーグルト（一例）

↑ビワにチーズとアンチョビを合わせていただく（一例）

## 創作タパスで

美食の極みを気軽に

## 創作タパスで

# おいしい驚き

創意工夫を重ねたオリジナル
タパスを出す店が近年は人気。

洗練された味わいで
伝統のタパスを提供

## カン・マルラウ

**Can MarLau**

アシャンプラ **MAP** 付録P.12 A-1

多くの人に愛され続ける伝統的なタ
パスに現代的なセンスとテクニック
を加え、洗練された味わいを提供す
る。アルベルト・アドリア氏のバル
で料理長を務めたフェラン・ソレー
ル氏のバル・レストラン。

☎93-8352930 Ⓜ5号線Hospital Clinic
オスピタル・クリニック駅から徒歩7分 🅿Paris
161 🕐9:00(木・金曜10:00)～15:30、
20:30～22:30 🈂土・日曜 📞 💳

⬆️穴場のバルも多いオスピタル・クリニック近くにある。ディアゴナル駅からも近い

⬆️カタルーニャ
料理の神髄、エ
ビのフィデウア
€13.50

⬆️焼きイカと
ジャガイモの
アジア風ソー
ス添え€15.80

⬆️ワインの種類も多く、メニュー以外の
おすすめも見逃せない

⬆️カン・マルラ
ウ風ロシアンサ
ラダ €7.90

## テアトロ・
## キッチン&バー

**Teatro Kitchen & Bar**

アシャンプラ **MAP** 付録P8 C-2

アドリア兄弟の伝説のタパス・レス
トラン「チケッツ」の精神を受け継
ぎ、遊び心豊かな内装でショーのよ
うな贅沢なひとときを演出する。ひ
と味違った体験は、旅の特別な思い
出になること間違いなし。

☎93-6836998 Ⓜ3号線Poble Sec
ポブレ・セック駅から徒歩2分 🅿Av. del
Paral·lel 164 🕐19:30(土曜20:00)～
22:30、金・土曜は13:00～15:00もあり
🈂日・月曜 💳

きらびやかな魔法の時間
遊び心の精神を受け継ぐ

⬆️チキンと酢
漬けきのこを
のせたコカ・
パン€6.70

⬆️フォアグラとウ
ナギの海苔タルタ
レット€8.50

⬆️カラフルな
トロピカル・
ミルフィーユ
€6.70

⬆️劇場を模した内装でグルメ・ショーを提供

⬆️大通りに面した ⬆️現在のシェフ、オリ
広い歩道でテラス ベル・ベーニャ氏
席もゆったり

季節や気候で変わる

一期一会の料理たち

## リャンベール
### Llamber

ボルン地区 **MAP** 付録P.15 E-3

エル・ブジのキッチンを経験したシェフらによる、アストゥリアスとカタルーニャの伝統料理とグルメ料理の狭間にある味覚をとことん追求する店。季節の食材を用いたオリジナルタパスや創作料理が楽しめる。

☎93-3196250 ㊍Ⓜ4号線Jaume Iジャウマ・プリメール駅から徒歩7分 ㊞C. Fusina 5 ⏰13:00～24:00 ㊡日曜 📞🍴

⬆2009年にアストゥリアスで開店し、5年後にバルセロナに移転

⬇アストゥリアス風血入りソーセージ「ファリニョン」、小イカとイカ墨のロースト添え€17

アストゥリアスとカタルーニャの伝統料理

⬅シェフのアンヘル・パラシオス氏

⬇成牛のヒレステーキ、フライドポテトとピーマン添え€31.50

⬆自由で居心地のよい空間で、季節の材料を生かした創造的なタパスを楽しむ、というのが店のコンセプト

## ラ・タベルナ・デル・クリニック
### La Taverna del Clínic

アシャンプラ **MAP** 付録P6 A-4

魚は毎日フィステーラから、野菜はカタルーニャとガリシアの有機野菜の畑から直送と、小規模業者に絞った仕入れにこだわる。季節の素材をふんだんに使っており、同じものは食べられない。

☎93-4104221 ㊍Ⓜ5号線Hospital Clinicオスピタル・クリニック駅から徒歩1分 ㊞C. Rosselló 155 ⏰13:00～16:30、20:00～24:00 ㊡日曜 🍴

⬆木の色を生かし、落ち着いた雰囲気の店内

⬆季節のきのこを煮て鴨のデュクセルを詰めたアミガサタケの鴨肉詰€30

⬆キャビアをトッピングした魚のタルタル€22

⬅サルモレホのロブスター添え€29

## スクレント
### Suculent

ラバル地区 **MAP** 付録P.14 A-3

店名は「ゆっくり浸す」ことを意味するカタルーニャ語。料理の最後にパンをソースに浸して食べることからこの名をつけた。地中海・スペインの庶民の味に新たな解釈を加え、素材の旨みに注目した味を提供する。

☎93-4436579 ㊍Ⓜ3号線Liceuリセウ駅から徒歩6分 ㊞Rambla del Raval 45 ⏰13:00～16:00、20:00～23:00 ㊡土・日曜 📞🍴

エル・ブジ出身シェフによるこだわりソースの創作料理

⬆落ち着いた色調の店内。カウンター席もある

⬆アスパラガスの炙り焼き、タラゴンのエマルジョン、味噌バター、カラスミ添え€7

⬅市内でも国際色の豊かなラバル地区の中央に位置する

⬆さまざまな料理本が並び、くつろげる雰囲気

⬆タルタルステーキの骨髄炙り焼きとスフレポテト添え€17

⬆ウニとアムールオオチョウザメのキャビアを添えたヤマドリタケのロイヤル風€21

ちょっとつまむのに最適

# おいしい一口
# ピンチョス・バル

いろんな種類を食べたいなら、ピンチョスがおすすめ。

## イラティ
**Irati**

ゴシック地区 **MAP** 付録P.14 B-2

バスク地方のピンチョスがメインのバル。ていねいに作られたピンチョスはどれも美味で、オリジナルの創作ピンチョスもさまざま。散策中に立ち寄って、小腹を満たすにもぴったり。

☎933-023084 ⊗ Ⓜ3号線Liceuリセウ駅から徒歩1分 🚇C. Cardenal Casañas 17營12:00〜24:00 ⊛無休🍴

↱テーブル席もあるので、落ち着いた食事にも利用可能

↱バスクの郷土料理ビルビル€5.50。タラをオリーブオイルで煮て、オイルを乳化させたソースをかける

↳ワタリガニに似たネコラガニをドノスティア（サン・セバスチャン）風で€6

↱まるでサン・セバスチャンのようなバル風のカウンター

↱これぞピンチョス。生ハムにチーズなどバスクの味がたくさん。もちろんハムは本場のイベリコ豚

## チャペラ
**Txapela**

アシャンプラ **MAP** 付録P.14 C-1

「チャペラ」とはバスク語で、バスクの象徴ベレー帽のこと。庶民の食堂といった雰囲気のチェーン店ながら、本格派の実力を保つ。チャコリや小さなコップ、チキートで飲む赤ワインなども味わえる。

☎93-4126594 ⊗ Ⓜ1・3号線Catalunyaカタルーニャ駅から徒歩1分 🚇Pl. de Catalunya 8 營7:30〜24:00(金曜は〜翌1:00) 土曜8:00〜翌1:00 日曜9:00〜24:00⊛無休🍷🍴

↱バスクベレーのキャラクターのロゴが目印

↳ゲルニカ。カニとトビッコ入りサラダ€2.75

### ピンチョスとは？

薄切りにしたパンにさまざまな具をのせたタパスで、もとはスペイン北部のバスク地方の文化。カウンターにずらりと並んでいるのが一般的で、1つ€1〜2くらい。ピンチョは具を止めている「串」のことで、串の本数で勘定することもある。

## ラ・タスケータ
**La Tasqueta de Blai**

ポブレ・セック **MAP** 付録P8 C-3

タパスやピンチョスの店が集まるポブレ・セックで、特に有名な店。ピンチョスは60種以上並ぶ。元気な店員のいる若々しく打ち解けた雰囲気が魅力。ピンチョスの値段は€1.90〜と安く、見た目も味も大満足。

☎93-0130318 Ⓜ2・3号線Paral·lelパラレル駅から徒歩4分 ⓂC. Blai 17 ⏰12:00〜24:00(金・土曜は〜翌1:00) 休無休 ⬜

ピンチョス通りでも一番人気のバル

⬆ピンチョスは典型的なバスク風や、コロッケがのったものや中華風などの変わり種も種類豊富

⬅ゆで卵のクリーミーツナサラダとカリカリエビのせ€1.90

⬅ハーブ照り焼き風味ベーコンと白菜炒めの中華バンサンド€2.50

⬆明るい店員たち。典型的なバスクのスタンディングスタイルで、座れたらラッキー

⬅ブライ通りは、もともと飲食店が連なる歩行者天国で、リーズナブルなピンチョス・バルが多数ある。週末などは賑わう

## タクティカ・ベリ
**Taktika Berri**

アシャンプラ **MAP** 付録P12 A-3

ピンチョス・バルを備えた、1995年開店の居酒屋風レストラン。店名の「タクティカ・ベリ」は、バスク語で「新たな戦略」という意味だが伝統的なバスク料理が楽しめる。開店以来変わらないメニュー以外にもいろいろおすすめがあり、ウェイターが親切に教えてくれる。

☎93-4534759 Ⓜ5号線Hospital Clinicオスピタル・クリニック駅から徒歩9分 ⓂC. València 169 ⏰13:00〜16:00、20:00〜23:00 休土曜のディナー、日曜 ⬜

ピンチョス・バルとレストランを備えた活気あるバスク居酒屋

⬆店手前のピンチョス・バルはスタンド式。気軽にいろいろと試したい

⬆奥にあるレストランスペース

⬅ジャガイモのトルティーヤ€9

⬅白身魚メルルーサの筒切り€22.50

カウンターには、さまざまなピンチョスが並ぶ

## 立ち飲みやカウンターで
# わいわい楽しむ
# 賑やかなバル

地元の人に交じって、おしゃべりしながら、楽しい時間を過ごそう。

## カン・パイシャノ（ラ・シャンパネリア）

**Can Paixano (La Xampanyeria)**

バルセロネータ **MAP** 付録P.15 D-4

ものすごく混み合うことでも有名な、肉やハム、ソーセージなどのサンドイッチ専門のバル兼食堂。オリジナルのカバ「カン・パイシャノ」をグラスまたはボトルで頼み、バーで飲むこともできる。非常に安価で素朴な雰囲気。バルセロネータの象徴的な店ともいえる。

☎93-3100839 🚇4号線Barceloneta バルセロネータ駅から徒歩3分 🏠C. Reina Cristina 7 🕐12:00〜22:00 🈺日・月曜、祝日、8/25〜9/9 💳

いつも激混み
バルセロネータの伝説バル

↖ボルン地区とバルセロネータのちょうど境目

↖スモークばら肉（タパス）€3.75

↖フォアグラとブルーチーズのサンドイッチ €3.85

↖牛肉、カマンベール、ピーマンのサンドイッチ €5.75

## セルベセリア・カタラナ

**Cerveceria Catalana**

アシャンプラ **MAP** 付録P.12 C-2

料理とともに雰囲気やサービスもよく、地元客にも人気の本格派バル。カウンター席、テーブル席、テラス席があり、場所によって料金が変わる。国内外のビールの品揃えが豊富で、地中海風のタパスやモンタディートを供する。

☎93-2160368 🚇3・5号線Diagonal ディアゴナル駅から徒歩5分 🏠C. Mallorca 236 🕐8:30（土・日曜9:00）〜翌1:00（金・土曜は〜翌1:30）🈺無休 💳

予約不可！早めに行ってリストに名前を書き込もう

↑キッチンは終日稼働しており、場所を確保できれば素早いサービスが受けられる

↑暖かい季節には、テラス席もおすすめ

↖鴨のムネ肉チャツネ添えモンタディート€4.85

↑エビのアヒージョ €7.50

↑タラの蜂蜜アリオリソース添え €13.45

## ラ・コバ・フマーダ
**La Cova Fumada**

バルセロネータ **MAP** 付録P.10 A-4

大理石のテーブルを置いた昔ながらのバル。ボンバと呼ばれる丸形のジャガイモのコロッケや手作り料理が人気。バルセロネータの漁師街の真ん中にあり、料理は指でつまんで食べるのが現地風。しゃれたモダンな雰囲気はないが、味は超一流。

☎932-214061 Ⓜ4号線Barceloneta バルセロネータ駅から徒歩7分 ⓐ C. Baluard 56 ⏰9:00～15:00(土曜は～13:00)、木・金曜は18:00～20:00もあり 休日曜 💳

ローカルに交じって本気で飲めるバル

しゃれっ気は一切なしだけど

↑ムール貝やイカ、エビ、タコなどの海鮮も多い。ソーセージ類などはカウンターで頼むと火を入れてくれるので遠慮なく頼もう

←イワシの鉄板焼き€6.20(左)。小タコの煮物€6(左下)、アーティチョーク€4.20(右)。蒸しムール貝€6(右下)

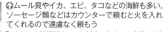

←一切気取りがないので服装も気にしなくていい。まさに地元の「食堂」

## ボデガ・ラ・パルマ
**Bodega la Palma**

ゴシック地区 **MAP** 付録P.14 C-3

ゴシック地区のグルメなワインバル。カタルーニャの伝統料理とともに、充実したワイン、カバの品揃えで知られる。ワイン樽や革袋、木や大理石のカウンターやテーブルに古くからの本格派の風格が漂う。コストパフォーマンス抜群のランチもおすすめ。

☎93-3150656 Ⓜ4号線Jaume Iジャウマ・プリメール駅から徒歩3分 ⓐ C. La Palma de Sant Just 7 ⏰9:00(土曜12:00)～24:00 休日曜 💳

充実した料理とワイン

カバが揃うグルメバル

↑創業1953年の存在感ある店構え

◐燻製タラのトリュフ添えブランダード€9.50(上)。オリジナルのパタタス・ブラバス€5.75(下)

↑大理石のテーブルがあり店内はバルの雰囲気いっぱい。平日は珍しく9時から開店しているため朝ごはんにも

心地よい泡を生む
秘密の洞窟へ潜入

*Winery*

テイスティングも
お楽しみ！

# 08 カバのワイナリー訪問

カタルーニャ地方は実はワインの一大産地で、
特にスパークリングワインのカバは、世界的な人気を誇る。
カバを熟成させる洞窟のような蔵など、
ワイナリーは秘密基地を探検するようなワクワク感に満ちている。

## 大都会を飛び出して
## 豊かな緑に包まれたワイナリーへ

　カバとはカタルーニャ地方で造られているスパークリングワインで、バルセロナバルなどでも地ワインとしてよくおすすめに挙がる。フランスのシャンパンと同じ、瓶内で二次発酵させることで炭酸が生まれる伝統的な製法で造られている。大都会のバルセロナだが、少し離れるとブドウ畑が広がり、内部の見学ができるカバのワイナリーもある。市中のバルなどで味見して気に入ったワイナリーに訪れるのもおもしろい。

↑最低9カ月、瓶内で熟成されたカバが生まれる

↑石造りのブランド名にも1551と創業年が刻まれる

創業1551年、470年の歴史を刻む
世界最古のカバ生産者
## コドルニウ
Codorniu

バルセロナ郊外　**MAP** 付録P.3 D-3

470年以上の歴史を誇る世界最古のカバのワイナリーとして知られる。建物の設計はモデルニスモの代表的建築家プッチ・イ・カダファルクが手がけており、スペインの重要文化財に指定されているほど、建物自体が重厚で歴史深い。ツアーでは迷路のように入り組んだワイナリーの内部を小さなトロッコ列車で巡る。

↑店舗兼事務所にも凝ったつくり。どの建築物も非常に個性的で目を引くものばかり

☎93-5051551 　1号線Urgellウルジェイ駅からの直行バス、または3・5号線Diagonalディアゴナル駅などからの路線バスで約45分、€4.80。カタルーニャ広場などから近郊鉄道(Rodries)で約45分、Sant Sadurní d'Anoiaサン・サドルニ・ダノイア駅からタクシーで5分か徒歩30分　Jaume Codorniu s/n 　9:30〜17:30(日曜、祝日は〜15:00)※要問合せ　祝日、不定休　www.codorniu.com/en/visits

### ツアー内容

料金：ディスカバリーツアー(2種類のカバのテイスティング付)€23
所要時間：75分
備考：要予約(公式HP、電話で)
ほかにアイコニックツアー(3種類のカバのテイスティングとおつまみ付)€29、ディスカバリーツアー(ガイド・食事付)€68などもあり

洞窟のような蔵の中でゆっくりと熟成されるカバ

↑地下の蔵はトロッコ列車に乗り込んで巡る

↑熟成が30カ月以上に及ぶグランレゼルバは味わいも深い。ツアーでテイスティング可能

↑本館奥にあるショップではスーパーでは買えないような珍しいグランレゼルバのボトルが並ぶ

↑王室御用達を誇り、スペイン王妃マリア・クリスティーナの名を冠する

↑店舗兼事務所の中に入ると広いロビーが。ここでテイスティングも行われる

カタルーニャの伝統が融合
充実したツアーのワイナリー

## フレシネ
**Freixenet**

バルセロナ郊外 **MAP**付録P.3 D-3

代々ワイン造りを営んできたサラ家
とフェラー家が、結婚によりひとつ
のワイナリーとして融合したのが
1911年のフレシネの出発点。両家の
持つ知識と歴史はさらに古く深いも
のとなる。カタルーニャの土地なら
ではの気候で育てられたブドウ品種
をブレンドし、さまざまなカバ製品
造りを行っている。

☎93-8917096 ✈カタルーニャ広場などか
ら近郊鉄道(Rodalies)で50分。Sant Sadurní
d'Anoia サン・サドルニ・ダノイア駅からすぐ
⌂Plaça Joan Sala 2 ⏰予約状況による
✖クリスマスと1月1週目など
🔗 www.freixenet.es

### ツアー内容
料金:ガイド付きツアー(カタルーニャ語、
英語などから選べる)€19.50。ツアーと
往復の鉄道料金がセットになったチケット
FREIXETREN €20も駅の券売機で販売
されている
所要時間:1時間30分
備考:要予約(公式HPやメール、電話で。
キャンセルは72時間前まで)

↑スペインでカバ
といえばフレシネ
というくらい定番
のブランド

↑運転する人のためのノンアル
コールのカバ、子どもにはブド
ウジュースも用意されている
↑カルタ・ネヴァダはマカベウ、チャ
レッロ、パレリャーダの全種をブレン
ドした定番のカバ

IER TIRATGE / IER TIRAJE
IST BOTTLING
**CARTA NEVADA**
**1941**

↑バス停や駅からすぐにアクセスできる
立地もうれしい

↑ツアーの終わりには
2杯のテイスティング
が付いてくる

↑カバの名前の由来となる地下の洞窟のような貯蔵庫で発酵・熟成させる

さまざまなワインを飲み比べよう！

# ワイン自慢のレストラン&バーで乾杯!

ワイナリー見学のあとは、街へ繰り出しもっと多様なスペインのワインを楽しもう。
赤ワインは「ティント(tinto)」、白ワインは「ブランコ(blanco)」で通じる。

各地の料理が楽しめる料理居酒屋
## タベルナ・カン・マルガリット
**Taverna Can Margarit**
ポブレ・セック **MAP** 付録P.8 C-2

1974年開業。時の流れを忘れたような古い農家を思わせる店内に入ると、ワインを振るまわれ、くつろいだ雰囲気でカタルーニャ、レバンテ、アンダルシアの料理を楽しむことができる。夜のみ営業。
☎93-4416723 Ⓜ3号線Poble Secポブレ・セック駅から徒歩4分 ⓐC. Concòrdia 21 🕐20:30～23:30 休日曜、祝日

🍴きのこの冷製マリネ €6.30

↑野菜のオーブン焼きエスカリバーダ €6.50

↪カタツムリのピリ辛煮込み €7.10

↑レトロな雰囲気で古い酒場や食堂を思わせる

絶品のワインとチーズ専門店
## モンビニック
**Món Vínic**
アシャンプラ **MAP** 付録P.12 C-4

膨大なワインとチーズで有名なグルメ・バル兼ショップ。毎週30種類のグラスワインを味わえ、コルクチャージを支払えば店舗で買ったワインの栓を抜いて味わえる。
☎93-4874002 Ⓜ2・3・4号線Passeig de Gràcia/パッセッチ・デ・グラシア駅から徒歩4分 ⓐDiputació 251 🕐12:00～21:00 休日曜、祝日、11～4月月曜、5～10月土曜

↑カタルーニャ広場からも近くショッピングにも便利

↑味わい深いチーズとワインを

↑目を見張るような種類のワインが目に飛び込んでくる

↑内部もシックな内装で居心地がよい

教会を見ながらグラスを傾ける
## ラ・ビニャ・デル・セニョール
**La Vinya del Senyor**
ボルン地区 **MAP** 付録P.15 D-3

旧市街の教会を眺めながらくつろげるテラス席でワインとタパスが楽しめる。選び抜かれたワインが数多く置いてあり、地元産の腸詰製品やチーズもある。
☎93-3103379 Ⓜ4号線Jaume Iジャウマ・プリメール駅から徒歩3分 ⓐPlaça de Santa Maria 5 🕐12:00～24:00(金・土曜は～翌1:00) 休無休

↑イベリコハム €18.50 などタパスもおいしい

↪サンタ・マリア・ダル・マル教会の前に位置する

世界最高峰の戦いを
見届ける

*Liga Española*

## 09 熱狂のリーガ・エスパニョーラ

世界で最も愛されているクラブといっても過言ではない
FCバルセロナの本拠地で、
たくさんのサポーターたちとともに
エキサイティングなひとときを体験しよう。

### FCバルセロナのホームがこちら!

熱気渦巻くバルサファンの聖地
**スポティファイ・カンプ・ノウ**
Spotify Camp Nou
カンプ・ノウ周辺 **MAP** 付録P.4 B-2
1957年オープンのFCバルセロナ
の本拠地。名前は「新しいグラウ
ンド」を意味する。10万人近い収
容人数はヨーロッパ最大。
☎ 902-189900 交Ⓜ5・9・10号線
Collblancコイブランク駅から徒歩6分など
所 C. Aristides Maillol s/n 閉 休 料試合
により異なる HP www.fcbarcelona.jp/
ja/

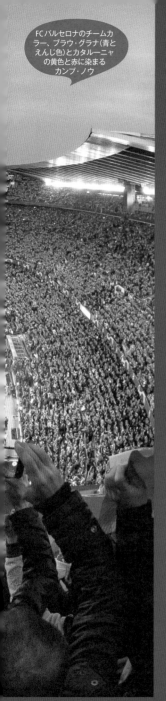

FCバルセロナのチームカラー、ブラウ・グラナ（青とえんじ色）とカタルーニャの黄色と赤に染まるカンプ・ノウ

## スタジアム・ツアーへ行こう

スタジアムが改修中のため入場不可だが、まるでスタジアムにいるような没入型展示バルサ・イマーシブ・ツアーが新たにでき、スタジアムの建設現場を望める展望台にも行ける。これまでFCバルセロナが獲得した優勝トロフィーや、歴代の人気選手のユニフォームやシューズが並ぶ部屋など、ファンにはたまらない内容。ツアーのあとにはメガストアなどでグッズの購入も忘れずに。最新情報は、HPに随時掲載してあるため、要チェック。
🕐 9:30～19:00　1/2～3/22及び10/14～12/31 10:00～18:00（日曜は～15:00）最終入場は各1時間30分前 🈳試合開催日、チャンピオンズリーグの試合開催前日、1/1、12/25 💴ベーシックチケットは€28～、バーチャル体験も€42（各オーディオガイド付、日本語あり）など

## スーパースターが世界各地から集結 世界が注目するリーグ戦を生で観戦

各国の一流プレイヤーが数多く在籍し、世界最高峰のサッカー・リーグとうたわれるリーガ・エスパニョーラ（ラ・リーガ）。バルセロナには、世界的ビッグクラブのFCバルセロナ（愛称バルサ）や中堅クラブのRCDエスパニョールが本拠を置いている。

バルセロナでもやはりFCバルセロナの人気が圧倒的でRCDエスパニョールは少数派だが、その分選手もサポーターもクラブ愛は強烈。また、近年両クラブともに、アジア資本が入っている。

リーグ戦は8月から5月の主に週末に実施、チャンピオンズリーグのゲームは9～5月の火・水曜に行われる。世界トップクラスの華麗なプレーと、地元サポーターの熱い応援ぶりをスタジアムで肌で感じよう。

### 観戦ガイド

#### チケットを買う

●インターネットで買う
ホーム試合のチケットは、各チームのHPから購入できる。スタジアムも大きいので、ダービーマッチやチャンピオンズリーグ決勝など重要な試合でなければ、難しくなく手に入れることができる。試合日の1カ月前ほどから購入できるほか、ゲームが近づくと年間シートのキャンセル分が出てくる。人気の試合でも再販売で購入できることがあるので、直前まで確認しよう。なお試合の日時が確定するのは、1～2週間前。自分での手配が難しければ、観戦ツアーを使うのも手。高くはなるが人気の試合でも確実に手配してもらえる。

●現地で買う
人気の試合でなければ、現地で購入することも可能。FCバルセロナであればスタジアムのほか、各地の公式ショップ、カタルーニャ広場のツーリスト・インフォメーションでも販売されている。

## バルセロナを本拠にするリーガ・エスパニョーラのチーム

### 世界最強と謳われる常勝クラブ
#### FCバルセロナ
**Futbol Club Barcelona**
1899年設立。スペイン内にとどまらず、ヨーロッパでも最高の実績を残すクラブ。人気は絶大で、その存在と実力はバルセロナ市民にとって、アイデンティティのひとつでもある。
🅷🅿 www.fcbarcelona.jp/ja/

ホームスタジアム
●スポティファイ・カンプ・ノウ Spotify Camp Nou

### 地元に強く根付いたクラブ
#### RCDエスパニョール
**Reial Club Deportiu Espanyol de Barcelona**
1900年設立。他クラブが外国人が多いなかスペイン人のみで結成され、現在も地元選手が多い。FCバルセロナとの対決は、カタルーニャ・ダービーとして、熱狂的な盛り上がりを見せる。
🅷🅿 www.rcdespanyol.com

ホームスタジアム
●RCDEスタジアム El RCDE Stadium

バルセロナでも
情熱に満ちた踊りが楽しめる!

時に荒々しく、時に優美に、喜怒哀楽の感情を踊りに託して表現する

# 10 フラメンコに心揺さぶられる

本場は南部アンダルシアだが、古くからエンターテインメント産業が盛んなバルセロナにも、数多くのフラメンコの演者が集まっており、質の高いショーを鑑賞することができる。激しいステップや深い歌声が、見る者を圧倒する。

**喜怒哀楽の感情を歌や踊りで表現**
**情熱的でリズミカルな伝統芸能**

　フラメンコとは、スペイン南部に伝わる民俗芸能。起源は定かではないが、15世紀頃にアンダルシア地方に移り住んだロマ族が、現地の芸能をアレンジして生まれたといわれている。踊り(バイレ)と歌(カンテ)、ギター(トケ)の3要素がフラメンコを構成する。舞台付きレストランのタブラオで気軽に鑑賞できる。食事付きとドリンクのみのチケットが用意されているのが一般的。バルセロナのタブラオでも一流プレイヤーのショーを楽しめる。

©Tablao Flamenco Cordobes

## ▶ フラメンコの3大要素

ショーを構成する基本要素がこちら。

**踊り(バイレ)**
**Baile**　激しいステップで床を打ちながら、歌詞の内容を踊りで表現する、現代フラメンコの中心的存在。クライマックスでは男女のペアが情熱的に踊る。

**歌(カンテ)**
**Cante**　フラメンコの起源は歌唱であり、すべての土台となる要素。歌い手はカンタオールと呼ばれる。歌詞は男女の愛や人生など身近な物事が主なテーマとなっている。

**ギター(トケ)**
**Toque**　弦を指でかき鳴らしたり、ボディを叩いてリズムを取ったり、独特の奏法でフラメンコの世界観を支える。現在では独奏もよく行われる。

### 注意点

● 写真撮影は確認を取ってから
劇場によって、演技中の撮影可否やフラッシュ撮影の可否が異なる。撮影禁止の劇場でも撮影タイムを用意していることがあるので、よく確認を。
● 手拍子はむやみに打たない
踊りや歌は伴奏や出演者の手拍子の微妙なリズムを取りながら演じられているため、観客の手拍子が邪魔になることも。「オーレ!」などのかけ声はOKなので、盛り上がったときはそちらで。
● ドレスコードはある?
特に決まりはないので普段着で問題ない。せっかくの観劇なので、きれいめな服装を選べば気持ちも盛り上がる。

# 極上のフラメンコが楽しめる
# おすすめのタブラオ **3** 軒

バルセロナのフラメンコシーンをリードするタブラオをご紹介。名手による演技に感激間違いなし。

©Tablao Flamenco Cordobes

有名アーティストが出演、食事もできる本格派タブラオ
## コルドベス
**Cordobes**
ランブラス通り **MAP** 付録P.14 B-3
市内でも最高の本格派フラメンコのタブラオ。1970年に芸術家の一家により設立されて以来、数々の伝説的フラメンコアーティストを招き、家族や地元仲間の集まりで演奏され発展してきたフラメンコの精神を失うことなく伝え続けている。

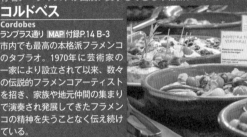

↑ピンチョ風の一品料理もある

☎93-3175711 交Ⓜ3号線Liceuリセウ駅から徒歩3分 所La Rambla 35 営10:00～24:00(その日のプログラムによる) 休無休 料ショー(食事付)€63、ショー(ドリンク付)€47

➜ショーは食事付きとドリンク付きから選べるため、食事は別でとってドリンクのみで鑑賞もできる

©Tablao Flamenco Cordobes

↑舞台は中ほどにあり、観客席から舞台に手が届きそう。迫力ある演奏・演技を目の前で見ることができる

---

手軽な値段で鑑賞できるショーハウス風タブラオ
## ロス・タラントス
**Los Tarantos**
ゴシック地区 **MAP** 付録P.14 B-3
市内で最も古いタブラオで1963年開業。20世紀で最も重要なフラメンコ界の重鎮を招き、国内でも有数のタブラオとなった。近年も即興に基づく本物のフラメンコのショーを続けており、現地・国内の有名フラメンコアーティストや若手のステージを行っている。食事は別の建物となる。

☎93-3041210 交Ⓜ3号線Liceuリセウ駅から徒歩3分 所Plaça Reial 17 営18:30、19:30、20:30、21:30の4ステージ(要確認) 休無休 料ショー€25、ショー+ドリンク€30、ショー+食事€48(隣のレストランExpatエクスパットでのタパス・ディナー)

↓観客席がかなり広くしっかりとショーを鑑賞できる

➜タブラオというよりもショーハウスに近い雰囲気

---

17世紀の屋敷に改修を重ねた重厚なタブラオ
## パラウ・ダルマセス
**Palau Dalmases**
ボルン地区 **MAP** 付録P.15 D-3
ゴシック様式の建物が並ぶ一帯で、一杯傾けながらフラメンコを体験できる。17世紀の建築物を改修した建物は、古い部分も多く残り、その空間を見るだけでも訪れる価値あり。

☎660-76-98-65 交Ⓜ4号線Jaume Iジャウマ・プリメール駅から徒歩4分 所C. Montcada 20 営11:00～24:00 ショーは毎日17:30、18:45、20:00、21:15 休無休 料ショー+ドリンク€40(オプションでタパスやスペインディナー追加可)

↑教会を彷彿させる大きな木製の扉

➜まるで魔法がかけられたような空間で、フラメンコに魅了される

カタルーニャ精神の
源泉を確かめに

たくさんの絶景が
待ち受ける！

## 11 近郊の街へ行く

バルセロナから日帰りや1泊のショートトリップで、
目を見張る大自然やはるか古代の遺跡、
美しい街並みに出会うことができる。
カタルーニャの歴史や文化を生み出した地を訪れ、
旅をより思い出深いものにしよう。

*Short trip from Barcelona*

# 息をのむ圧倒的景観!!
## 自然が生んだ奇跡の地
# モンセラット

バルセロナから🚃で約1時間

バルセロナから北西へ約60km、田園地帯に突如姿を現す奇岩の山に抱かれた修道院は黒いマリア像が守るカタルーニャの聖地。

MAP 付録P3 D-3

*Montserrat*

ガウディがインスピレーションを得た景観と
信仰の歴史が人々を引き付ける山を歩く

この驚異的な自然環境のなかに最初の教会が設立されたのは9世紀。その神秘的なたたずまいからか、古くからカタルーニャの宗教的中心となっていた。11世紀にベネディクト派の修道院が創建されて以来、今もベネディクト派の修道士たちが修道院を守っている。

12世紀になって一人の羊飼いが洞窟で発見した「黒いマリア像」が人々の信仰心を駆りたてて、各地から巡礼者が訪れるようになった。黒いマリア像を祀るために聖堂が建てられ、ナポレオン軍がこの地に侵攻してきたときも、マリア像は地元の人たちが隠して守った。過去においてカタルーニャ語が禁止されたときも、ここだけはカタルーニャ語で祭儀が執り行われた。

まさにモンセラットはカタルーニャ人の聖地といえる。またワーグナーがオペラ『バルジファル』で舞台背景に用いたり、ガウディがサグラダ・ファミリア聖堂の発想を得たというこの地の景観は、世界中から観光客を呼び寄せている。

### アクセス

エスパーニャ España 駅からカタルーニャ鉄道のR5線でアエリ・デ・モンセラット Aeri de Montserrat 駅もしくはモニストロ・デ・モンセラット Monistrol de Montserrat 駅へ。所要約1時間、1時間おきに運行。そこから山頂駅にはアエリ・デ・モンセラット駅からロープウェイに乗り換えて約5分。モニストロ・デ・モンセラット駅からは、登山電車で約20分。いずれもR5号線と通しで往復切符を買うと割引がある。ただし往復をロープウェイ、登山電車と変える場合、往復切符は使えない。

ロープウェイと登山電車、どちらを使う？

奇岩がそそり立つ断崖に抱かれるようにひっそり建つ修道院

**地図内の表記:**

モニストロ・デ・モンセラット駅
Monistrol de Montserrat

登山電車（クレマジェラ）

P.78 聖堂
Basílica de Montserrat
P.78 モンセラット美術館
Museu de Montserrat

展望遊歩道

登山電車（フニクラ）

サンタ・コバ P.79
Santa Cova

ロープウェイ

アエリ・デ・モンセラット駅
Aeri de Montserrat

サン・ジョアン礼拝堂

登山電車（フニクラ）

•サン・ミゲル展望台

サンタ・コバ教会

P.79
★サン・ジョアン
Sant Joan

0　100m
1:10,000　N

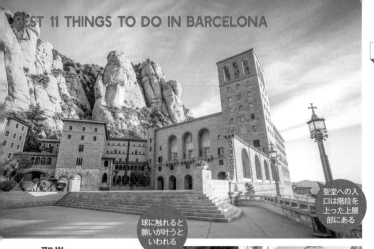

聖堂への入口は階段を上った上層部にある

球に触れると願いが叶うといわれる

登山電車の駅前にみやげ物店やカフェ、レストランが並ぶ。聖堂や美術館へは階段を上って右に行く。お目当ての黒いマリア像には長い行列ができるので、予定はマリア像を中心に立てよう。時間が合えばヨーロッパ最古の少年聖歌隊の歌を聴いておきたい。サン・ジョアンの展望台、サンタ・コバの洞窟へも行きたい。各所の入場料は、すべてスマホアプリのオーディオガイド付き（日本語あり）。

↑みやげ物店も充実

### 観光案内所
**MAP P.78**
☎93-8777701 ◎登山鉄道駅からすぐ 働9:00〜16:45（土・日曜は〜17:35）働無休

## 聖堂
**Basilica de Montserrat**
**MAP P.77**

### 大聖堂の黒いマリア像に願いを託す

黒いマリア像を祀るため、修道院に造営された聖堂。奥に安置されたマリア像を参拝するため世界中から人が訪れる。
☎93-8777777（観光案内所）◎登山電車の駅から徒歩5分 ⑲Monestir de Montserrat 働7:00〜20:00 働無休 働聖堂€7、聖堂＋黒いマリア像€8、聖堂＋マリア像＋聖歌隊€14（すべてスマホアプリのオーディオガイド付、日本語あり）
⑭www.montserratvisita.com

↑回廊に囲まれた中庭の奥に聖堂がある
←黒いマリア像は12世紀作の木彫像。右手に宇宙を表すといわれる球を持ち、幼いキリストを膝に抱いている

### マリア像と合唱隊

黒いマリア像の入口は礼拝堂とは別。見られるのは8:00〜10:30と12:00〜18:25で、多くの人が行列を作るので、朝早くか夕方が狙い目。少年合唱隊・エスコラニアは月〜木曜は13:00、18:45の2回、金曜は13:00のみ、日曜は12:00、18:45の2回で、土曜は休み。前のほうで見たければ30分前には礼拝堂にたどり着くようにしよう。休みや時間変更が多いので、到着後、観光案内所で尋ねるか、HPで確認しておこう。

↑厳かな空気がみなぎる礼拝堂では1日に数回ミサが行われる。エスコラニアはミサのあとに歌う

## モンセラット美術館
**Museu de Montserrat**
**MAP P.77**

### 幅広い年代とジャンルのコレクションを誇る

カタルーニャが生んだ巨匠、ピカソ、ミロ、ダリのほか、カラバッジョやモネなど、大家の絵が一堂に集まる。駅を降りて聖堂の手前にあるので帰りにゆっくりと寄ることができる。
☎93-8777745 ◎登山電車の駅から徒歩5分 ⑲Monestir de Montserrat 働10:00〜17:45（夏期と冬期の土・日曜は〜18:45）働無休 働€8

↑カタルーニャの画家ラモン・カザス『マドレーヌ』

モンセラット修道院

聖堂
モンセラット美術館
観光案内所 i
モンセラット駅
登山電車の駅（サン・ジョアン行き）
登山電車
登山電車（クレマジェラ）
ロープウェイ

# 奇岩が連なる山容はどこか神々しい
# 絶景の展望台と神秘の洞窟

モンセラットにはいくつかのハイキングコースが設定されている。晴れた日はピレネー山脈から地中海まで望める展望台と黒いマリア像が見つかった洞窟が見どころ。手ごろなコースを選んでチャレンジすれば、絶景が待ち受ける。

サン・ミゲル展望台からの眺め。サン・ジョアンの登山電車駅から降りたところにある

## サン・ジョアン
**Sant Joan**
MAP P.77

### 大パノラマが広がる
### 展望台へは登山電車で

山頂へと向かうのが、サン・ジョアン行きの登山電車。サン・ジョアン礼拝堂から先は本格的なトレッキングになるので、礼拝堂で引き返すか、駅から下ってサン・ミゲル展望台を目指すのがおすすめ。

時休料見学自由

サン・ジョアン礼拝堂は駅から20分ほどのハイキング。景色は見事

### 2本の登山鉄道

修道院からは2本の登山鉄道（Funicular）が利用できる。サン・ジョアン行きは、片道€10.70、往復€16.50、10:00～18:00、約12分間隔の運行（季節により異なる）。2024年9月現在、サンタ・コバ行きは、片道€4.10、往復€6.30、10:00～17:30、約20分間隔の運行（季節により異なる）。共通チケットもあるので、計画に合わせて活用しよう。

## サンタ・コバ
**Santa Cova**
MAP P.77

### 羊飼いが起こした奇跡
### 黒いマリア像発見の洞窟

羊飼いが黒いマリア像を発見したという洞窟がサンタ・コバ教会となっている。教会までの道にはロザリオの秘跡を表す15のモニュメントがあり、なかにはガウディの作品もある。

サンタ・コバ教会 時10:30～17:00 休無休 料無料

奇岩がつくる光景に驚く。サンタ・コバは修道院より低いところにあり、片道40分ほど

ガウディ作の『第一秘跡「キリストの復活」』

青い海と空が見守る
ローマ帝国の夢の跡

*Tarragona*

# タラゴナ

コスタ・ドラダ（黄金海岸）のなかほどに位置する
タラゴナは、ローマ帝国支配下で発展。
イベリア半島最大の古代都市として栄えた。

**MAP** 付録P2 C-3

バルセロナ
から🚃で
約50分〜

## 「地中海のバルコニー」から
## 古代遺跡を巡る時空の旅へ

　キラキラ輝く地中海と潮風を独り占めするような、鉄道駅近くの広場「地中海のバルコニー」に立つと、古代ローマ人がここにイベリア半島最大の街をつくった理由がわかってくるかのよう。紀元前218年、ローマ帝国はイベリア人からこの地を奪い、円形競技場や水道橋など高度な建築技術による巨大施設を建設。古代都市「タラコ」として、5世紀まで繁栄を謳歌した。世界遺産登録のその遺跡巡りが、タラゴナの旅のハイライトとなる。高台に建つカテドラル周辺の古い小路の散策、ランブラ・ノバでのカフェタイムも楽しいひとときに。

古い石畳が続く旧市街を気ままに散策したい

## ラス・ファレラス水道橋
**L'Aqüeducte de les Ferreres**
**MAP** 付録P2 C-3

### 緑の山中に突如出現する
### ローマ時代の巨大水道橋跡

郊外のガイア川から街に水を引くため、2世紀頃に建造。高さ26mの2層アーチ構造で、往時の全長は35km。異民族の侵略で大部分が崩壊し、現在は全長217mだが、その偉容は見る者を圧倒する。

☎977-261087 ⊗中心部から5番または85番のバスでPont del Diableポント・デル・ディアブレまで6分 ⊕N-240沿い ⊗休⊛見学自由 ⊕www.tarragona.cat/patrimoni/museu-historia/monuments/laqueducte-del-francoli

☝橋上の水路跡は歩いて渡れる

古代ローマの建築技術を駆使し、驚異的な短期間で完成したため、「悪魔の橋」と呼ばれる

⤴往時の収容人数は1万4000人と大規模なスケールだった

## ローマ円形競技場
**Amfiteatre de Tarragona**

MAP P.80

### 地中海を一望する高台に残るタラゴナ版コロッセオ

剣闘士の死闘を見世物とする娯楽場として1～2世紀に建造。3世紀には異教であったキリスト教徒の処刑場となり、中世には中央に教会が建つなど、数奇な歴史の舞台となった。

☎977-242579 ❌Tarragonaタラゴナ駅から徒歩10分 🏠Parc de l'Amfiteatre romà 🕐冬期9:00(土曜9:30)～18:30日曜、祝日9:30～14:30、夏期9:30(土曜10:00)～21:00日曜、祝日10:00～15:00 ❌月曜 🎫€5

**エリアガイド**

**街歩きアドバイス**

鉄道駅から街のビュースポット「地中海のバルコニー」へ向かい、海の絶景を眺めたら、円形競技場と旧市街を散策。郊外の水道橋は本数が多い路線バスで気軽にアクセスできる。

**観光案内所** MAP P.80

☎977-250795 ❌Tarragonaタラゴナ駅から徒歩15分 🏠C. Major 37 🕐10:00～14:00、15:00～18:00(日曜、祝日は14:00) ❌日曜、祝日の午後 ※季節により変動あり

**アクセスと交通**

バルセロナのサンツ駅から、特急列車または快速でタラゴナ駅まで約50分～1時間20分。市内は水道橋を除くと、ほぼすべてのスポットが徒歩圏内だ。

---

## 古代ローマにタイムトリップ!

ローマ帝国の支配下にあった紀元前3世紀～5世紀に、タラゴナはイベリア半島最大の都市として繁栄。その史跡が「タラゴナの遺跡群」として世界遺産に登録されている。

### 考古学の道
**Passeig Arqueològic**
MAP P.80

←旧市街を囲むローマ時代の城壁に沿って整備された、全長約500mの遊歩道。古代ロマンを感じる散策を楽しめる

### 公共広場
**Fòrum de la Colònia**
MAP P.80

→ローマ帝国時代の政治と宗教の中心地。長方形の広場に、古代の裁判所跡の身廊、神殿跡の一部などが残る

### 初期キリスト教徒の墓地
**Necròpolis Paleocristians**
MAP P.80

←3～6世紀の多種多様な棺、地下墓地を見学できる。博物館もあり、石棺や埋葬品などを展示

## カテドラル
**Catedral de Tarragona**
MAP P.80

### 街の守護聖人サンタ・テクラを祀る丸窓が美しい大聖堂

古代のゼウス神殿跡を利用して12～15世紀に建造され、ロマネスクとゴシックの2つの様式が混交。精緻なアーチが美しい回廊、後陣のサンタ・テクラの祭壇屏に心を奪われる。

☎977-226935 ❌Tarragonaタラゴナ駅から徒歩20分 🏠Pla de la Seu 🕐9:30(日曜14:00)～19:00※季節や行事により変動あり ❌無休 🎫€11 🌐www.catedraldetarragona.com

⤴旧市街の高台にたたずみ、異なる建築様式が融合した威風堂々とした姿を見せる

## 考古学博物館
**Museu Nacional Arqueològic de Tarragona**
MAP P.80

### 古代都市時代の栄華を物語る貴重なコレクションが多数

ローマ帝国の都市タラコとして繁栄した紀元前3～4世紀頃の遺物を一堂に展示している。神殿跡や公共広場から出土したモザイク画、彫刻、石碑が中心となり見どころが多数。

←モザイク画「メドゥーサの首」

☎977-251515 ❌Tarragonaタラゴナ駅から徒歩12分 🏠Av.De Raón y Cajal ※2024年8月現在改修のためMNATで開館 🕐9:30～18:00(土曜は～14:00、15:00～18:00) 日曜、祝日10:00～14:00 ❌月曜・日曜午後 🎫初期キリスト教徒の墓地との共通券€4など 🌐www.mnat.cat

# 美しい川沿いの古都
# 中世のラビリンスへ

# ジローナ

バルセロナから🚃で約40分

Girona

バルセロナからの日帰り旅が人気のジローナには多様な民族が興亡した2000年の歴史が堆積。時をワープする旅を楽しめる。

MAP 付録P3 E-2

## ロマネスクの最高傑作にふれ
## 迷路のような旧ユダヤ人街へ

　ゆるやかに流れるオニャール川沿いに街が開け、徒歩でまわれるこぢんまりした旧市街に古代から現在までの歴史と文化が凝縮。ローマ、ロマネスク、ゴシック、バロックなどのヨーロッパ文化、イスラム、ユダヤの文化が混交した街並みと名所を巡る旅は、時をワープしたかのような幻惑に誘う。旅人の多くが目的とする、カタルーニャ・ロマネスクの最高傑作『天地創造のタペストリー』は、高台に建つカテドラルの宝物館で待つ。中世の石畳の小路が続く旧ユダヤ人街を散策後は、川近くのR・リベルタット通りのカフェでゆったり憩うのが素敵。

旧市街のフォルサ通り周辺が旧ユダヤ人街のアル・カイ地区

## カテドラル
**Catedral de Girona**

MAP P.83

### 旧約聖書の一場面を描いた
### 中世のタペストリーは必見

旧市街の高台に建つカテドラル。11世紀に創建し18世紀完成のため、ロマネスク、ゴシック、バロック様式が混在。『天地創造のタペストリー』は一見を。

☎972-427189 🚉Gironaジローナ駅から徒歩17分 🏠Plaça Catedral, s/n ⏰10:00～18:00(土曜は～19:00、日曜は～12:00)季節により変動あり 🚫1/1、12/25など(教会の特別行事により異なる) 💰€7.50 🌐www.catedraldegirona.cat

🔽外観はバロック、堂内はゴシック様式

## 旧ユダヤ人居住区
**El Call**

MAP P.83

### 中世の面影が色濃く残る
### かつてのユダヤ人街を散策

大聖堂の南側のエリア、アル・カイは9～15世紀にユダヤ人が暮らした一角。迷路のような中世の石畳が続き、旧住居を利用したユダヤ歴史博物館などで往時の歴史にふれられる。

🚉Gironaジローナ駅から徒歩15分
🔽タイムトリップしたような小路が続く

旧市街の中央を流れる
オニャール川沿いには
カラフルな外壁の家が
立ち並ぶ

## エリアガイド

### 街歩きアドバイス

オニャール川の東に広がる城壁に囲まれた旧市街に見どころが集中。まずは高台の大聖堂を見学し、中世に迷い込んだかのような旧ユダヤ人居住区やアラブ浴場を散策したい。川沿いの家並みも風情がある。

### 観光案内所 MAP P.83

☎972-010001 ✪Gironaジローナ駅から徒歩11分
⊕Rambla de la Llibertat 1
⊕9:00〜20:00(土・日曜、祝日は〜14:00、土曜午後15:00〜19:00、11〜3月は〜19:00)
⊗1/1・6、12/25・26
⊕www.girona.cat/turisme

### アクセスと交通

バルセロナのサンツ駅から高速鉄道のAVEまたはAVANTで約40分。バルセロナの北バスターミナル発着のバスも運行しており、所要約1時間30分。

## アラブ浴場

**Banys Àrabs**
MAP P.83

奇跡の保存状態を誇る
中世のエキゾチックな浴場跡

12世紀にイスラムの影響が濃いロマネスク様式で建造され、15世紀まで公衆浴場として使われた。その後、修道院の施設となり、19世紀に修復。微温浴室・高温浴室などが残る。
☎972-190969 ✪Gironaジローナ駅から徒歩18分
⊕C. Ferran el Catòlic, s/n ⊕10:00〜18:00(日曜、祝日は〜14:00)⊗1/1・6、12/24・25⊕€3 ⊕www.banysarabs.cat
⊕細い円柱で囲まれた浴槽が幻想的な雰囲気を醸す

# ガウディの最高傑作が建つ
# スペイン初の工業コロニー
# コロニア・グエル

19世紀末、実業家グエルはこの地に
職住が隣接する新しい町を建設。
ガウディとその弟子たちがその設計を担った。

**MAP** 付録P3 D-3

*Colònia Güell*

バルセロナ
から🚃で
約20分

教会堂内の椅子、蝶模
様のステンドグラスもガ
ウディがデザインした
ものだ

## 偉才ガウディの自由闊達な設計に
## 圧倒される "天井のない博物館"

　バルセロナの西約20㎞、サンタ・コロマ・ダ・サンバリョ市の一画にスペイン初の工業コロニー（コロニア）がある。建設を計画したのは、ガウディのパトロンであり、繊維業で財を成した実業家グエル。19世紀末に繊維工場を移すにあたり、職場、住宅、学校、教会が近接する町づくりを構想した。設計にはガウディと弟子たちが携わり、当時そのままの建物と街並みが残る。

### アクセスと交通

バルセロナのスペイン広場から、FGC（カタルーニャ鉄道）のS3、S4、S8、S9のいずれかでコロニア・グエル駅下車。各々約20分。チケットはオンライン、または到着後にインフォメーション・センターでも購入できる。

## コロニア・グエル教会
**Cripta de la Colònia Güell**

**MAP** P.84

### ヤシの木型アーチが圧巻
### ガウディ建築の最高傑作

1898年、ガウディは設計に着手。傾斜をつけた壁と柱の構造を実現するため、逆さ吊り模型の実験に10年をかけ、半地階を完成。当初計画された上階は未完成となった。

☎936-305807 ✪FGC・Colonia Güellコロニア・グエル駅から徒歩7分 ⛪C. Claudi Güell s/n 🕙10:00～17:00（土・日曜、祝日は～15:00）🚫1/1・6、聖週間の聖金曜日（移動祝日）、12/25・26（要確認）💰オーディオガイド付€10、バルセロナからの往復電車運賃とオーディオガイド付€15.10（日本語あり）🌐gaudicoloniaguell.org

⬆構造、資材、デザインのすべて
にガウディの自然賛美が息づく

⬆細部にまで意匠が凝らされる

⬇「アントニ・ガウディの作品群」のひとつとして世界遺産に登録

*Sitges*

## 芸術家たちが集った
## コスタ・ドラダの宝石

# シッチェス

地中海に沿って続くコスタ・ドラダ屈指の
美しさを称えられるリゾート地。
19世紀末から20世紀初頭には
カタルーニャ文芸復興運動を担う場となった。

**MAP** 付録P3 D-3

> バルセロナから日
> 帰りで訪れても、
> 十分楽しめる!

©iStock.com/Gerold Grotelueschen

> バルセロナ
> から🚌で
> 約30分

---

瀟洒な館の美術館を巡り
海岸通りで海の幸を満喫

　かつては小さな村だったが、19世紀末に画家ルシニョールが移り住み、芸術家が集う街として発展。ビーチの美しさも名高く、夏は人気リゾート地に。海岸通りには魚介料理店が並ぶ。

### アクセスと交通

バルセロナのサンツ、フランサ、パセジ・ダ・グラシア各駅から、Renfe近郊線R2-Sのサン・ヴィンセンス・ダ・カルダールス行きに乗り、約30分。シッチェス内は徒歩でまわれる。

---

## マリセル美術館
**Museu de Maricel**

**MAP** P.85

### 海沿いの豪華な館で
### 貴重な美術品を鑑賞

アメリカの美術収集家ディーリングが20世紀初頭、古い建物を買い取り贅を凝らした館に改築。現在は美術館となり、ロマネスクやゴシック期の宗教芸術や工芸品などを展示。

☎93-8940364 ⊗Sitgesシッチェス駅から徒歩8分 ㊀C. Fonollar s/n ㊐10:00〜19:00(11〜3月は17:00) ㊡月曜 ㊤€10(カウ・フェラット美術館との共通券) ㊟museusdesitges.cat

---

## カウ・フェラット
## 美術館
**Museu del Cau Ferrat**

**MAP** P.85

### ポスト印象派の画家の
### アトリエが瀟洒な美術館に

ポスト印象派の画家ルシニョールの元アトリエを利用した美術館。画家自身の作品に加え、エル・グレコやピカソなどの作品を間近にできる。

☎93-8940364 ⊗Sitgesシッチェス駅から徒歩8分 ㊀C. Fonollar s/n ㊐10:00〜19:00(11〜3月は17:00) ㊡月曜 ㊤€10(マリセル美術館との共通券) ㊟museusdesitges.cat

> ➜海岸通りにはリゾート地らしい白亜の館が並ぶ

# 輝く海と太陽、王国時代の歴史が旅人を迎える"地中海の楽園"

_Isla de Mallorca_

# マヨルカ島

バルセロナから足を延ばしたいのが、西地中海に浮かぶ
バレアレス諸島。その最大の島、マヨルカ島は
自然と歴史の両方を満喫できる世界屈指のリゾートだ。

MAP 付録P3 F-4

バルセロナ
から✈で
約50分〜

島北西部のソーイェルには奇跡のように美しいビーチが広がる

## マヨルカ王国の栄華にふれ
## ビーチリゾートを大満喫

　マヨルカ島は地中海の要衝として古代から栄えた地。紀元前8世紀のフェニキア人の植民から始まり、ローマ、ヴァンダル、イスラムなどの支配が交錯。1229年にアラゴン王国のハイメ1世がレコンキスタを成し遂げ、イスラム支配に終止符を打った。以後、島はマヨルカ王国として繁栄。中心都市パルマ・デ・マヨルカに残る歴史的建造物は王国時代の13～18世紀のものだ。島各所に点在するビーチリゾート、世界遺産登録のトラムンタナ山脈、内陸部の小さな村への旅も至福の体験となる。

### アクセス

#### バルセロナから

**●飛行機**
約50分。飛行機はマヨルカ島第一の街、パルマ・デ・マヨルカ郊外のパルマ・デ・マヨルカ空港に到着。空港と市内はバスが結び、所要15～20分。

**●高速船・フェリー**
高速船で約3時間30分、フェリーで約6時間～8時間30分。船はパルマ湾内の乗り場に着く。海からパルマ・デ・マヨルカの玄関口を望むアクセスもドラマチック。

ポリェンサ○
○アルクディア
★P.89 バルデモサ ★ソーイェル P.89
Valldemossa 　　Sóller

パルマ・デ・マヨルカ P.88

○シネウ ○アルタ

カルヴィア○
✈パルマ・デ・マヨルカ空港
　Aeroport de Palma ○マナコル

P.89 ★ P.89 ドラック洞窟 ★
イリェタス海岸 ★ Cuevas del Drach
Platja d'Illetes

P.89 パルマ海岸 ★
Platja de Palma

0 ──── 15km
1:1,500,000 N

イスラムとキ
リスト教文化
が混在する街

### 街歩きアドバイス

空港からのバスの発着点、スペイン広場南の旧市街に見どころが集中。四方1.5km強のエリアなので、徒歩での散策が楽しい。まずは、パルマ湾近くにそびえる街のシンボルのカテドラルと宮殿に向かい、王国時代の栄華を間近に。その後はマジョール広場周辺の路地巡りを。郊外のベルベル城、ミロ美術館も必見スポットだ。

## 多様な文化に彩られるエキゾチックシティ
# パルマ・デ・マヨルカの街を散策

島最大の街はパルマ湾沿いのパルマ・デ・マヨルカ。イスラムの支配後、マヨルカ王国の中心として栄えた華やぎが今も薫る。

### 荘厳なゴシック様式のカテドラル
## カテドラル
Catedral de Mallorca
MAP P88

マヨルカ王国を建国したハイメ1世の命により建造。1230年着手、1601年竣工のため、カタルーニャ・ゴシック様式の変遷と完成形が集約する。中央祭壇の鉄製天蓋飾りは、20世紀初頭の修復時にガウディが手がけたもの。

↑紺碧のパルマ湾を見下ろすようにそびえる街のシンボル

☎971-713133 ⊗スペイン広場から徒歩14分 ⊕Plaça de la Almoina s/n ⏰10:00〜17:15(11〜3月は〜15:15、土曜は〜14:15) ⊗日曜、祝日 ⊕€10
⊕catedraldemallorca.org

### マヨルカ王国の繁栄をとどめる
## アルムダイナ宮殿
L'Almudaina
MAP P88

10世紀建造のイスラム王国の城を、13世紀にマヨルカ王の居城として改修。イスラムの建築様式とゴシック様式が混交した空間に往時の栄華が薫る。王の居室や礼拝堂が見どころ。

☎971-214134 ⊗スペイン広場から徒歩14分 ⊕C. Palau Reial s/n ⏰10:00〜18:00(4〜9月は〜19:00) ⊗月曜 ⊕€7 ⊕www.patrimonionacional.es

→頃スペイン王家の離宮で、国王が滞在することも

P.88 アルムダイナ宮殿★
L'Almudaina
スペイン村
Poble Espanyol de Mallorca
P.89 ベルベル城★
Castell de Bellver
🏛マヨルカ博物館 P.89
Museo de Mallorca
Av. de Gabriel Roca
P.88 ★回教徒浴場
Banys Àrabs
★カテドラル P.36/P.88
Catedral de Mallorca
🏛ミロ美術館 P.89
Fundació Miró Mallorca
P.89
カラ・マジョール★
Cala Major ・高速船とフェリーの乗り場

### イスラム王国時代の貴重な遺跡
## 回教徒浴場
Banys Àrabs
MAP P88

10世紀頃建造のアラブ式サウナ風呂跡。光穴を配した半円形クーポラと12本の細い柱が残り、幻想的な雰囲気だ。往時は床の2層構造を利用したスチームサウナだったとされる。

↑旧市街の迷路が続く一角にたたずみ、趣のある庭も見学できる

☎637-046534 ⊗スペイン広場から徒歩15分 ⊕C. Can Serra 7 ⏰10:00〜17:00 ⊗無休 ⊕€3.50

↑城内に歴史博物館を併設する

海と市街を望む円形の城
# ベルベル城
**Castell de Bellver**
MAP P88

マヨルカ王家の夏の離宮として、14世紀に完成。円形の中庭があり、城自体も円形という珍しい構造。パルマ湾の眺めが素晴らしい。

☎971-735065 ❷スペイン広場などからバス4番でPlaça Gomilaプラサ・ゴミラ下車、徒歩15分 ⋒C. Camilo José Cela s/n ⓗ10:00〜19:00(10〜3月は〜18:00)土・日曜、祝日は〜15:00 ⋒月曜 ⓕ€4 ⓗcastelldebellver.palma.cat

ミロの後半生の作品が集う
# ミロ美術館
**Fundació Miró Mallorca**
MAP P88

1956年、ミロは母の故郷マヨルカに居を移し、1983年に島で亡くなった。元アトリエの隣にある美術館に、画家がここで制作した絵画や版画などを展示。眺めのいいテラスもある。

↑ミロが感じた光と風のなか、貴重なコレクションを鑑賞できる

☎971-701420 ❷スペイン広場などからバス46番でFundació Pilar i Joan Miró美術館前下車 ⋒C. Saridakis 29 ⓗ10:00〜18:00 5/16〜9/15は〜19:00) 日曜・祝日は〜15:00 ⋒月曜、12/25、1/1 ⓕ€10 ⓗmiromallorca.com

古代から近代の島の歴史を展示
# マヨルカ博物館
**Museo de Mallorca**
MAP P88

旧市街に建つバロック様式の美しい館を利用。地中海交易の要衝として栄えた歴史を考古学遺跡からの出土品や各時代の工芸品などを通して解説。展示室の静謐な空間も心地よい。かつてのユダヤ人街にあり、周辺の散策を兼ねて訪れたい。

☎97-1597995 ❷ⓜスペイン広場から徒歩14分 ⋒C. la Portella 5 ⓗ9:00〜14:00(水・木曜は〜19:00) ⋒月曜、祝日 ⓕ€2.40 ⓗwww.caib.es

## マヨルカ島のビーチで地中海を満喫

パルマから路線バスで行けるビーチをご紹介。美しい白砂が続く遠浅のビーチが多く、ターコイズブルーの穏やかな海で各種マリンスポーツを楽しめる。

### パルマ海岸
**Platja de Palma** 　　　MAP P87

↑島最大のリゾート地。5kmの海岸線に白砂のビーチが続き、大型ホテルやレストランが点在

### イリェタス海岸
**Platja dilletes**
MAP P87

→小さな入り江に囲まれ、キラキラ輝く海が印象的。のんびりくつろぐのに格好のリゾートホテルもある

### カラ・マジョール
**Cala Major**
MAP P88

←パルマから気軽に行け、地元っ子も多いビーチ。ホテルやコンドミニアムが立ち並ぶ

## 島をぐるりと散策

### パルマを離れた各所にも魅力的な景観やスポットが点在!

## ドラック洞窟
**Cuevas del Drach**
MAP P87

19世紀末に発見された島最大の鍾乳洞。世界最大級の地底湖が圧巻だ。

❷パルマ・デ・マヨルカから車で1時間 ⓗ10:00、11:00、12:00、14:00、15:00、16:00、17:00入場(11〜3月は10:00、12:00、14:00、15:30) ⋒1/1、12/25 ⓕ€17

↓見学コースは所要1時間

## ソーイェル
**Sóller**
MAP P87

トラムンタナ山脈の谷間の町。文化的景観が世界遺産に登録されている。

❷パルマ・デ・マヨルカから車で40分

↑パルマからの観光列車がある

## バルデモサ
**Valldemossa**
MAP P87

島北部の山あいの小さな村。ショパンとサンドの愛の逃避行の場となった。

❷パルマ・デ・マヨルカから車で30分

↑2人が暮らした僧房が残る

世界遺産とクラブ文化に
彩られる地中海リゾート

*Isla de Ibiza*

# イビサ島

バレアレス諸島で3番目に大きく、
「イビサ、生物多様性と文化」として世界遺産に登録。
世界屈指のクラブ文化も息づく。

MAP 付録P.3 F-4

太古からの豊かな自
然、ヨーロッパ最先端
のクラブシーンの両方
を満喫できる！

アクセスと交通

●飛行機
バルセロナから約1時間、マヨ
ルカ島から約50分

●フェリー
バルセロナから約8時間～9時
間30分
島内各地は路線バスが結ぶ

## 豊かな自然と白砂のビーチ
## クラブカルチャーが交錯する

青い海に囲まれた複雑な海岸線と内陸部の深い森、多様な生態系は、地中海の島々でも屈指。紀元前7世紀のフェニキア人来航時に街が築かれ、ローマやイスラムなどの支配を経て、18世紀にスペイン王国領となった。1960～70年代はヒッピー文化のメッカとなり、1980年代には島独自のバレアリック音楽がイギリスの若者の心をつかみ、クラブ文化の中心地として発展。自然と歴史、ビーチリゾート、多彩なクラブシーンに浸るバカンスを満喫できる。

```
        P.90
     ★サン・アントニ・アバト
        Sant Antoni de Portmany
  P.90
★カラ・コンテ
  Cala Comte
              ★カラ・タリーダ P.90
                Cala Tarida
              ○イビサ・タウン
                      ★プラヤ・
                        デン・ボッサ
  P.90 セ・サリナス★      Platja d'en Bossa
  Platja de ses Salines    P.90

        0      15km      N
        1:1,800,000
```

## サン・アントニ・アバト
### Sant Antoni de Portmany
MAP P.90

### 島随一のサンセットポイント
### 夜はクラブが盛り上がる

夕日のビューポイントとして名高い、島第2の街。"チルアウト音楽の聖地"とされるカフェ・デル・マールなど、世界のクラブシーンを彩るDJバーが点在し、夜は熱狂的に盛り上がる。

◎イビサ・タウンから車で30分

⬆サンセットクルーズ・ツアーも多数。
海上から眺める夕日は圧巻。

## 白砂が美しいイビサ島のビーチへ

島の周囲には個性豊かなリゾートが点在。路線バスでアクセスできるビーチも多く、地中海リゾートの醍醐味を気軽に満喫できる。

### カラ・コンテ
#### Cala Comte
MAP P.90

➡ビーチ前の小島が独特の景観をつくり出す。海の家サンセット・アシュラムは夕日の絶景スポット

### カラ・タリーダ
#### Cala Tarida
MAP P.90

➡コンドミニアムが多く、家族連れに人気。遠浅の海に浮かぶ岩場で、ひと味違う海水浴を楽しめる

## プラヤ・デン・ボッサ
### Platja d'en Bossa
MAP P.90

⬇約3kmにわたり白砂のビーチが続く、島最大のリゾート。ボラ・ボラなどの人気レストランも多数

## セ・サリナス
### Platja de ses Salines
MAP P.90

⬇イビサ随一の美しさを称えられるビーチ。浜辺と周囲の緑地が一体化した自然のなかで憩える

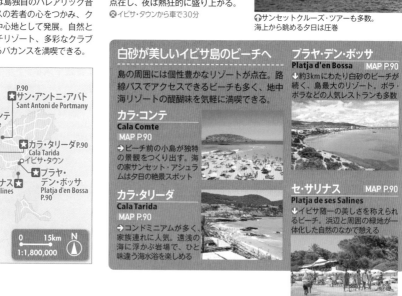

# UNFORGETTABLE LUNCH AND DINNER

# グルメ

**¥4**

## 進取の気象に富んだ街は食都としても進化

### Contents

# バルセロナの食事で気をつけよう 食べたいものを食べる!

世界中から人が集まるこの街は、各国料理、カタルーニャやバスクの地方料理など多様な料理が堪能できる。予約必須の人気店から気軽に立ち寄れるバルまで、チョイスの幅は広い。

## 出かける前に

### どんな店を選ぶ?

美食の街バルセロナは、地中海の恵みをふんだんに使ったシーフード店、歴史ある老舗、ピカソら芸術家が愛した店など格式ある店が多い一方、進化系創作料理の店も増えた。立ち飲み感覚で寄ったバルで絶品の料理に出会えることも。選択肢が多いだけに迷うが、アクセスと予算に無理のない店を選ぼう。

### バル ——————— Bar

バルはタパスなど簡単な料理を出す居酒屋的存在。ただ、夜だけの営業ではなく、昼に1日1食ともいわれるスペイン庶民の胃袋を支える存在。立ち飲みから高級店まで業態もさまざま

だが、どこも肩肘張らず気軽に料理やお酒が楽しめるのが共通点で、旅行者の強い味方だ。▶P60

### レストラン ……… Restaurant

レストランは現地語で「レスタウランテ」。入口のプレートに1〜5本のフォークの数で政府観光局によるランク付けがされているが、これはあくまでも目

安。地元の人でいっぱいの店は間違いない。価格表を店先に表示する規則があるので、これもレストラン選びの目安。

### カフェ ——————— Café

菓子専門店やコーヒーにこだわりを持つ店など多彩。バルでもコーヒーは楽しめる。▶P106

### 市場 ——————— Mercat

たくさんの飲食店が並ぶサン・ジョセップ市場。素材の良さが際立つ料理が多い。▶P58

### 食事の時間に注意

スペインの食事時間は一般的に昼食が14時〜、夕食は21時〜と日本に比べて遅い。レストランの開店も13時〜という店が多いので要注意。また、スペインにはシエスタ(午後休憩)の習慣があり、レストランでは15時30分〜20時に閉まることが多く、営業時間が日本と異なる店もある。

### 予約は必要?

高級レストランでは事前に予約しておいたほうが安全。言葉に自信がない場合は、ホテルのコンシェルジュに名前と人数、希望する日時を紙に書いて頼むとよい。近年はHPから予約できることも多い。バルは予約不可なことも多く、人気店には大行列ができる。

### ドレスコードは?

スペインのドレスコードはあまり厳しくないが、ホテルのレストランや高級店では雰囲気に合わせて少しドレスアップしたい。スマートカジュアルならパンツスタイルもOK。

バルの楽しみ方

バルは食堂やカフェを兼ねた地元の社交場。朝7〜8時に開く店もあり、朝食に便利。ほとんどのバルが予約不可なので、人気店では行列ができる。席に案内するスタッフがいる店もあるので、希望の席があれば伝えてみよう。

### オーダーと支払いの仕方

オーダーの仕方やサービスは店によって違うが、周りの人を真似れば大丈夫。メニューがない場合はカウンターにあるタパスなどを指さしで注文。支払いは、最後にまとめてする店と

オーダーごとに払う店とさまざま。チップは基本的に不要。

### バルグルメの定番はタパス

「タパス」は、揚げ物、和え物、サラダなど各地の名物料理、地元カタルーニャ料理が個別に盛られた大皿から小皿に取り分けるもの。最初から小皿に分けている店も。パンの上に具をのせて串に刺した「ピンチョス」もバル特有のもの。飲み物は、セルベッサ(生ビール)、ビノ(ワイン)、シドラ(リンゴ酒)などがグラスでサービスされる。カフェ(コーヒー)はソロ(ブラック)からコン・レチェ(ミルク入り)までお好みで。

## チップの支払い

### チップの目安は?

チップの習慣はあるが義務ではない。目安は高級レストランでは支払いの5～10%。カードの場合、チップは現金でも渡せるが、カードの支払いに足すこともできる。庶民的な店ではおつりの小銭程度でいい。チップは感謝の気持ちを表すものなので、サービスが悪かったときは不要。バルでは基本的には不要だが、サービスがよければ€1～2を。

| 提示額 | +5% | +10% |
|---|---|---|
| €20 | €21 | €22 |
| €40 | €42 | €44 |
| €60 | €63 | €66 |
| €80 | €84 | €88 |
| €100 | €105 | €110 |

### 現金で支払う

スマホ決済が進んでいる国もあるが、スペインでは現金かカードが一般的。勘定書に書かれた数字が読みにくいときは確認する。

### クレジットカードで支払う

スキミングに注意。旅行に便利なカードだが、磁気情報を盗んでクローンカードを作って横領するスキミング犯罪が横行している。スキミング防止カードなどで事前に対応しておきたい。

## お役立ち情報

### メニューの組み立て方

前菜、メイン、デザートがコースの柱。メニューから選ぶのが難しいときは、セットメニューがおすすめ。ランチタイムは前菜、メイン、デザートがセットになった「Menu del Dia メヌ・デル・ディア(今日の定食)」がある。

組み合わせ方の例
- 前菜＋メイン＋デザート
- 前菜＋メイン
- メイン＋デザート

### たばこは吸っていい?

スペインでは喫煙法によりレストランやバルの店内は全面禁煙。店外に喫煙スペースや灰皿が用意されている店が多いのでマナーを守りたい。

### 料理をシェアしたいときは?

ほとんどの店が対応してくれる。「小さいお皿をください」と手振りで示せば通じる。恥ずかしがらずに頼もう。

### お持ち帰りはできる?

日本と同じで、衛生面から持ち帰りを断る店もあるが、気軽に応じてくれる店もある。食べきれないときは、ものは試しで聞いてみては。

### 知っておきたいテーブルマナー

スペインのお国柄か堅苦しいマナーはないが、気持ちよく食事するために気をつけたい。

### ワインは自分で注がない

高級店では、ワインは店員に注いでもらうのがマナー。

### 落としたものは拾わない

ナイフやフォークなどを落とした場合はスタッフに言って、新しいものを頼む。

### 皿は持ち上げない

日本人はついついしがちだけれど、スペインではマナー違反。

### テーブル上の料理は食べきる

スペインでは食事はゆっくりするのが基本。テーブル上の皿が終わらないと次の皿が出ない。

### 会計はテーブルで

日本のようにレジで会計をするのではなく、スタッフを呼んで会計を頼み、テーブルでする。

---

### チョピートス・フリートス
**Chopitos fritos**

ホタルイカに小麦粉をまぶして揚げたもの。プリプリとした食感がたまらない。ビールのお供にぴったり。

### パエーリャ　Paella

米とシーフードを煮込んだ鍋料理。もともとはバレンシアの地方料理だがバルセロナでも、各店が味を競っている。

## カタルーニャ伝統の料理を知る

### パン・コン・トマテ　Pan con tomate

カリカリに焼いたパンに完熟トマトをすり込み、オリーブオイルをたらしたもの。食事の前菜にも、朝食にも人気で、カタルーニャ料理の定番中の定番。

### ナバハス・ア・ラ・プランチャ
**Navajas a la plancha**

マテ貝の鉄板焼。魚介の宝庫カタルーニャならではの一品。新鮮なマテ貝のそのままの味を生かしている。

### エスケイシャーダ　Esqueixada

タラとみじん切りしたトマト、ピーマン、玉ネギなどの野菜をビネガーとオリーブオイルで和えたサラダ。

独創性に満ちた美食の世界が広がる

# 伝説のレストラン
# エル・ブジの精神を
# 受け継ぐ③店

バルセロナ近郊の街ロザスで、その独創的な料理で訪れる者に驚きを与え続けていた伝説のレストラン「エル・ブジ」。その精神を受け継いだシェフたちが腕をふるうレストランへ。

## エル・ブジとは？

分子ガストロノミーの第一人者、フェラン・アドリアがシェフを務め、「世界一予約が取れない」といわれていたレストラン。2011年に惜しまれながらも閉店したが、現在は食の研究機関に姿を変え、新たな挑戦を続けている。またここで紹介している元シェフらの店も人気だ。

1. 店内は「Ryokan(旅館)」「Cava(洞窟)」「Barra(板前)」「Planxa(鉄板焼)」「Dinner(正餐)」「41°」の6つに分かれている。ドレスコードはスマートカジュアルだが、おしゃれ着なら普段着でも十分。男性はジャケット着用が好ましい

唯一無二の不思議空間で舌鼓を

## エニグマ
**Enigma**

ポブレ・セック **MAP**付録P.8 C-1

アルベルト・アドリアが食と空間演出に心血を注ぐ、ミシュラン1ツ星レストラン。テーマごとにまったく異なる4つの空間を移動しながら料理を楽しむ。メニューは毎日変わり、所要時間は最低でも3.5時間。予約は2カ月前から受付。

☎616-696-322 ⨯M1号線Rocafortロカフォルト駅から徒歩3分 ㊧C. de Sepúlveda 38-40 ⨯19:00〜21:30 金曜13:00〜15:00、19:30〜22:00 ㊡土・日曜
Ⓗ enigmaconcept.es

2. フェラン・アドリア氏の弟、アルベルト・アドリア氏(左)の指揮のもと、若きオリベル・ペーニャ氏(右)が腕をふるう 3. 本来はパン・コン・トマテで使うカリカリのパンのことを指す「Pan de Cristal」は、ここでは透明なパン(左)に、トリュフをのせていただく。右は「鉄板焼」スペースの料理「Blini de Uni」

### おすすめコース

おまかせコースのみ
ⓁⒹエニグマ・メニュー=Menú Enigma €220、Menú Llopウルフ・メニュー€260、ワインマリアージュ€100〜
独創性に満ちた40皿近くの料理が提供される

## 世界一に輝いたレストラン
# ディスフルタール
**Disfrutar**

アシャンプラ MAP付録P.6 A-4

「エル・ブジ」でシェフを務めた3人がチームを組んで開いたミシュラン2ツ星レストラン。居心地のよいモダンな空間で、ていねいなサービスが受けられる。陶器を自在に配した内装が斬新で、明るい白を基調としたサロンは漁師町を思わせる。テラス席もあり。

☎93-3486896 Ⓜ5号線Hospital Clinicオスピタル・クリニック駅から徒歩2分 C. de Villarroel 163 ⓣ12:45～14:00、19:45～21:00 ⓗ土・日曜 www.disfrutarbarcelona.com/

©Adrià Goula
©Francesc Guillamet
©Joan Valera

1. 予約は180日前からで早めがおすすめだが、キャンセルが出ることもあるので連絡を 2.「中華パンのキャビア詰め」。揚げたパン生地にキャビアを詰めたシグネチャーディッシュ 3. レストランの共同経営者の3名。左からエドゥアルド・シャトルック氏、オリオール・カストロ氏、マテウ・カサーニャス氏

### おすすめコース

**グラン・クラシック** Ⓛ Ⓓ **クラシックClassic**（ディスフルタールの定番料理中心のコース）、**フェスティバルFestival**（各シーズンの新作料理中心のコース）各€290、
Gran Clàssic

レストランのソムリエが厳選したワインとのマリアージュ€160。特別に用意されたキッチンでのスペシャルメニューは1～6名で予約可（1名€1050、6名の場合は1人€390。ドリンク別。要問合せ）

## いつものタバスが洗練された料理に変身
# コルマード・ウィルモット
**Colmado Wilmot**

サリア・サン・ジェルバシ MAP付録P.6 A-3

伝統的なタバスの味をひとひねりしてグルメ料理に仕立てるバル・レストラン。知っているはずの味の組み合わせにあっと驚かされる。朝から開いている日は朝食も人気。シェフはエル・ブジでも活躍したエウヘニ・デ・ディエゴ氏。

☎93-2474782 Ⓜ5号線Hospital Clinicオスピタル・クリニック駅から徒歩13分 Calvet 28 ⓣ9:00～17:00（日・月曜は～16:00）、18:30～22:30 ⓗ無休

1. 新鮮な食材が目に飛び込んでくる店内 2. トルティーヤのシードラ煮チストラ・ソーセージ添え€10 3. エビのアヒージョ添えポテトサラダ€16

### おすすめ料理

**メルルーサ頰肉のオリーブオイル煮** €28
Kokotxa de merluza al pil pil.

白身魚のメルルーサをオリーブオイルで煮込んだ一品。鮮やかな緑色が食欲をそそる

## おしゃれしてバルセロナの極上ダイニングへ

# 独創と伝統の饗宴、ガストロノミー⑤店

**スペイン料理に斬新なアレンジを加えたヌエバ・コシーナ(新スペイン料理)、長年愛され続ける
カタルーニャ伝統の味。アートな街バルセロナで味わえる新旧の美食を召し上がれ。**

↪香り豊かなヒラタケに栗の実を添えて。スペインの秋の味覚が堪能できる(コース料理の一例)

舌だけでなく五感で楽しむ料理

## シンク・センティッツ
**Cinc Sentits**

アシャンプラ **MAP** 付録P.8 C-1

店名は現地の言葉で「五感」。シェフのジョルディ・アルタル氏が地元の食材を生かして、カタルーニャの伝統料理をモダンな創作料理にアレンジ。季節によって替わるコースは、ライト・メニュー€185など。

☎93-3239490 ㊙Ⓜ1号線 Rocafortロカフォルト駅から徒歩3分㊟Entença 60 ㊏13:30〜、20:30〜(終業時間は予約時に確認)㊡日・月曜
℡📷 予算€185〜

↑シンプルモダンで上品なムードが漂うエントランス

*Chef*

**ジョルディ・アルタル**
カタルーニャ・カナディアンのシェフ。上質な食材で独創的な料理を生む。

↩イカの切り身を黒にんにくで味付けした一品。ジューシーなイカを繊細で美しく盛り付ける(コース料理の一例)

↩ゆったりと配置されたテーブル席。居心地抜群な落ち着いた空間が広がる

創造性でグルメ界を牽引

## ラサルテ
**Lasarte**

アシャンプラ **MAP** 付録P.12 C-2

ミシュラン3ツ星を持つ現代創作料理レストラン。コースメニュー、アラカルトのいずれも独創的で、ワインリストも充実。同店のベラサテギ(ディレクター・シェフ)とカサグランデ(キッチン)の両シェフは、ホテル全体のグルメプロジェクトも監修。

☎93-4453242 ㊙Ⓜ3・5号線 Diagonalディアゴナル駅から徒歩5分㊟Mallorca 259 ㊏13:00〜14:30、20:00〜21:30㊡日〜火曜
℡📷 予算€200〜

↑明るく都会的な雰囲気のダイニング。キッチンを見下ろせる「シェフズテーブル」席もある

↑花びらやハーブが入った野菜サラダ。レタスのクリームソースとロブスターを添えて(コース料理の一例)

↩グリーンカルダモンとヨーグルトなどを使った球体の涼しげな夏のメニュー

## ビア・ベネト
ダリもお気に入りの老舗店

**Via Veneto**

サン・ジェルバシ MAP 付録P.6 A-2

50年以上の歴史を持ち、ミシュラン1ツ星を獲得した高級カタルーニャ料理レストラン。内装はとても優雅。画家のダリが芸術仲間らを伴ってたびたび訪れていたという。膨大なワインコレクションでも知られる。

☎93-2007244 Ⓜ3号線 Maria Cristina マリア・クリスティーナ駅から徒歩15分 ㊐Ganduxer 10 🕐13:00〜16:00、20:00〜23:45 ㊡土・日曜 🔖

↑地元の高級赤身牛肉のルビア・ガジェガにフォアグラと季節のきのこ、パイ皮を添えて（コース料理の一例）

予算 €184〜
↑ダイニングのインテリアも料理と同様に独創的でモダンだ

予算 €90〜
↑アール・デコ調のクラシックで優雅な空気が漂うダイニング

## アルキミア
素材重視の郷土料理

**Alkimia**

アシャンプラ MAP 付録P.14 A-1

揺るぎない品質と独創性で人気を集める創作カタルーニャ料理レストラン。2016年に移転し、バルセロナの地ビール、モーリッツ工場の1階にモダンな内装の新店舗を開いた。2004年からミシュラン1ツ星を獲得。

☎93-2076115 Ⓜ1・2号線 Universitat ウニベルシタト駅から徒歩5分 ㊐Ronda Sant Antoni 41 🕐13:00〜15:30、20:00〜22:00（金曜は昼のみ）㊡8/15〜9/1、12/23〜1/8ランチ 🔖

↑野ウサギのロワイヤル。濃厚で芳醇なソースをたっぷりかけた、ジビエ料理（コース料理の一例）

## アバック
有名シェフの野心的料理

**Abac**

サン・ジェルバシ MAP 付録P.4 C-2

2018年版でミシュラン3ツ星を獲得した若手シェフのレストラン。伝統と前衛を自在に組み合わせ、一流素材を用いた料理はまさに芸術的。メニューは2種のコースのみ。街の中心から離れており、わざわざ訪ねる人が多い。

☎93-3196600 Ⓜ3号線 Vallcarca バイカルカ駅から徒歩12分 ㊐Av. Tibidabo 1 🕐13:00〜14:00、20:00〜21:00 ㊡無休

**Chef**

ジョルディ・クル
かつてスペインで最年少でミシュランの星を獲得した経歴を持つ奇才。

予算 €295〜

↱美しい庭を眺めながらの食事。宿泊可能なオーベルジュ

↑フィゲラス産玉ネギと若鶏の卵のスープ。玉ネギをカップにしているので、容器ごと味わえる（コース料理の一例）

# カタルーニャ料理の老舗❹店

海の幸、山の幸に恵まれたバルセロナでは、バラエティ豊かなカタルーニャ料理が育まれた。
ローカルにも愛される老舗でその真髄を味わおう。

**1.** スペシャル魚介盛り
合わせ €144
**2.** タラのオーブン焼き
€24.90

3.モザイクタイルが印象的な店内。ナプキンには
カタツムリが刺繍されている 4.インテリアからも
歴史を感じる 5.店の外側から鶏の丸焼きの様子が
見える。ローストチキンも人気メニュー

炭火を使った伝統料理を堪能

## ロス・カラコレス

**Los Caracoles**

ゴシック地区 **MAP**付録P.14 B-3

1835年創業の老舗。田舎のレストラン
風にキッチンを通り抜けて入るサロン
は古い屋敷を思わせ、木の手すりや階
段が懐かしさを呼び覚ます。名物は店
名にもなっているカタツムリ。そのほ
か、さまざまな地元料理が食べられる。
☎93-3012041 ❻Ⓜ3号線Liceuリセウ駅か
ら徒歩5分 ❿C. Escudellers 14 ⓥ13:00
〜15:30、19:30〜22:30 ❽火曜 🄴🄰

### 市内最古のレストランのひとつ
# カン・クジェレタス
**Can Culleretes**

ゴシック地区 **MAP**付録P.14 B-3

1786年開業の、市内で最も古いレストラン。伝統的な内装の店内で、カタルーニャ料理が食べられる。広いサロンの壁には古い絵画が飾られ、当時からの装飾品も置かれており、モデルニスモの時代を感じさせる。
☎93-3173022 ⊗Ⓜ3号線Liceuリセウ駅から徒歩1分🚶C. Quintana 5🕐13:00～15:45、20:00～22:30🈺月曜ランチ（祝日の場合は営業）、日～水曜ディナー

1.同店を訪れた著名人の写真が数多く飾られている 2.地元客も多い人気店。特にランチコースが評判だ 3.レチョン・ア・ラ・カタラナ€19.50 4.クレマ・カタラナ€4.50 5.カネロネス€9.50はパスタ生地で肉を巻いたカタルーニャ料理

### 市場直送の新鮮素材にこだわる
# カサ・ジョルディ
**Casa Jordi**

アシャンプラ **MAP**付録P.6 B-3

1968年創業。近郊で採れる質の良い食材をサン・ジョセップ市場やニノット市場から仕入れ、伝統の味を作り出している。肉の炭火焼がおすすめ。料理の多くはハーフポーションで注文できるのもうれしいポイント。
☎93-2001118 ⊗Ⓜ5号線Hospital Clinicオスピタル・クリニック駅から徒歩12分🚶Passatge de Marimon 18🕐13:00～16:00、20:30～23:30🈺日曜

1.オックステールシチュー€21.90 2.魚のスープ€14.95 3.カタルーニャの田舎家を模した居心地のよい空間

### 郷土料理に舌鼓
# コルマード・ムリア
**Colmado Múrria**

アシャンプラ **MAP**付録P.13 D-3

1898年創業。モデルニスモのスポットを巡るルートにも指定された美しい地元食品店の一角にあるレストラン。カタルーニャ郷土料理は価格も手ごろで、地元の人からも愛されている。
☎93-2155789 ⊗Ⓜ4号線Gironaジローナ駅から徒歩4分🚶Roger de Llúria 85🕐11:00～22:30（月曜13:00～16:00、19:00～22:00）🈺日曜

1.牛ヒレのフリースタイル・ウェリントン風€32 2.オーブン焼きタラのブランダードサラダ€9 3.店内の様子

海を見ながら魚介料理を楽しむ
## チリンギート・エスクリバ
### Xiringuito Escribà

ポブレ・ノウ MAP 付録P.11 D-4

海辺の地中海料理レストラン。大きな窓は、夏場にはすべて開けて、店中がテラスのようになる。モダンな雰囲気で魚介を中心としたさまざまな料理が食べられる。タパスと米料理が有名で、デザートも充実している。

☎93-2210729 ❌M4号線Ciutadella Vila Olímpicaシウタデリャ・ヴィラ・オリンピカ駅から徒歩18分
🏠C. Litoral 62 🕐12:00～22:30 🈚無休 💳🈂

⬆「チリンギート」とはスペインの海の家。店内は開放感たっぷり

直火でしっかり焼き上げ
名店のパエーリャを味わう

### パエーリャ・エスクリバ
**€23.80**
オーブンを使わず直火だけで仕上げたパエーリャ。魚介をふんだんに

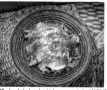

⬆小イカとイベリコ・ハムに半熟卵を和えたウエボス・エストレリャドス€26.50(左)。地元定番スイーツのクレマ・カタラナ€8.50(右)

地中海の恵みをふんだんに
# スペイン料理の決定版
## パエーリャ④店

パエーリャはスペイン東部が発祥のお米料理。魚介や野菜のエキスが染み込んだご飯がたまらない。注文は2人前からが一般的。

### シーフード・パエーリャ
**€13.95**
定番のイカ、エビ、アサリ、ムール貝が入っており、濃い目の味付け

街なかだけどリーズナブル
イカ墨料理も人気

⬆イカ墨ご飯のアロス・ネグロ€12.95(上)。ポテト料理のパタタス・ブラバス€5.75(中央)。華やかな店内の様子(下)

⬆⬅ダイニングは2階席もあり、広くて入りやすい雰囲気。テラス席もおすすめ

レイアール広場の地中海料理レストラン
## ラス・キンザ・ニッツ
### Les Quinze Nits

ゴシック地区 MAP 付録P.14 B-3

ランブラス通り沿いにあるレイアール広場の一角を占める。広場を見渡せる大きなテラス席があり、屋内の席でも大きな窓から広場とゴシック地区が見える。格安のコースメニューでも知られているが、アラカルトでいろいろ試すのがおすすめ。

☎93-3173075 ❌M3号線Liceuリセウ駅から徒歩2分 🏠Plaça Reial 6 🕐9:00(食事12:00)～23:30(朝食・ブランチは～12:00) 🈚無休 💳

ローカルに人気の
老舗の味を試してみる

**パエーリャ**
**€16**
毎日届けられる新鮮な
シーフードを使用。魚
介の旨みが濃厚

広いテラスで海を眺めながらのシーフード

# カン・マジョ
**Can Majó**
バルセロネータ **MAP** 付録P.9 F-4

バルセロネータ中心部のレストランの多
い地区にある、1968年創業のレストラ
ン。魚介米料理が専門で、新鮮なシー
フードを用いて作りたての料理を提供す
る家族経営の店。上品な青い壁の内装と
テラスの席がさわやか。

☎93-2215455 ❷Ⓜ4号線Barcelonetaバル
セロネータ駅から徒歩11分❹C. d'Emilia Llorca
Martin 23 🕐13：00～16：30(水～土曜は～
22：30) ❻月曜 🍴

⬆店から道を挟んだビー
チサイドにテラス席も
ある。特にテラス席は人
気なので予約を

⬅お店の入口。寒い日
は屋内席へ。店内にはた
くさんの絵が飾られて
いておしゃれ

⬆スペイン料理の定番、エビのアヒージョ(オイル煮)€20(左)。プルポ・ラ・ガジェゴ(ガリシア
風タコ)€17(右)は、茹でたタコとジャガイモにパプリカやオリーブオイルをかけた伝統料理

港のそぞろ歩きのあとに、テラスで地元の魚介料理

# ラ・マル・サラダ
**La Mar Salada**
バルセロネータ **MAP** 付録P.9 F-4

バルセロネータにあるパエーリャとシー
フードの専門レストラン。新鮮な材料を
用いて、特にカタルーニャ地方の魚介料
理に力を入れる。海沿いのパセオ・ボル
ボ通りに位置し、大きなテラスがとても
心地よい。

☎93-2211015❷Ⓜ4号線Barcelonetaバル
セロネータ駅から徒歩9分❹Passeig de Joan
de Borbó 58-59 🕐13：00～15：45、20：00
～22：45(土曜ランチ・日曜は～16：15)❻火曜、
日曜ディナー 🍴

具材の新鮮魚介を
生かした調理法で

**シーフード・パエーリャ**
**€24.50**
別に調理して、旨みを
しっかり残した手長エ
ビをトッピング

⬅丸形コロッケのラ・
ボンバ・バルセロネー
タ€4.90。伝統料理だ
けでなくモダンな創作
料理やスイーツも味わ
える

⬆ゆったりした店内はモダンで快適。大きな窓
を設けたリゾート感満点のダイニング

101

## 海の恵みが詰まった一皿に舌鼓

# 獲れたて新鮮な シーフードが自慢の **4** 店

港町でもあるバルセロナ。地中海などで獲れた上質な シーフードは、日本では珍しいものも。旨みが凝縮さ れた一皿は思い出深い味になること間違いなし。

サン・ジョセップ市場内の有名店
### キオスコ・ウニベルサル
**Kiosko Universal**
ランブラス通り **MAP** 付録P.14 B-2

1973年からサン・ジョセップ市場(→P.58)
内で営業する店舗。魚介料理のほか、
野菜やきのこ類も見逃せない。いつも
人でいっぱいだが、ちょっと待ってい
ると意外とさっと座れることも多い。
シンプルだが味わい深いバーの料理の
数々が味わえる。
☎93-3022803 ❌Ⓜ3号線Liceuリセウ駅か
ら徒歩1分 ⓟRambla 91(サン・ジョセップ市
場内) ⓗ9:00〜17:00 ❌日曜

**グリル魚介の盛り合わせ**
**Parrillada de mariscos**
**€36**
手長エビ、マテ貝、ムール貝など、
豊富な種類のシーフードが楽し
める一皿。シンプルな味付けが素
材の味を引き立てている

**1.** カウンター前のケースにはシーフードがずらり
**2.** 盛り合わせは贅沢な内容 **3.** ザンブリニャ貝のフォアグラ
添え€22 **4.** アサリの鉄板焼き€16。濃厚な旨みが堪能できる

市場の人々の胃袋を支える
### バル・ジョアン
**Bar Joan**
ボルン地区 **MAP** 付録P.15 D-2

サンタ・カタリーナ市場内の古
いバル。カウンター席がメイン
の伝統的な店構えで、典型的な
バル料理を提供する。地元の買
い物客や市場で働く人々が多く
訪れるとあって、お手ごろな価
格なのもポイント。市場の雰囲
気に浸りながら食事ができる。
☎93-3106150 ❌Ⓜ4号線Jaume I
ジャウマ・プリメール駅から徒歩5分ⓟ
En Giralt el Pellicer 2(サンタ・カタ
リーナ市場→P.130内) ⓗ7:30〜
15:30(火・木・金曜は〜20:00) ❌日
曜

**1.** さまざまなシーフード料理がある **2.** カタツムリの煮込€6.50 **3.** モツ
煮€5.75。シーフード以外のタパス料理も豊富 **4.** カウンター上には料
理が並んでいるので、気になるものは指さしで注文するのもあり

**タラのオーブン焼**
**Bacalao lata**
**€6.50**
スペインでは「バカラオ」と呼ばれるタイセイヨウダラがポピュラー。
塩漬けにして干したものをさまざまなスタイルで食べる

海を望む贅沢なロケーション

## カ・ラ・ヌリ・プラヤ
**Ca la Nuri Platja**

バルセロネータ **MAP**付録P.10 B-4

魚市場で仕入れる新鮮なシーフードを使った料理や、季節の米料理が評判の地中海料理レストラン。海側の壁が全面ガラス張りで、店全体が海辺のテラスのよう。砂浜にせり出したテラス席もロマンティックなつくり。

☎93-2213775 Ⓜ4号線Barcelonetaバルセロネータ駅から徒歩10分 Passeig Maritim de la Barceloneta 55 12:00〜22:30 無休

**カ・ラ・ヌリ風パエーリャ**
Paella Ca la Nuri
€23.20（1人前）
魚介の旨みたっぷり。珍しく1人前から注文できるのでぜひトライ

1. 素晴らしいオーシャンビューが広がる 2. 名物のパエーリャは外せない 3. ワインのお供にぴったりなタパスも 4. ムール貝の鉄板焼€13.90 5. 開放的な店内

---

魚介のだしが利いたパエーリャも評判

## チェリフ
**Cheriff**

バルセロネータ **MAP**付録P.10 A-4

シーフード料理店の老舗で、鮮度と味わいを追求する厨房が生み出す味は、地元グルメサイトでも評判。シンプルなものから手の込んだ煮込み料理、パエーリャまで心ゆくまで楽しめる。

☎93-3196984 Ⓜ4号線Barcelonetaバルセロネータ駅から徒歩5分 C. Ginebra 15 13:00〜16:00、20:00〜24:00（土・日曜13:00〜24:00） 無休

**貝の鉄板焼**
Closcas a la plancha
€39
種類豊富な貝がのったゴージャスな内容

1. ザルガイという日本では珍しい2枚貝も 2. ピンクの外壁が印象的 3. 落ち着いた雰囲気の店内 4. 魚介のフライの盛り合わせ€28

# 絶対に行きたいスイーツ⑤店

近頃は日本でも、エンサイマダやポルボロンなどスペインの伝統菓子が注目を集める。
素朴な味から世界一を勝ち取った新作スイーツまで、本場バルセロナでいち押しを堪能!!

**1** 数々の賞に輝いた職人たちの自信作

## ラ・パスティセリア・バルセロナ
**La Pastisseria Barcelona**

アシャンプラ **MAP**付録P.12 B-3

2019年カタルーニャ・ベストパティスリー賞・革新賞、クープ・デュ・モンドのチャンピオンなど、さまざまな賞を獲得した職人たちによる鮮やかなケーキたち。店頭での販売のほか、カフェテリアでひと休みしながらドリンクとともに味わうこともできる。
☎93-4518401 Ⓜ2・3・4号線 Passeig de Gràcoaパセッチ・デ・グラシア駅から徒歩6分 ⒸC. Aragó 228 ◎9:00～14:00(日曜は～14:30)、17:00～20:00㊡日曜、祝日の夜 🈂

€6.50

世界一の栄冠に輝いたケーキをはじめ甘い誘惑が並ぶ

€6.80 サン・ジョルディのバラ
Ⓒ愛する人にバラを贈る日のケーキ

ピュア・チョコレート
Ⓒパティシエ国際大会で優勝したケーキ

**3**

1.色とりどりのケーキが並ぶ店内。鮮やかな彩りに胸がときめく
2.地下に工房がありできたてが並ぶ3.シックなエクステリアのお店

**2**

## カエルム
修道女が作っていた伝統のお菓子
**Caelum**

ゴシック地区 **MAP**付録P.14 C-2

かつては修道女が作っていた伝統的な菓子を、今も手作りしている店。美しいパッケージが所狭しと並ぶ。買い物だけのときでも、あまり混んでいないときにお願いすれば、地下の石壁のカフェを見せてもらえる。
☎93-3026993 Ⓜ3号線 Liceuリセウ駅から徒歩3分 ⒸPalla 8◎12:00～20:00(土曜は～20:30)㊡無休 🈂

Ⓒミュシャのロマンティックなパッケージ

€12.50 サンタ・クララのジェマ
Ⓒ卵黄と砂糖で作られた素朴なお菓子

**1**

**2**

ローマ式浴場の跡地で、遺跡カフェとしても有名!

1.石畳の歩道と石造りの建物2.遺跡の中にある地下のカフェ

# 軽食やおやつにおすすめ！

# グランハ・ラ・パリャレサ

**Granja La Pallaresa**

ゴシック地区 **MAP** 付録P.14 B-2

ゴシック地区でチョコレート屋が集まるペトリチョル通りでも有名な店。ホットチョコレートや伝統菓子が並んでいる。どれもやさしい手作りの甘みだ。タイムスリップしたような懐かしさのある店内は地元の固定客と観光客が入り交じる。

▶P.106

1. どこか懐かしさを感じさせる店内 2. 1974年創業の老舗人気店

€1.95

地元民にも観光客にも愛される伝統の味

## エンサイマダ
↻スペイン、マヨルカ生まれの伝統的なパン

€5

## クレマ・カタラナ
↻焦げをつけて完成。カタルーニャ地方のデザート

---

## パスティセット
↻カタルーニャ地方の揚げパン。ジャムやチーズ入り

↻カフェ・コン・レチェは€3.65

## ワッフル
↻甘いジャムやクリームをトッピング

# 美しい建物と菓子の競演

# エスクリバ

**Escribà**

ラバル地区 **MAP** 付録P.14 B-2

4代続くケーキやチョコレートの老舗、エスクリバのショップ兼カフェ。ランブラス通りの中央部、サン・ジョセップ市場のすぐ脇に位置する。美しい色彩のモデルニスムの建物で、鮮やかな外壁とステンドグラスがひときわ目を引く。テラス席もあり。

☎93-3016027 ✕Ⓜ3号線Liceuリセウ駅から徒歩1分 ⟐Rambla 83⟐9:00～21:00(日曜は～20:30) Ⓚ無休

1. 19世紀の様式の美しい外観 2. 思わず手に取りたくなるミニケーキ各種

---

€6.80

## シャビーナ
↻「世界一」を受賞したチョコレートケーキ
↻スペインを代表するパティスリーの魅惑的なケーキたち。€5.20～

# おしゃれな店に美しいケーキの数々

# ブボ

**Bubó**

ボルン地区 **MAP** 付録P.15 D-3

ジュエリーショップのような店舗に、見た目にも美しいケーキを置く店。菓子パン、ボンボン、マカロンもある。創業は2005年。ケーキはショップで購入のほか、店内でも食べられる。隣には、タパスやカクテルのバーを併設。

☎93-2687224 ✕Ⓜ4号線Jaume Iジャウマ・プリメール駅から徒歩3分 ⟐C. Caputxes 10⟐10:00～21:00 Ⓚ無休

1. ボルン地区にあるおしゃれなショップ
2. パンの種類も豊富に揃う

歴史ある石畳の街から斬新な新作スイーツが続々誕生！

# おいしいチュロスが食べられる④店

チュロスとホットチョコレートをグランハでいただくのがスペインの伝統。サクッと軽い揚げ菓子を甘いチョコレートに浸す、大人も子どもも大好きな味は夢中になること間違いなし!

カリカリでもちもち! 食べだしたらもう止まらない!

Good Taste!

実際に目の前で揚げているところを見学できる楽しみも

↑チュロスもポテトも揚げたてのあつあつなのが食べられる大人気のお店

↑1947年創業当時から変わらないインテリア
↓伝統のホットチョコレートは甘さ控えめ。砂糖を入れたりホイップクリームのトッピングをしたりして好みの味にするのが地元流

Delicious

ポラスはチュロスより太めでやわらかく食べごたえがある

---

懐かしさあふれる甘みにホッとひと息

## グランハ・ラ・パリャレサ
Granja La Pallaresa
ゴシック地区 **MAP** 付録P.14 B-2
ペトリチョル通りにある数あるチョコレート店のなかでも懐かしい伝統のホットチョコレートとチュロス、手作りスイーツで特に有名。地元客に交じってひと休みするのもいい。

☎93-3022036 Ⓜ3号線Liceuリセウ駅から徒歩3分 C. Petritxol 11 🕘9:00〜13:00、16:00(日曜17:00)〜21:00 無休

---

カリカリ＆もちもちのチュロスの名店

## チュレリア・ライエタナ
Churreria Laietana
ボルン地区 **MAP** 付録P.15 D-2
チュロスとポラスの専門店。小さいが居心地のよい店で、いつも揚げたてのおいしいものが食べられると多くの人で賑わう。自家製フライドポテトやポテトチップスもおいしい。

☎93-2681263 Ⓜ1・4号線Urquinaonaウルキナオナ駅から徒歩2分 Laietana 46 🕘7:00〜13:00、16:30〜20:30 日曜8:00〜13:30 土・日曜

グランハでは蝶ネクタイの紳士がお出迎え！

キッチンから油の新鮮で香ばしい香りが漂ってくる

地元の人たちと一緒にカフェで立ち飲みもカッコイイ

各店ご自慢のあつあつチュロスは地元っ子も大好きなお菓子！

上品で特にカリカリのチュロスをチョコレートに浸して

Delicious

↑1969年創業の地元密着型店舗。地元っ子と一緒に並ぼう
→揚げ菓子がずらりと並んだ店先はどれにしようか絶対迷う！

Good Taste！

↑店先に並ぶ手作り伝統菓子も食べてみたい
→木を基調にしたタイル張りの店内が印象的なお店

油で揚げているのに軽いから、いくつでも食べられる

---

### 1941年創業のシックなカフェテリア

## ドルシネア
**Dulcinea**

ゴシック地区 **MAP** 付録P.14 C-2

創業当時からの店内が美しい市内で最も有名なホットチョコレートと手作り菓子のお店のひとつ。チュロスや昔ながらのメリンドロ（スポンジ菓子）などの伝統菓子が味わえる。

☎93-3026824 Ⓜ3号線 Liceuリセウ駅から徒歩2分 ㊟C. Petritxol 2 🕐9:00〜13:00、16:30〜20:30 ㊡無休 💳

---

### 地元住民と一緒に並んでチュロスを買おう

## チュレリア・マネル・サン・ロマン
**Xurreria Manuel San Román**

ゴシック地区 **MAP** 付録P.14 C-3

市内で最も伝統的なチュレリア（チュロスなど、揚げ菓子を中心的に置く店）のひとつ。庶民的な雰囲気が魅力。菓子類のほかホットチョコレートも注文できる。

☎93-3187691 Ⓜ3号線 Liceuリセウ駅から徒歩3分 ㊟C. Banys Nous 8 🕐9:00〜21:00 ㊡無休 💳（€4以上）

# 愛されこだわりカフェ **5** 店

歴史的な建造物や美しい装飾に囲まれて、厳選された豆で淹れるコーヒーや、手作りのお菓子がのんびりと楽しめる憩いのスペース。スペインの街角で、もの思いにふけるひとときを。

芸術的な装飾に囲まれた美しいカフェでひと休み

## モデルニスモ様式の老舗カフェ
## カフェ・デ・ラ・オペラ
**Café de la Opera**

ランブラス通り **MAP** 付録P.14 B-3

リセウ劇場向かいにあるカフェ。かつては宿屋だった建物がモデルニスモの時代に当時流行のスタイルに改装され、現在はカフェとして朝から深夜まで地元客と観光客で賑わう。チュロスとホットチョコレートが有名だが、軽食もある。

☎93-3177585 Ⓜ3号線 Liceuリセウ駅から徒歩1分🏠 La Rambla 74 ⏰8:00〜24:00(土・日曜は〜翌2:00) 🈳無休

⬆定番のチュロス€1.90とホットチョコレートは相性◎

➡スペインのレトロなカフェの雰囲気が楽しめる

## ひときわ目を引くカフェテリア
## メソン・デル・カフェ
**Meson del Café**

ゴシック地区 **MAP** 付録P.14 C-3

ゴシック街にある1909年創業のカフェテリアで、当時からのコーヒーメーカーがある。内装もクラシックで独特な雰囲気を残す。チュロス・ホットチョコレート、メリンドロやクロワッサンなどの伝統的な軽食のほか、タパスや食事メニューもある。

☎93-3150754 Ⓜ4号線 Jaume Iジャウマ・プリメール駅から徒歩1分🏠 C. Llibreteria 16 ⏰9:30〜20:00(金曜は〜21:00)土曜10:30〜22:00 日曜12:00〜20:00 🈳無休

アットホームで地元客にも人気の小さなカフェ

⬆➡こだわりのコーヒーとタパスを楽しみに、ランチに訪れるのにぴったり

アンティークな店内はいつも人で賑わう

### 1873年創業のシックな店内
# カフェ・ダル・セントラ
**Café del Centre**
アシャンプラ **MAP** 付録P.13 E-3

時代を感じさせる落ち着いた内装と、おいしく手ごろな価格の料理で長く人気のバル。カウンターでコーヒーを飲む人からゆっくり食事やおしゃべりを楽しむ人など、地元の老若男女が集まり、一日中賑わう。小ぶりで、意外な組み合わせの料理が楽しめる。店内は広いが特に食事の時間は混み合うことが多いので、予約がおすすめ。

☎93-5630497 ⊗ Ⓜ2号線Tetuanテトゥアン駅から徒歩6分 ⊕Girona 69 ⊗13:00〜24:00 ⊛無休 ♨⊟

⤴しょうがとカラスミ風味のミモザ卵とツナのタルタル€6

⤴サラダとツナのピリ辛クロワッサンサンド€5.50

⤵タラのコロッケとチポトレ・ロメスコソース€7.50

---

### 中世の石壁に囲まれて過ごす
# カエルム
**Caelum**
ゴシック地区 **MAP** 付録P.14 C-2

地上階と地下にカフェがあり、ガラス張りの地上階からはゴシック街の通りが見える。狭い階段を下った地下は、かつてユダヤ人の公衆浴場だった場所。石壁が美しく、一見の価値あり。価格も手ごろ。

☎93-3026993 ⊗ Ⓜ3号線 Liceuリセウ駅から徒歩3分 ⊕C. Palla 8 ⊗12:00〜20:00(土曜は〜20:30) ⊛無休 ⊟

⤴外観はモダンな雰囲気

独特な雰囲気とともに手作りのスイーツを楽しんで

⤴たくさんのスイーツに目移りしてしまう。おみやげにもおすすめだ

🎵🎵 🎵

---

### 地元で人気の老舗コーヒー店
# カフェス・エル・マグニフィコ
**Cafés El Magnífico**
ボルン地区 **MAP** 付録P.15 D-3

バルセロナでは数少ない、ていねいに豆の選定を行うコーヒー豆店。100年の歴史を持つ同店は生産者とのつながりを大切にしつつ、アフリカ、中南米、東南アジアなど多くの国の豆を販売する。店頭でコーヒーを味わうこともでき、いつも人で賑わっている。

☎93-3193975 ⊗ Ⓜ4号線 Jaume Iジャウマ・プリメール駅から徒歩2分 ⊕C. Argenteria 64 ⊗9:00〜20:00 ⊛日曜

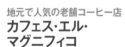

モデルニスモ様式のこの店にはピカソも訪れたとか

⤴淹れたてのコーヒーをテイクアウトでも楽しめるので、ぜひ気になる豆を試してみたい。ブレンドコーヒー豆€8.50〜

食事とお酒を楽しむ大人のための新スタイルレストラン

# 人気店が一堂に会する巨大フードコート

かつてはシアターや工場として使用された歴史ある建物を利用した広大なフードコート。
肉や魚、タパスなど好きなものをつまみに、ビールやワインをいただく。

広々とした店内でゆったりと食事を満喫したい

パンに具をのせたピンチョス風小皿料理も並ぶ

多様な店の味が同時に楽しめる
## エル・ナシオナル
**El Nacional**
アシャンプラ **MAP**付録P.13 D-4

市内中央の歴史ある建物に2500㎡を超える大きな店舗を構え、ひとつのレストランの中にレストランとバーを4つずつ置くという新たなコンセプトに挑戦する店。広々とした空間と大きなガラス窓や金属製の柱が美しく、唯一無二の空間となっている。
☎93-5185053 Ⓜ2・3・4号線 Passeig de Gràciaパセッチ・デ・グラシア駅から徒歩2分 所 Passeig de Gràcia 24 Bis 🕐12:00〜24:00 休 無休 🖥

▶バラ・デ・オストラス◀
**Barra de Ostras**
新鮮なカキのほか、キャビアやサーモンなどさまざまなシーフード料理を提供。

▶ラ・ブラセリア◀
**La Braseria**
肉料理のレストラン。ステーキやハンバーガーを好きなお酒とともに楽しみたい。

▶バラ・デ・ビーニョス・エンブティドス◀
**Barra de Vinos Y Embutidos**
クオリティの高いワインを豊富に揃えるワインバー。自慢のタパスもおすすめ。

# LET'S GO FIND YOUR TREASURE

# ショッピング

## 個性的なショーウインドーも!

### Contents

## 買い物パラダイス 欲しいものであふれるバルセロナ！

ロエベやザラなど、スペイン発祥のブランドの魅力的な店舗が多数。カタルーニャの長い歴史が生んだ伝統工芸品、チョコやオリーブオイルなどの食品もワクワク感を高める買い物に！

### 基本情報

#### 休みはいつ？営業時間は？

小規模店の一般的な営業時間は月～土曜の10:00～14:00、16:00～20:00で、日曜・祝日はお休みが基本。グラシア通りの有名ブランド店、大型店やショッピングモール、食料品店は昼休みなしで営業するところが多い。

#### 夏期や12月は日曜も営業

かつては夏期休業をとる店が大半だったが、観光客が多い7～9月は日曜営業のブランド店が増加。クリスマスシーズンの12月も同様だ。ただし、8月は閉店時刻を早めるショップもある。

#### 生ハムの日本持ち込みはNG

「スペイン産のおいしい生ハムとサラミをおみやげに」という気持ちはわかるが、輸入申告と検査証明書なしでのスペイン加工肉の日本への持ち込みは、法律で禁止されている。スーツケースにこっそりしのばせて帰国した場合、以前は空港での発見時に任意放棄すればよかったが、現在は罰則が強化され、違法行為として処罰の対象に。食品のおみやげは、合法であるチョコレートやオリーブオイルがおすすめだ。

### お得情報

#### バーゲンの時期は？

日本と同様にバーゲンシーズンがあり、特にブランド品がぐんとお得になるのでチェック。カタルーニャ語でバーゲンは「Rebaixes ラバイシャス」といい、店頭にこの文字が掲げられる。夏は7月上旬～8月下旬、冬は1月上旬～3月上旬が一般的。

#### 免税手続きも怠りなく

Tax Free加盟店で買い物をすると、21%（服や装飾品の税率）の付加価値税のうち最大13%が戻ってくる。免税書類は加盟店で発行してもらえ、パスポートの提示が必要。その後の手続きについては、免税書類内に日本語での詳しい案内がある。　▶P163

#### エコバッグは必需品？

スーパーなどではレジ袋は有料。エコバッグを携行すると、何かと役立つ。

### スペイン発祥のお店

#### ロエベ

19世紀半ば創業の皮革製品の名門。スペイン王室御用達店でもあり、気品あふれるバッグで名高い。

#### マンゴ

バルセロナ発祥のレディスブランド。クールさと可憐さを兼ね備えたデザインが若い女性に人気だ。

#### ビンバ・イ・ロラ

2005年の登場以来、働く女性に高い支持を受ける。個性的でありつつ、フェミニンな服や小物が評判。

#### デシグアル

ポップな色使いと大胆なデザインが個性派ファッションを好む人に人気。レディス、メンズを展開。

#### ザラ

ファストファッションの手軽さと高いファッション性で世界的なブランドに。本国では「サラ」と発音。

### サイズ換算表

| 服（レディス） | | 服（メンズ） | |
|---|---|---|---|
| 日本 | スペイン | 日本 | スペイン |
| 5 XS | 34 | — | — |
| 7 S | 36 | S | 46 |
| 9 M | 38 | M | 48 |
| 11 L | 40 | L | 50 |
| 13 LL | 42 | LL | 52 |
| 15 3L | 44 | 3L | 54 |

| 靴（レディス・メンズ） | |
|---|---|
| 日本 | スペイン |
| 22 | 34-35 |
| 22.5 | 35-36 |
| 23 | 36-37 |
| 23.5 | 37-38 |
| 24 | 38-39 |
| 24.5 | 38-40 |
| 25 | 38-40 |
| 25.5 | 39-41 |
| 26 | 39-41 |
| 26.5 | 40-42 |
| 27 | 40-42 |
| 27.5 | 41-43 |
| 28 | 41-43 |
| 28.5 | 44-46 |
| 29 | 44-46 |

| パンツ（レディス） | | パンツ（メンズ） | |
|---|---|---|---|
| 日本(cm) | スペイン | 日本(cm) | スペイン |
| 58～61 | 32/34 | 68～71 | 36/38 |
| 61～64 | 34/36 | 71～76 | 38/40 |
| 64～67 | 36/38 | 76～84 | 40/42 |
| 67～70 | 40/42 | 84～94 | 42/44 |
| 70～73 | 40/42 | 94～104 | 44/46 |
| 73～76 | 42/44 | — | — |

## おすすめのバルセロナみやげ

建築と美術の街であり、美食の都でもあるバルセロナには魅力的なグッズや食品がいっぱい。華やかな最新ブランド品もいいが、バルセロナデザインのファッション小物や雑貨、カタルーニャ伝統の加工食品なども、ぜひゲットしたい。

### 陶磁器

楽しくて鮮やかな色使いの陶磁器はスペインならでは。マグカップや小皿などは自分用にも、おみやげにもいい。

### オリーブオイル

本場でこそ入手できる高品質のスペイン産オリーブオイルに加え、石鹸などオリーブオイルを使ったコスメも好評。

### チョコレート

ヨーロッパ有数の"チョコの街"だけに老舗&人気ショコラティエが多数。おみやげにぴったりなケース入りも。

### ファッション

バルセロナブランドの服、バレエシューズ、バッグや革小物、アクセサリーなど、日本では見つからないお宝揃い。

---

## ショッピングのマナー

### まずはあいさつを

ブランドショップや小規模店では、笑顔でのあいさつが満足のいく買い物につながる。入店時は「オラ（こんにちは）」、出るときは「グラシアス（ありがとう）」と声をかけよう。無言のままは避けるように。

### 商品は勝手にさわらない

大型店以外では、棚の商品を勝手に手にとるのはマナー違反。店員さんに声をかけて見せてもらうのが基本だ。購入の場合は店員さんと一緒にレジへ。購入しない場合も退店時に感謝の言葉を伝えたい。

---

## バルセロナのショッピングエリア

ブランド品や高級品はグラシア通り周辺、バルセロナらしい雑貨や食品の店はゴシック地区に集中。ディスプレイもおしゃれで素敵。

### ハイブランドが軒を連ねる
### グラシア通り

―― Passeig de Gràcia

街一番のショッピングストリートは、カタルーニャ広場の北に延びるグラシア通り。スペイン、フランス、イタリアの高級ブランド店が並び、ロエベの超豪華店舗やザラの大型店もある。

### 個性的な店や老舗巡りを
### ゴシック地区

―― Barri Gòtic

ランブラス通りの東に広がるゴシック地区には、老舗専門店や個性的なショップが多い。特にファッションやアクセサリー、雑貨、陶磁器、食品店が充実し、おみやげを探すのにもいい。

---

## 基本会話

### ●スペイン語

これはいくらですか。
**¿Cuánto es?**
クアント エス

これは何ですか。
**¿Qué es esto?**
ケ エス エスト

もう少し安くなりませんか。
**¿Puede rebajarme algo?**
プエデ レバハールメ アルゴ

これをください。
**Esto, por favor.**
エスト ポルファボール

試着してもいいですか。
**¿Puedo probar?**
プエド プロバール

ちょっと大きい（小さい）ようです。
**Es un poco grande (pequeña)**
エス ウン ポコ グランデ（ペケーニャ）

領収書をください。
**El recibo, por favor**
エル レシボ ポルファボール

おつりの計算が合いません。
**El cambio no está correcto**
エル カンビオ ノ エスタ コレクト

# バルセロナ発ブランド

アーティストや職人たちの手によってていねいに作られるアイテムは、
どれも洗練されたデザインセンスが光る逸品ばかり。
バルセロナのトレンドアイテムに注目したい。

⬆旅の思い出に、お気に入りの
ショップを見つけたい

## カジュアル・ファッション

彩り豊かな洋服からシックな
アイテムまで個性派が揃う

デザイナーの
センスが光る
アイテムが
並ぶ

### 地元女性デザイナーのショップ
## ライア・パピオ
**Laia Papió**
グラシア地区 **MAP** 付録P.7 C-3

バルセロナでていねいに手作りされる
服を探すなら、ぜひこの店を訪れたい。
すっきりしたシェイプのモダンなデザ
インは、オリジナルで組み合わせやす
く、着心地も満点だ。
☎931-70-39-67 ⊗Ⓜ3・5号線Diagonalディ
アゴナル駅から徒歩10分 ⑰Carrer del Diluvi 3
🕐11:00〜13:45(土曜は〜14:00)、17:00〜
20:00 ⑯日曜 🏠

カラーや柄が
豊富な涼しげ
なロングシャ
ツ€72

⬆やさしい色合いのジャケット€168

⬆店内のアトリエでデザイナーが思いを
込めて、手作りしている

### ガリシア発の個性派ファッション
## ビンバ・イ・ロラ
**Bimba y Lola**
アシャンプラ **MAP** 付録P.12 C-3

モダンなデザインが揃う、日本未出店
のレディスファッションブランド。独
特なテイストのデザインは気が利いて
いて、ちょっぴり辛口な雰囲気も。特
にバッグが人気。
☎93-2668382 ⊗Ⓜ2・3・4号線 Passeig
de Graciàパセッチ・デ・グラシア駅から徒歩1
⑰Passeig de Gràcia, 51 🕐10:30〜
21:00 ⑯日曜 🏠

バッグは、
シック系から
カラフルで楽
しいものまで
充実

## カタルーニャ発多国籍ブランド
# マンゴ
**Mango**

アシャンプラ **MAP** 付録P.13 D-3

地中海の雰囲気をデザインに取り入れた、日本でもおなじみのお手ごろ価格のブランド。婦人、紳士、子供服を揃える。大きいサイズも豊富。同じ通りの65番地には子供服専門のMANGO Kidsもある。

☎93-2381197 Ⓜ M 2・3・4号線 Passeig de Gràciaパセッチ・デ・グラシア駅から徒歩2分 🚇Passeig de Gràcia 36 🕙10:00～21:00(日曜は～20:00) 🈶無休 📠

スペイン発のファストファッションは日本でも人気

⬆品揃えも豊富で、多くの観光客が訪れる人気のショップ

## 地元の素材や製造を生かしファッション新時代を発信
# カオティコ
**Kaotiko**

アシャンプラ **MAP** 付録P.12 C-3

1999年設立のバルセロナ発ブランド。ファストファッションに背を向けて地元企業による素材・製造にこだわり、環境への配慮を重視する。ポップで着回しの利くデザインが人気で、さまざまなブランドとのコラボも。

モデルニズモ建築にモダンなデザインの店舗

☎93-8779127 Ⓜ M 2・3・4号線 Passeig de Gràciaパセッチ・ダ・グラシア駅から徒歩4分 🚇Rambla de Catalunya 54 🕙10:00～21:00 🈶日曜 📠

⬆広々とした店内に遊び心たっぷりの服が並ぶ

## バルセロナ発の大胆ファッションブランド
# デシグアル
**Desigual**

ランブラス通り **MAP** 付録P.14 C-1

さまざまな色や柄のプリントをパッチワークのように組み合わせた大胆なデザインで一世を風靡したファッションブランド。シックなデザインやスポーツコレクションにも力を入れている。

☎93-3435940 Ⓜ M 1・3号線 Catalunyaカタルーニャ駅から徒歩1分 🚇Plaça de Catalunya 9 🕙10:00～21:00 日曜12:00～20:00 🈶無休 📠

広い店舗で、日本未入荷のアイテムが見つかるかも

## シューズ&スニーカー

**ひと味違うデザインのシューズは
おしゃれ度が増す最強アイテム**

カラフルなデザインで足元を飾る
## ムムカ
Mumka

店内にはカラフルな靴やカバンが並ぶ

ゴシック地区 **MAP** 付録P.14 C-3
2016年にオープンしたポップな色合いと絵柄を中心に手作り靴や鞄などを作っているショップ。動物由来製品を使用しないヴィーガン素材が売りで、植物素材、合成皮革やプラスチックを駆使して魅力的な製品を生み出している。
☎93-0135947 **Ⓜ**3号線Liceuリセウ駅から徒歩4分
**❿**Ferran, 43-45 **⊕**10:30〜20:30 **休**無休 □

↑ランブラスからも近い賑やかな通りにある

↑縄編みデザインを模したノマド・サンダル€49.99

↑カラフルな猫のイラストのサンダル€39.99

白い外壁が有名なエスパドリーユ専門店
## ラ・マヌアル・アルパルガテーラ
La Manual Alpargatera

ゴシック地区 **MAP** 付録P.14 C-3
1940年創業のエスパドリーユ(麻の靴底のサンダル)専門店。ファッショナブルなデザインを提案し、サンダルの地位向上に貢献してきた。店内の棚に整然と積まれた在庫は圧巻。サンダルのほか、スニーカーや買い物籠も置く。
☎93-3010172 **Ⓜ**3号線Liceuリセウ駅から徒歩3分
**❿**Avinyó 7 **⊕**10:00〜14:00、16:00〜20:00
**休**日曜

↑鮮やかな色使いのマルチカラーバレンシアーナ・トポリーノ(一例)

↑シンプルながら個性が光るデザインは、人目を引くこと間違いなし!(一例)

↑地元でも長く愛され続けている老舗のエスパドリーユ専門店。店の奥には今でも工房がある

↑麻のピンチョ(一例)

カラフルでポップなエスパドリーユがずらりと並ぶ

€350〜450ほどで手作りの靴を買うことができる

## スタイリッシュでオリジナル
# ヌ・サバテス
**Nu Sabates**
ボルン地区 **MAP**付録P.15 D-3

天然染料とイタリア製の革を使い、一足一足ていねいに手作りされた靴。流行を追わないデザインは、ベーシックでありながら、個性的。さまざまなファッションと合わせながら長年履き込んで、じっくり変わってゆく染めの色が楽しめる。

☎93-2680383 Ⓜ4号線 Jaume Iジャウマ・プリメール駅から徒歩2分 㐂Cotoners 14 🕐12:00〜19:00 休土・日曜 💳

↑個性的なおしゃれの強い味方になってくれるアイテム

↑シンプルなデザインだからこそ長年履いて楽しめる

↑履き心地もよく、ファッションのアクセントに最適

↑長く気に入る靴に出会いたい

---

## カラフルなスニーカーが豊富
# ミュニック
**Munich**
ボルン **MAP**付録P.15 E-4

1939年、スペイン内戦終了直後に創業し、現在は3代目になる専門店。今は陸上、サッカー、フットサルなど機能性スポーツシューズとスポーツ用品を専門とするが、近年はストリート向けスニーカーも扱う。

☎664-218-560 Ⓜ4号線Barcelonetaバルセロネータ駅から徒歩3分 㐂Plaça de les Olles 9 🕐10:00〜22:00 休日曜 💳

外観もさわやかでポップな雰囲気

↑スニーカーのほか、バッグやスーツケースも扱っているので、じっくり見たい

↩オオサカ(一例)

↓ウェーブ(一例)。大人から子どもまでオリジナルの多様なデザインが人気

---

## タウン用バレエシューズ
# プリティ・バレリーナ
**Pretty Ballerinas**
アシャンプラ **MAP**付録P.13 D-1

世界のセレブをファンに持つ靴ブランド。オーナーの父親は時代を先取りし、先代の手作り靴工房をスペインで代表的な靴メーカーに育て上げた人。日本未入荷の新作も店頭に並ぶ。

☎619-00-31-34 Ⓜ3・5号線Diagonalディアゴナル駅から徒歩1分 㐂Passeig de Gràcia 106 🕐10:00〜20:30 日曜12:00〜20:00 休無休 💳

バレエシューズは€129〜225ほどで購入できる

---

## 履き心地抜群のモダンな靴
# カンペール
**Camper**
アシャンプラ **MAP**付録P.12 C-3

カラフルな色合いとモダンなデザインで人気の靴メーカー。ゆったりしたデザインながらスタイリッシュな革靴は、カジュアルからフォーマルまでさまざまなシーンで活躍する。

☎93-2156390 Ⓜ2・3・4号線 Passeig de Gràciaパセッチ・デ・グラシア駅から徒歩3分 㐂València 249 🕐10:00〜21:00 日曜12:00〜20:00 休無休 💳

大人から子どもまで幅広いラインナップが人気

117

## アクセサリー&バッグ

**長く愛され続ける老舗から
新進気鋭のショップまで**

### 今、話題のブランド
# ミスイ
**MISUI**

落ち着いた雰囲気の店内でじっくり買い物を楽しみたい

アシャンプラ **MAP**付録P.12 C-1

ジュエリーショップの老舗、ウニオン・スイサが2015年に立ち上げたブランド。バルセロナでデザインされた、伝統に贅沢さをミックスしたジュエリーと帽子、靴が専門。ウニオン・スイサが入る建物の1階にある。

☎93-4160105 🚇3・5号線 Diagonalディアゴナル駅から徒歩5分 🏠Diagonal 482 🕐10:30〜14:00、16:30〜20:00 🈺日曜 💳

⬆モデルニスモ様式の建物が目印

↪KLARコレクションの指輪（左）。KLARコレクションのピアス（右）。洗練されたデザインのアクセサリーを扱う（写真は一例）

### クマのモチーフが有名なジュエリー
# トウス
**Tous**

アシャンプラ **MAP**付録P.12 C-2

3世代100年の歴史を誇る、カタルーニャ発のジュエリー・アクセサリーメーカー。1996年から日本にも進出しているが、本場では日本未発売の製品も見つかるかも。

☎679-59-61-55 🚇3・5号線 Diagonalディアゴナル駅徒歩1分 🏠Passeig de Gràcia 99 🕐10:00〜20:30 🈺日曜 💳

クマモチーフのジュエリーはプレゼントにも喜ばれる

⬆世界中に店舗を持つ人気ブランド

↪かわいらしいディスプレイは見ているだけでワクワクする

19世紀の古い建物を改装した店舗

個性的デザインのバッグと革小物
## リサ・レンプ
Lisa Lempp
ボルン地区 **MAP** 付録P.15 D-3
9世紀の終わりに建築されたおしゃれな建物にある、革のバッグや小物製品を作る工房兼ショップ。以前は姉弟で一緒に商品を作っていたが、リサさんが独立した形。デザインはどれもリサさんのオリジナル。すっきりした印象で非常に使いやすい。

☎665-06-25-93 Ⓜ4号線 Jaume Iジャウマ・プリメール駅から徒歩2分 Mercaders 11 ⏰11:00～20:00 休日曜

⬆商品はすべてリサさんの手作りでほぼ一点もの。スタイリッシュなウエストポーチ€154

⬅たっぷり入るバッグ、ロッタ€172

店の奥にあるアトリエからリサさんがミシンを踏む音が聞こえる

流行を追わず、でもいつも新しい
## ベアトリス・フレスト
Beatriz Furest
アシャンプラ **MAP** 付録P13 C-3
バルセロナのストリートファッションをコンセプトに、バルセロナでデザイン、製作された服やバッグ、靴が並ぶ店。革製品に使用する素材はイタリア産で、食品市場から出る羊と牛の皮。染色には天然素材を用いている。

☎93-7979184 Ⓜ2・3・4号線 Passeig de Gràcia パセッチ・デ・グラシア駅から徒歩5分 València 272 ⏰10:00～20:30 休日曜

地元でも支持される人気ブランド

⬆新鮮みのあるデザインながら、定番アイテムとしても使いやすいのが魅力

⬆バルセロナ市内に複数の店舗がある

⬅涼しげなサンダル、ベスカイレ€169

鮮やかな手描きシルクのコレクション
## コンチャ・ブランク
Concha Blanch
ゴシック地区 **MAP** 付録P.15 D-3
手描き・手染めシルクの世界に魅了されたオーナーが工芸やデザインをじっくり学んで作品を発表し続けたのち、ゴシック街にオープンしたショップ。スカーフやブラウス、扇子のほか、ジュエリーやバッグなどもあり、鮮やかなウインドーに足が止まる。

☎93-3716920 Ⓜ4号線 Jaume Iジャウマ・プリメール駅から徒歩1分 Freneria 1 ⏰11:00～14:00、16:00～20:00 休日曜

パーティにも最適の大判手描きシルク扇子€96

⬇ショールや扇子のほかアクセサリーも人気

**ハイレベルなおしゃれ通におすすめ!**

# 多彩な品揃えで注目の
# セレクトショップ**④**店

センス抜群の目利きたちが選んだ
ハイクオリティでキュートな商品が並ぶ。
心ときめくショッピングに行こう。

⚲気さくなオーナー自身が直接接客にあたることもある。アイテム選びを相談してみよう

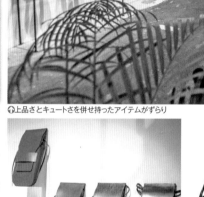

⚲上品さとキュートさを併せ持ったアイテムがずらり

⚲持ち手を調節できるトート、トーテム €550

### モダンなデザインの革小物たち
## アルテム・アトリエ
**ARTÉM Atelier**

ゴシック地区 **MAP**付録P.14 C-3

2015年から靴やバッグ、携帯ケースなど、ファッション小物を手作りしているメーカー。ショップ内に工房があり、デザインはすべてオリジナル。高品質の革を使用し、モダンなデザインの製品を作っている。

☎93-5284228 Ⓜ4号線Jaume Iジャウマ・プリメール駅から徒歩4分 旬2 Bis, Baixada de Viladecols 🕐11:00～14:00、16:00～20:00 ㊡日曜

⚲スタイリッシュなスマホケース。黄色、赤、青、茶、黒とカラーバリエーション€110

⚲アクション・ペインティングのような模様のスマホケース€110

### 多彩なブランドからお気に入り探し
## ,248
**,248**

アシャンプラ **MAP**付録P.13 D-2

子どもから大人向けまで、100種以上のブランドの服を取り揃えるセレクトショップ。ベルギーのブランド、ベルローズを最初にスペインに持ち込んだ。

☎93-4876744 Ⓜ3・5号線 Diagonalディアゴナル駅から徒歩2分 旬Rosello 248 🕐10:30～20:30 ㊡日曜 🏧

⚲店名の,248は所在地の番地。カジュアル系のファッションを多数揃えている

⚲カタルーニャのファッションブランドも豊富に取り扱う

## 1843年創業の高級セレクトショップ
# サンタ・エウラリア
**Santa Eulalia**

アシャンプラ **MAP** 付録P.12 C-2

バルセロナの目抜き通りに4代続く、国内外の高級ファッションを揃えたセレクトショップ。2000㎡以上のゆったりした店舗にはアトリエも併設し、注文服の仕立ても行っている。

☎93-2150674 🚇3・5号線 Diagonal ディアゴナル駅から徒歩1分 🏠Passeig de Gràcia 93 ⏰10:00〜20:30 🗓日曜 🍴

⬆グラシア通りの景観にふさわしい雰囲気のおしゃれなファサードが目印だ

➡バルセロナのファッション好きも多く訪れるというショップ。豊富なラインナップ

⬆メンズファッションも多数揃う。広大な店内をゆっくり見てまわりたい

## 厳選アイテムがまさに「いっぱい」
# コルマード
**Colmado**

ボルン地区 **MAP** 付録P.15 D-3

しゃれた服やアクセサリーを置くセレクトショップ。店名の「コルマード」は「たくさん」を意味する言葉で、良い品質で創造性に満ちたデザインのアイテムを多彩に取り揃えている。おしゃれで入り組んだボルン地区の路地を散歩しながら、お気に入りを探そう。

☎93-1722966 🚇4号線 Jaume I ジャウマ・プリメール駅から徒歩3分 🏠Brosoli 5 ⏰12:00〜20:00 🗓日曜 🍴

⬇店名のとおり「たくさん」のアイテムが並んでいるので、じっくり買い物を楽しんで

⬆ディスプレイはかわいらしく、アイテムも見やすい

⬅ユニークなエンテン(Henten)のバッグ(一例)

⬆プレガスエロス(Plegazuelos)のソニア(Sonia)の緑のシャツとパンツ(一例)

⬆ディアルテ(diarte)の縞のニット(一例)

## 明るくポップなバルセロナ・テイスト満載

# 雑貨もハイセンス

**世界的な画家を輩出しているバルセロナだから、雑貨も独特でキュートな美意識に包まれている!**

1. サグラダ・ファミリアから歩いてすぐ近く 2. おみやげにぴったりな絵はがきなどがたくさん 3. リサイクル木材の手作りイヤリング€24 4. カラフルなアクセサリーや扇子が並ぶ

### 地元作家のおみやげセレクトショップ
# B・デ・バルセロナ
**B de Barcelona**
アシャンプラ MAP 付録P.7 F-4

便利なアクセスと、センスの良い品揃えで人気上昇中。持ち帰りやすい小ぶり・折り畳める商品が多く、散歩しながらの買い物に最適。

☎93-6035006 Ⓜ2・5号線 Sagrada Familiaサグラダ・ファミリア駅から徒歩4分 🚩 Av. de Gaudi 28 🕙 10:30〜14:00、17:00〜20:30 🈺日曜 💳

€10

🟢有機綿とエコプリントのポーチ

€11

🟢写真を撮る人のイラスト陶器マグカップ

🟢「バルセロナの花」のマグネット€5

各€6.50

🟢おみやげにも最適なガウディのタイルを模した石鹸

### 高品質な手作り石鹸の数々
# サバテル・エルマーノス
**Sabater Hermanos**
ゴシック地区 MAP 付録P.14 C-2

古い工房を思わせる店内には、色や香り、形もさまざまな、数多くの手作り石鹸が並ぶ。素朴だが、品質は最高。市内の歩道やガウディの建築物のタイルを模したデザインの石鹸もある。

☎93-3019832 Ⓜ3号線 Liceuリセウ駅から徒歩5分 🚩 Plaça de Sant Felip Neri 1 🕙 10:30〜20:30 日曜12:00〜18:00 🈚無休 💳

🟡四角、丸、楕円など街のタイルをモチーフにした固形石鹸

各€5.50〜

1. 昔ながらの製法で手作り 2. ビタミンカラーがキュート 3. サン・フェリペ・ネリ広場の入口にある 4. 石鹸の香りがやさしく漂う店内

1

バルセロナみやげを買うならメーカー直営店へ！

## ガウディ・バルセロナ・ショップ
### Gaudi Barcelona Shop

サン・マルティ地区 **MAP** 付録P.11 F-2

バルセロナやガウディ関係のおみやげを中心に製作する会社の直営ショップ。豊富な種類とお得な値段、フレンドリーなスタッフが魅力的。

☎93-7541601
Ⓜ4号線Selva de Marセルバ・デ・マル駅から徒歩4分
Provençals 72 ⏰9:00～14:00、15:00～18:00 休土・日曜

↑ポブレノウ近くのビーチからは歩いて15分

1

2

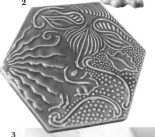

1.陶器製のグエル公園のトカゲ€31.90
2.ガウディのタイルを模した六角形の時計€31.95 3.同社企画の定番バルセロナみやげが並ぶ店内

3

2

3

1.子どもから大人まで欲しいものが見つかる品揃え 2.大きな白の看板が目印 3.思わず笑ってしまうようなおもしろグッズも

↪ネコの塩、胡椒、つまようじホルダー

## しゃれたデザインのギフトショップ
### ドス・イ・ウナ
#### Dos i Una

アシャンプラ **MAP** 付録P.13 D-2

小さな店内には、文房具からキッチン用品、衣類・アクセサリーや装飾品など、あらゆる雑貨が並ぶ。地元のメーカーやデザイナーのグッズも多く、おみやげやプレゼントにぴったりのアイテムが見つかるだろう。

☎93-2177032
Ⓜ3・5号線Diagonalディアゴナル駅からすぐ
C. Rosselló 275 ⏰11:00～15:00、16:00～20:00 休日曜

↑オイルサーディンのスナックフォーク

↑テントウムシの掃除機

1

2　　3

1. 伝統的なものからモダンなものまでさまざまな種類の品が並ぶ
2. 歴史を感じさせる内装 3. 季節によって変わるショーウインドー

↩きのこのろう
そくがキュート
（一例）

### 1761年創業の老舗ろうそく店
# セレリア・スビラ
**Cerería Subirá**
ゴシック地区 **MAP** 付録P.15 D-3

市内に数ある老舗企業のうち、
現存する最古の商店。20世紀初
頭から1847年築の現店舗で営
業。内装は当時のままで、かつ
てはガス灯だった階段横の彫刻
が美しい。

☎93-3152606 Ⓜ4号線Jaume
Iジャウマ・プリメール駅から徒歩1分
🏠Baixada de la Libreteria 7 ⏰
10:00～20:00 🈺日曜 🈂

↩色とりどりのろうそ
くが売られている（一例）

↩バルセロナの歩道タイルを
模したろうそく（一例）

### 現地発のアートが盛りだくさん
# デザイン・プレイス
**Design Place**
ゴシック地区 **MAP** 付録P.14 C-2

地元のさまざまなアーティ
ストの作品を扱うお店。バ
ルセロナをテーマにした絵
画のプリントや、アクセサ
リーもある。蚤の市のよう
な雰囲気で、きっと素敵な
ものが見つかるはず。

☎93-1561539 Ⓜ3号線
Liceuリセウ駅から徒歩4分 🏠C.
Pi 11 ⏰10:00～21:00 🈺無休

1. 広々としたナチュラルな雰囲
気の店内 2. 心をくすぐるアクセ
サリー 3. 絵画や版画が壁一面に
飾られている 4. デザイナーの
センスいっぱいの商品が並ぶ

↩市内の歩道タイル
にある花モチーフの
ペンダント（一例）

↩↩トートバッ
グはさまざまな
デザインが揃う
（一例）

1

2

3

4

## ヨーロッパ最大の文具店
# ライマ
**RAIMA**

ゴシック地区 **MAP**付録P.15 D-2

ゴシック街にある19世紀の建物に入っている文具店。筆記用具、画材、紙製品など、あらゆるものが揃うほか、ちょっとした小物も扱う。カレンダーやグリーティングカード、紙ナプキンなどはおみやげにもぴったり。

☎93-3174966 ✪Ⓜ1・4号線
Urquinaonaウルキナオナ駅から徒歩2分 ⓟC. Comtal 27
🕙10:00〜21:00 🈺日曜 💳

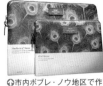
↑市内ポブレ・ノウ地区で作られているWOUFのカバー類（一例）

↑カタルーニャで製造されるドイツメーカーSchwartzの書類フォルダー（一例）

1. 試し書きのできるスペースも
2. 3000以上の用紙が置かれている
3. 赤いRAIMAのマークが目印
4. 何でも揃う圧巻の品揃え

↑紙バッグ、包装紙、梱包関係ならあらゆるものが揃っている

## 包装や仮装グッズがたくさん
# ラ・ボルセラ
**La bolsera**

ラバル地区 **MAP**付録P.14 B-2

包装用品を中心に取り扱う。包装紙、袋、箱やテープのほか、パーティや季節の飾り、仮装用品も充実。日本とはまた違う素敵なデザインの製品や面白グッズを探してみよう。

☎93-3171428✪Ⓜ1・3号線
Catalunyaカタルーニャ駅から徒歩4分 ⓟC. Xuclà 15 🕙9:00（土曜10:00）〜14:00、16:00〜20:00 🈺日曜 💳

↑段ボールで作られたロボットが楽しいショーウインドー

1.色とりどりの陶器を吟味。地元作家の作品も置く 2.工芸品ショップも多いボルン地区にある 3.人の顔が大胆に描かれた個性的な陶器

## ユニークな地元陶器製品を厳選
# ジェマ
**Gemma**
ボルン地区 **MAP**付録P.15 D-3

カタルーニャを中心とした手作りスペイン陶器を集めたセレクトショップ。スタンダードの食器から個性豊かな置物まで、センスの光る品々が並ぶ。
☎93-3197507 Ⓜ4号線Jaume Iジャウマ・プリメール駅から徒歩5分
🏠 Placeta de Montcada 8 🕙10:00～20:00 🈔無休 🈂

**€17.50**

⬆部屋のアクセントにもなるカラフルな時計

**€22.50**

⬅トレド製の水差しはサングリアやワインにも

---

## スペイン独特の絵柄がうれしい
# 温もりをくれる陶器 ⑤ 店

街を歩いていると、陶磁器の店をよく見かける。
スペインでは絵皿を壁に貼り付けて装飾にしたりする。
白壁に合うカラフルな絵皿やカップをおみやげにしたい。

### ボルン地区の小さなほっこり手作り陶芸品の店
# 1748アルテサニア・イ・コサス
**1748 Artesania i Coses**
ボルン地区 **MAP**付録P.15 D-3

小ぶりな店舗ながら、カラフルな品揃えで通りからも目を引く陶器店。庶民的な品から人形や飾りまで、お値打ち価格の商品が並ぶ。買った品物は、旅行中であることを伝えると、よりていねいに包装してもらえる。
☎93-3195413 Ⓜ4号線 Jaume Iジャウマ・プリメール駅から徒歩5分
🏠 Placeta deMontcada 2
🕙10:00～21:00 🈔無休 🈂

1.ずらりと並んだ陶器類 2.同じものはひとつもないお
3.ひとつひとつ形も色も違う手作りの時計たち

⬆音楽家、シェフ、司教とさまざまな姿のフクロウたち（一例）

⬅キュートな模様の陶器（一例）

### ローカル作家の手作り陶器
# アート・エスクデジェルス
**Art Escudellers**
ゴシック地区 **MAP** 付録P.14 B-3

ゴシック地区にあるスペイン陶器の
専門店。ほかにも市内数ヵ所に店舗
を構える。各地の伝統の陶器のほか、
ガラス製品やバルセロナの現地作家
のアクセサリー、おみやげも扱う。

☎93-7608624 🚇M4号線Jaume Iジャ
ウマ・プリメール駅から徒歩8分 🏠Plaça
de l'Àngel 1-3 ⏰10:00〜21:00 🈔無
休

⬆ タイルはアル
ファベットをつな
げて家族や友だち
の名前を作れる

⬅ 地元作家が手掛
りした魚模様のか
わいい小皿（一例）

1.所狭しと作品が並ぶ。タイル
は壁掛けとしても 2.ガラス張り
で外からも商品が見える 3.まる
で美術館かギャラリーのよう

⬅ グエル公園にある
ガウディのトカゲの
レプリカ（一例）

1.白い陶器の作品や彫
刻もある 2.ロサンゼル
スの作家ギャリー・ベー
スマンがデザインしたゲ
ストモデル 3.お店はグ
ラシア通りに

### ホーム雑貨と彫刻を取り揃える
# リヤドロ
**Lladró**
アシャンプラ **MAP** 付録P.12 C-2

1953年設立の磁気メーカー。繊細
な作りとやさしい色使いが魅力の人
形や壺が特に有名だが、近年はホー
ム雑貨やジュエリー、また現代的な
装飾品にも力を入れている。彫刻の
なかには数万ユーロするものもあり、
シャンデリアやランプなどの照明用
のアイテムも多数ある。

☎93-2701253 🚇M3・5号線Diagonal
ディアゴナル駅から徒歩1分 🏠Passeig
de Gràcia 101 ⏰11:00〜15:00、
16:00〜20:00 🈑日曜

### キッチン&ホーム雑貨が揃う
# カサ・ビバ
**Casa Viva**
アシャンプラ **MAP** 付録P.12 C-3

シンプル・軽量で使いやすい自社ブ
ランドのキッチン用品のほか、国内
外のメーカーのデザイン雑貨を揃え
る。リビングやバスルーム用品といっ
た小物や雑貨のほか、ワゴンやテー
ブル、椅子などの家具も置いている。

☎93-4960648 🚇M2・3・
4号線Passeig de Gràcia/パ
セッチ・デ・グラシア駅から
徒歩3分 🏠Rambla de
Catalunya 41 ⏰10:00〜
21:00 🈑日曜

⬅ 地元カタルーニャ発の
チェーン店。市内にほか
にも店舗あり

127

# ナチュラルだから安心して使える

# 高品質のコスメが手に入る❻店

さすがスペイン。オリーブオイルを使ったコスメが主流。
自然派で質の高い商品を並べている店を厳選。

### 最高品質オリーブオイルアイテム
## オロ・リキッド

**Oro Liquido**
ゴシック地区 **MAP** 付録P.14 C-2

最高品質のオリーブオイルを扱う専門店で、オリーブオイル化粧品の品揃えも豊富。ずらりと並ぶクリームやオイルを試してみると質の良さにため息が出る。お手ごろ価格のものから高級なものまでさまざまな種類があるので、予算に合わせ選ぶことができる。

▶**P.134**

the olive oil experience

最高のエキストラバージン・オリーブオイルが見つかるかも

⬆オリーブに関する知識も豊かで、オイルのテイスティングなどの講座を開くこともある

1.ヒアルロン酸入り抗酸化ペプチドミスト 2.日焼け対策に最適のビタミンC入り美容液 3.ヒアルロン酸入りブースター美容液

1 €32.00
2 €52.50
3 €52.50

地元や海外メーカーの認定有機コスメが並ぶ

### 認定済み天然コスメを幅広く
## アドニア

**Adonia**
アシャンプラ **MAP** 付録P.12 C-3

体にやさしいナチュラルコスメを探すなら、このお店。基礎化粧品からメイクアップ、ボディケア、ヘアケア製品など、天然コスメ製品の認定証を取得した製品を専門に取り扱い、また海外からの輸入も手がけている。オリーブオイルベースのコスメ製品なども扱い、こだわりある人におすすめ。

☎93-4512350
Ⓜ2・3・4号線
Passeig de Gràcia
パセッチ・デ・グラシア駅から徒歩6分
所Balmes 70
営10:00(土曜11:00)〜14:00、16:00(土曜17:00)〜20:00 休日曜

⬆カサ・バトリョから近く、立ち寄りやすい

## コスメも扱うオリーブオイル専門店
# ラ・チナタ

**La Chinata**
ボルン地区 MAP 付録P.15 E-3

€10.90

高品質のオリーブオイルを扱う専門店。オリーブオイルをベースとした化粧品類を数多く置き、厳選された品物を手の届く価格で販売しており、おみやげにできるものもいろいろと見つけられる。店員は知識が豊富でとても親切。

▶P.135

� オリーブオイル由来のナイトリペアオイル

植物由来のコスメやシャンプーがいっぱい

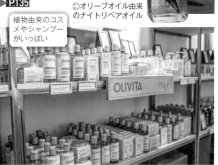

## 最高の美しさを求める美の神殿
# アルキミア・ストア＆スパ

**Alqvimia Store & Spa**
アシャンプラ MAP 付録P.12 C-3

基礎化粧品やケア製品から、エッセンシャルオイルやアロマテラピー製品まで、オリジナル製品を揃える。男性、ベビー用品も豊富。販売のほか、製品のお試し、またワークショップなども行っている。
☎93-4817132 Ⓜ2・3・4号線Passeig de Gràcia パセッチ・デ・グラシア駅から徒歩5分 🏠 Consell de Cent 304 🕐 10:00～21:00 休日曜 🈂

バストアップオイルとグラマラスバストオイル

↑市内にも支店を構える人気店

## 免税店なみの品揃えが自慢
# ドゥルニ

**DRUNI**
アシャンプラ MAP 付録P.12 B-4

女性・男性用の化粧品や香水、またヘア・アクセサリーやサニタリー用品などがたくさん。ベビー用品もある。格安チェーン店ながら安価なブランドから高級品まで、ひととおりの製品を取り扱っていて、市内各所に店舗がある。
☎663-053-676 Ⓜ1・2号線Universitat ウニベルシタト駅から徒歩1分 🏠 C. Pelai 7 🕐 9:00～21:00 日曜12:00～20:00 休月曜

バルセロナのあちこちで見かけることができる

## 地元メーカーを応援するショップ
# コスメティカ・ナチュラル・ロラ

**Cosmetica Natural Lola**
ボルン地区 MAP 付録P.15 D-2

地元・近郊で作られたナチュラル素材のコスメやメイク製品を中心に、厳選した品揃えで人気のショップ。落ち着いた内装の店内でゆっくり買い物できる。また店員の知識も豊富で、希望があれば気軽に相談にのってもらえる。
☎93-3528205 Ⓜ1・3号線Urquinaona ウルキナオナ駅から徒歩3分 🏠 Verdaguer i Callis 5 🕐 11:00（土曜11:30）～15:00、17:00～20:00 休日曜 🈂

↑石造りの建物が並ぶカタルーニャ音楽堂の近く

€26.50
↑Shilart 目元用の総合美容液

€75.60
↑Shilart ヒアルロン酸美容液

温かみのある店内にはコスメ以外のエコ製品も

バルセロナの市場は、歴史は古いが改装を重ねて清潔な印象

# マーケットで買い物&つまみ食い

旅に出ると、どんな街でも市場に寄りたくなるのはなぜだろう。なんだかワクワクしてくる。
人々で賑わって、街の生活がリアルに息づき、旅行者にはお祭り広場みたいな感じなのだ。

新鮮野菜、卵、チーズなど、地元の生産者が出店し、普段の生活に欠かせないさまざまな食料品が売られている

鮮やかな曲線の屋根が映える

ボルン地区の屋内市場

## サンタ・カタリーナ市場

**Mercat de Santa Caterina**

ボルン地区 **MAP** 付録P.15 D-2

19世紀の終盤から営業している、カテドラルの近くにある市場。改装時に造られた特徴的なカーブを描くカラフルな屋根が目を引く。市場内には新鮮な肉や魚、野菜、また各地の保存食が集まる。市場ならではの新鮮な食材を調理するバルやレストランも人気。

☎93-3195740 Ⓜ4号線Jaume Iジャウマ・プリメールから徒歩5分 所Avinguda de Francesc Cambó 営7:30〜15:30(火・木・金曜は〜20:30) 休日曜

見慣れない野菜や果物は見ているだけでも楽しい

鮮やかな色の屋根が目印

➡農場直送ヤギのチーズBonde d'Antan(1個€3)。パンにつけて食べるとおいしい

⬇さまざまな種類のチーズがずらりとウインドーに並ぶ

## ニノット市場
**Mercat del Ninot**

アシャンプラ **MAP** 付録P.12 A-2

19世紀後半から自然発生的に形成され、その後、正式に現在の場所に置かれるようになった市場。1933年からは屋内の市場となり、その後改修工事を経て2015年に再出発。食料品のほか、レストランやバルが多く入っており、地元料理などを味わうことができる。

☎93-3234909 ✖Ⓜ5号線Hospital Clínicオスピタル・クリニック駅から徒歩5分 ㎡C. Mallorca 133-157 ⏰8:00～21:00（土曜は～18:00）㉕日曜

入口の人形は、かつては市場内の食堂が所有していたが、その後市場のシンボルとなった。名称の「ニノット」も人形を意味する

通路は広々としており、のんびりと楽しめる

入口のシンボル人形に挨拶

地元民が通う市場

→入口近くにある人気店「La Medusa73」

→フルーツを買ってビタミン不足を解消するのもあり

↑別名グルメ市場ともいわれるほど、飲食店が充実

## サン・アントニ市場
**Mercat de Sant Antoni**

サン・アントニ **MAP** 付録P.9 D-2

1882年から続く古い市場。美しい外観とモダンな機能で庶民の台所を支える。市内でも最大規模の市場で食料品のほか、衣料雑貨も置く。日曜には古本中心の市が立つという、週7日間固定で営業を行う市内唯一の市場でもある。

☎93-4263521 ✖Ⓜ2号線Sant Antoniサン・アントニ駅から徒歩すぐ ㎡C. Comte Urgell 1 ⏰8:00～20:30 ㉕無休

赤い壁が美しい

庶民の市場

ハムもさまざまな種類が食べられる。希望の部位やブランドを頼んでカットしてもらうこともできる

周辺には遊歩道も整備され、散歩にも最適

農場直送のさまざまな大きさや色の新鮮な卵を扱う卵専門店。大きなエミューの卵も

ばらまき用に、自分用に、たくさん見つけたい

# デパート&スーパーで、喜ばれるおみやげ探し

手ごろな価格でたくさんのおみやげを手に入れたいなら、
デパ地下やスーパーを探すのが、いちばんの近道。

## 甘党の方へ
### Sweets
伝統菓子や、ガウディモチーフのクッキーなど。バルセロナらしいアイテムが◎。

◆カタルーニャの特産アーモンドで作られるカタニアスというお菓子 €4.35

€4.19〜

↑クレマ・カタラーナ味のトゥロン

€3.29
←チュロスにつけるチョコ

€11.35

€3.79
↑サグラダ・ファミリアで買い忘れたら、ガウディデザインのクッキーをここで

伝統の菓子のトゥロン。クリスマス菓子だが一年中購入可能。いろいろな味がある

## 料理好きの方へ
### Foods
バエーリャの材料や素、調味料、アンチョビなど、スペインの味を日本でも味わおう。

€2.69

サフランはスペインでも高価。ケース入りのものはカウンターで頼んで出してもらう

←ぱっとふりかければ作れるバエーリャの素

€5.45

↓食べきりの量の缶詰オリーブ

←おうちでもバエーリャを作ってみたい。サフランパウダー

€4.19

€3.30

€3.15

←ウナギの稚魚だが、すり身なので安価

↓チンして食べられるバエーリャ

€0.92
←食べきりサイズのオリーブ

各€4.29

↑本場のアンチョビを日本で

最強の品揃え、世界の商品が集まる「百貨店」

## エル・コルテ・イングレス
**El Corte Inglés**
アシャンプラ MAP 付録P.14 C-1

カタルーニャ広場に隣接するデパート。一流ブランドが勢揃いし、アパレルや化粧品だけでなくキッチン用品や雑貨も幅広く扱う。地下にはデパ地下さながらの食品売り場やドラッグストアがあり、国内外の高級グルメ商品から日常的な食品まで、盛りだくさんに取り揃えている。

☎93-3063800 ❷M1・3号線 Catalunyaカタルーニャ駅から徒歩1分 所 Plaça de Catalunya 14 営9:00〜21:00(日曜、祝日は要確認) 休日曜

メトロ駅も目の前にあり、入口も目立つのですぐにわかる

### ランブラス通りの大型スーパー
# カルフール
**Carrefour**
ラバル地区 **MAP** 付録P.14 B-2

市内中心街では最大のスーパーマーケットのひとつ。広いフロアに多くの食料品と日用雑貨が並ぶ。現地の食品をおみやげにしたい人は要チェック。ただし、時間帯によっては混み合うことがあるので、朝早く、または食事の時間帯などを狙うのがおすすめ。

☎91-4908900 ✪Ⓜ1・3号線Catalunyaカタルーニャ駅から徒歩2分 ⓐRambla de los Estudios 113 ⓣ9:00〜21:00 ⓧ日曜 🔲

日用品と食品が中心ですぐに食べられるサンドイッチ類もある

---

街のコンビニという形容がぴったりの外観

### 旅に重宝する現地のコンビニ
# スーペルコル・エクスプレス
**Supercor Expres**
アシャンプラ **MAP** 付録P.7 F-4

エル・コルテ・イングレス系列のチェーン店。食料品から本やおもちゃなどの雑貨まで取り揃えた、まさにコンビニ的な存在。食料品は一般ブランドの商品と、エル・コルテ・イングレスの自社ブランド品を置いている。

☎993-4335234 ✪Ⓜ2・5号線Sagrada Familiaサグラダ・ファミリア駅から徒歩2分 ⓐC. Marina 304 ⓣ7:00〜翌1:00 ⓧ無休 🔲

---

### 庶民向けの格安スーパーチェーン
# メルカドーナ
**Mercadona**
アシャンプラ **MAP** 付録P.13 E-3

自社ブランドを中心に販売する格安スーパーチェーンのひとつ。食料品、洗剤などの生活用品全般をひととおり扱う。旅行中の飲み物やスナックの調達に利用できる。また、キッチン付きのアバートホテルに滞在する場合にも便利。

☎93-2725586 ✪Ⓜ4号線Gironaジローナ駅から徒歩1分 ⓐConcell de Cent 366 ⓣ9:00〜21:00 ⓧ日曜 🔲

↑ツナの缶詰(一例)

買い物籠のマークが目印

ワインも全体的に安価なのでちょっと部屋飲みしたいときに便利

↑マンテカド(クリスマス菓子)は重さで買えておみやげにぴったり(一例)

↑サーディン(イワシ)の缶詰(一例)

133

## さまざまなアイテムがあるオリーブオイル専門店

# オリーブオイルもびっくりするほど多彩

オリーブにもいろいろな種類があり、土地や気候により品質も味も変わる。
エキストラバージン・オリーブオイルもさまざま。お店の人に相談して好みのものをおみやげに！

➥懐かしさを覚える内装で良質な製品を扱う

➥グルメ缶詰ペペラタスのピリ辛イワシ缶€12

口当たりなめらかエキストラバージン・オリーブオイル

➥自分用のおみやげにもピッタリのボトルがかわいいオリーブオイル

樹齢100年のオリーブで作ったスペイン産のオイル

➥棚にぎっしりと並んだオリーブオイルはそれぞれに風味が異なる銘品ばかり

---

### 1898年創業の店舗が目を引く上質の食品を扱う老舗

## コルマード・ムリア
**Colmado Múrria**

アシャンプラ MAP 付録P.13 D-3
厳選したロングセラーの上質な食品が並ぶ店舗は、一歩足を踏み入れるとタイムスリップしたような美しさ。市からモデルニスモのスポット巡りのルートにも指定されている。

☎93-2155789 Ⓜ4号線Girona ジローナ駅から徒歩4分 🏠Roger de Llúria 85 🕚11:00〜22:30 月曜13:00〜16:00、19:00〜22:00 休日曜 ▯

---

### 最高品質のエキストラバージン・オリーブオイル

## オロ・リキッド
**Oro Líquido**

ゴシック地区 MAP 付録P.14 C-2
オリーブオイルの概念を覆すような最高の風味のエキストラバージン・オリーブオイルが見つかる店舗。知識豊富なお店で、テイスティング講座を開催されるので要チェック。

☎606-24-31-37 Ⓜ3号線Liceu リセウ駅から徒歩3分 🏠C. Palla 8 🕚11:00〜19:00(日曜は予約客のみ) 休無休

扱うオリーブオイルは香ばしい一級品ばかり

木を基調にした美しい店内も必見。洗練された雰囲気

●目移りしてしまう品揃え。地元の人たちも御用達なので価格もリーズナブル

見た目も楽しいハーブを漬け込んだオリーブオイル

●エキストラバージン・オリーブオイルのクバージュブレンド€11.50

●タラゴナ産のアルベキナ・オリーブオイル€8.20

マイルドな白、活性炭を加えた黒の粗塩各€6

お手軽価格で高品質オリーブオイルが買える

## ラ・チナタ
**La Chinata**

ボルン地区 MAP 付録P.15 E-3
古い石壁が印象的なお店。厳選された高品質の商品が並び地元の人にも人気のグルメ専門店。オリーブオイルのほかにオリーブのペーストやフレーバー・オイル、コスメも揃う。

☎93-5417444 ◎M4号線 Jaume Iジャウマ・プリメール駅から徒歩5分 ㊙Passeig del Born 11 ⏰10:00〜21:00 日曜12:00〜19:00 ㊡無休

受賞歴のあるオリーブオイルや豊富な酢、塩を扱う

## オリ・サル
**Oli Sal**

グラシア地区 MAP 付録P.6 C-3
スペイン各地の高品質のエキストラバージン・オリーブオイルと酢、塩の専門店。オリーブオイルは世界各国で受賞歴のある製品も多い。日本では知られていない酢も豊富。

☎93-4150624 ◎M3号線 Fontanaフォンタナ駅から徒歩7分 ㊙Travessera de Gràcia 149 ⏰10:30〜14:00、17:00〜20:30(月曜は午後のみ) ㊡日曜 🍽

## まずはお店でちょっと食べてみて! ゼッタイおみやげにしたくなる!

# 郷土色豊かなお菓子&食品を選ぶ

カタルーニャは豊かな土地だから、お菓子や食品の材料も豊富にとれる。
だからバルセロナには、昔から伝わる伝統的な製法でできたモノが多い。

---

### 伝統と独創の老舗お菓子店

## トゥロンス・ビセンス
**Torrons Vicens**

ゴシック地区 **MAP** 付録P.14 B-2

1775年創業の老舗菓子店。市内
各所に支店があり伝統的な味わい
だけでなく独創的でひと変わっ
たトゥロンもある。有名シェフと
のコラボ商品や抹茶味も。
☎93-3043736 Ⓜ3号線Liceuリセ
ウ駅から徒歩3分 ㊟C. Petritxol 15
🕐9:30〜21:00 ㊡無休

↑「手作りの味が自慢です。味見もしてください」

1.国産アーモンドだけをたっぷり使用2.薄い生地で
サンドしたトゥロン・アグムラント3.150種類もの品揃
え4.ソフトとハードタイプ、味も豊富!

---

### 1890年開業の家族経営店

## トゥロン・ラ・カンパーナ
**Torrons La Campana**

ボルン地区 **MAP** 付録P.15 E-3

トゥロンやポルボロンなどクリス
マスのお菓子が一年中買える老舗
店。上質の材料で変わらぬ味を作
り続けるお店では、期間限定でア
イスクリームも食べられる。
☎93-3197296 Ⓜ4号線Jaume I
ジャウマ・プリメール駅から徒歩4分
㊟C. Princesa 36 🕐10:00〜20:00
(季節により変動あり) ㊡無休 🌐

↑変わらない味を守り続ける家族経営の老舗

1.ホロホロとくずれるポルボロン2.クリスマスに
欠かせないお菓子も3.トゥロンの3フレーバー詰
め合わせ4.4種類の詰め合わせは€8.80〜

---

### ドライフルーツとナッツの店

## カサ・ジスペール
**Casa Gispert**

ボルン地区 **MAP** 付録P.15 D-3

ドライフルーツとナッツのお菓子
や加工品を取り揃える地元の老
舗。美しいパッケージと品質の良
さはおみやげにもおすすめ。散歩
中のおやつとして持ち歩いても。
☎93-3197535 Ⓜ4号線Jaume I
ジャウマ・プリメール駅から徒歩4分
㊟C. Sombrerers, 23 🕐9:30〜
20:00 ㊡日曜 🌐

↑種類豊富なドライフルーツとナッツが圧巻

1.おやつにぴったりの瓶入りナッツ2.キャラメルコー
ティングが人気3.ヘルシーなスナックタイムのお供
4.お気に入りのナッツ瓶を持ち帰ろう

## 日本でも大人気のショップ!

# パパブブレ
**Papabubble**

ゴシック地区 **MAP** 付録P14 C-3

店舗で飴作りの見学が楽しい人気のキャンディはここバルセロナが発祥。おいしくて楽しい、ここでしか買えないフレーバーやデザインを探しに訪れてみたい。

☎93-2688625 ✖Ⓜ3号線Liceuリセウ駅から徒歩3分 ㊙Banys nous, 3 ⊙11:00〜14:30、16:30〜20:30 土曜11:00〜20:30 ㊡日曜 🔲

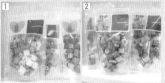

⬆カラフルでポップなキャンディがいっぱい!

1.袋入りキャンディは食べ歩きにも2.見た目で選んでもおいしさ保証つき3.ふたを開けた途端に歓声が上がる4.キュートな彩りにワクワクする

## 地産地消を掲げている

# アマトリェール・オリヘン
**Ametller Origen**

アシャンプラ **MAP** 付録P13 E-2

地元産の食料品に特化したスーパーマーケット。バルセロナと近郊に多数の店舗を展開し、自社ブランドの製品もある。

☎651-69-23-73 ✖Ⓜ2・3・4号線Passeig de Gràciaパッセッチ・デ・グラシア駅から徒歩8分 ㊙Carrer Gran De Gracia, 15 ⊙9:00〜21:00 ㊡日曜 🔲

⬆スーパー形式の店舗でゆっくり買い物できる

1.市内にいくつも店を構えていてとても便利2.おみやげにも便利なボトル入りガスパチョ€3.99 3.定番のジャガイモと玉ネギのトルティーヤ€3.99

## タパスの味を持ち帰りたい!

# エントレ・ラタス
**Entre Latas**

アシャンプラ **MAP** 付録P7 D-3

グルメ瓶詰や缶詰などの保存食やオイルを扱うセレクトショップ。選りすぐりのペーストやソース、ワインやビールも揃う。タパスで食べたあの味を探してみよう。

☎93-0154725 ✖Ⓜ4号線Joanicジョアニック駅から徒歩6分 ㊙C. Torrijos 16 ⊙11:00〜14:00、18:00〜21:00 日曜12:00〜15:00 ㊡月曜 🔲

⬆明るい店内に高級な瓶詰や缶詰がいっぱい

1.パッケージ買いしてしまいそうなかわいさ2.日本人好みのタコのオリーブオイル漬け3.焼きイワシのオリーブオイル漬け(一例)

↑世界展開するスペイン王室御用達のチョコ

## バルセロナ発の手作りチョコレート
# カカオ・サンパカ
**Cacao Sampaka**

アシャンプラ **MAP**付録P.12 C-3

香り高いチョコレートを化学調味料や香料、色素を使用せずに練り上げて作る数々の製品。基本の板チョコからハーブを練り込んだチョコレートまで、数多くのフレーバーが人気で、日本にも出店している。

☎93-2720833 Ⓜ2・3・4号線Passeig de Gràciaパセッチ・デ・グラシア駅から徒歩3分 🏠C. Consell de Cent 292 🕙10:00～20:30 🈺日曜、祝日🈂

## バルセロナといえば！
# スペインとチョコレート甘い関係

ヨーロッパで初めてチョコレートが伝えられたスペイン。本場の地でチョコレート文化にちょこっとふれてみよう。

↑セルフサービスのカフェで軽食も楽しめる

## 欧州最古のチョコレートブランド
# ファボリット・カサ・アマトリェール
**Faborit Casa Amatller**

アシャンプラ **MAP**付録P.12 C-3

「チョコレート・アマトリェール」は、この邸宅に暮らしたアントニ・アマトリェールが生んだ老舗。地上階のカフェテリア内にショップがある。軽食もあり、パティオのテラス席も快適。

☎93-4673643 Ⓜ2・3・4号線Passeig de Gràciaパセッチ・デ・グラシア駅からすぐ 🏠Passeig de Gràcia 41 🕙8:00～21:30 🈺無休🈂

↑好きなチョコレートを詰め合わせてくれる

↑美しい邸宅内にある店舗

↑アルフォンス・ミュシャのパッケージがおすすめ！

←パッケージデザインがかわいい小箱入りのチョコレートはおみやげの定番

↑一番人気のフルーツチョコレート詰め合わせ

↑種類が豊富！お気に入りの絵柄と味を見つけたい

## チョコレート文化に気軽にふれる
# チョコレート博物館
**Museu de la Xocolata**

**MAP**付録P.15 E-3

入場券が板チョコレートになっている博物館。堅苦しいイメージとは異なり、工夫を凝らした展示でチョコレートの歴史やチョコレートでできた芸術的なオブジェ、おもしろい像など見飽きない。併設ショップは充実の品揃え。

☎932-687878 Ⓜ3号線Jaume Iジャウマ・プリメール駅から徒歩6分 🏠C. Comerc 36 🕙10:00～19:00(日曜、祝日は～15:00) 🈺無休

↑おいしそうでキュートなチョコレート

↑芸術的に美しいチョコレートのお菓子

↑チョコレート博物館のイニシャルロゴmxが付いたオリジナル商品

↑世界中で有名な国旗のパッケージの板チョコレート

# AREA WALKING

# 歩いて楽しむ

## 海沿いを歩き、丘にも上って

### Contents

旧市街の中心に建つ、カタルーニャ・ゴシックの大寺院

## 美しい建築が待つバルセロナの中心

# ゴシック地区
## Barri Gòtic

カタルーニャ広場 ● ● モンジュイック ★ シウタデリャ公園

旧市街の目抜き通りであるランブラス通りの東側に広がるエリア。重厚なカタルーニャ・ゴシック建築が立ち並び、迷路のような石畳の路地とともに歴史情緒満点。

**MAP** 付録P.14-15

### バルセロナで最も歴史の古い地区
### ゴシック建築の中世の街並みを散策

　ランブラス通りとライエタナ通りに挟まれるゴシック地区は、旧市街でも特に中世の面影が色濃いエリア。なかでも目を引くのが、壮麗な姿で魅了するカテドラル(大聖堂)。このカテドラルの周辺に見どころが多い。すぐ隣の王の広場は、コロンブスが新大陸発見後にスペイン女王に謁見した地。王の広場に面した市歴史博物館では、地下に残るローマ時代の遺跡を見学できる。ゴシック地区は、紀元前20年頃に最初に街が建設されたバルセロナ発祥の地だ。サン・ジャウマ広場は、ローマ時代も今も街の中心。行政機関のレトロ建築が広場に面して建つ。ゴシック地区にはアンティークな老舗専門店も多いので、寄り道しながら散策したい。

↑古き良き街並みを散策しに行こう

### アクセス

Ⓜ1・3号線カタルーニャ駅
Ⓜ3号線リセウ駅、ドラサーネス駅
Ⓜ4号線ジャウマ・プリメール駅、ウルキナオナ駅

---

ネオ・ゴシック様式のカテドラル

## カテドラル
**Catedral de Barcelona**
**MAP** 付録P.14 C-2

起源は原始キリスト教の時代に遡り、13歳で殉教したバルセロナの守護聖女が眠る。1450年にゴシック様式の教会が建てられ、1888年のバルセロナ万博の際にファサードが増築された。

☎93-3428262 Ⓜ4号線 Jaume Iジャウマ・プリメール駅から徒歩3分 ⒶPla de la Seu s/n ⒽⒽ9:30～18:30(宗教行事の前日は～17:15)日曜、祝日14:00～17:00Ⓗ無休 Ⓔ€14(入場料、屋上、大聖堂、博物館へのアクセス込)+オーディオガイド付(日本語なし)Ⓗ www.catedralbcn.org

↑重厚な大聖堂には、28もの礼拝堂が並ぶ

ローマ時代の生活に思いを馳せる

## バルセロナ市歴史博物館
**Museu d'Historia de la Barcelona**
**MAP** 付録P.15 D-3

15世紀末の貴族の館を利用した博物館の地下には古代ローマ時代の遺跡が広がる。当時のローマ人たちの暮らしを知る遺跡内を歩いてまわれる。

☎93-2562100 Ⓜ4号線 Jaume Iジャウマ・プリメール駅から徒歩4分 ⒶPlaça del Rei ⒽⒽ10:00～19:00(日曜は～20:00)Ⓗ月曜 Ⓔ€7 Ⓗ https://www.barcelona.cat/museuhistoria/en

↑地下1階にはローマ時代の公衆浴場や水路、ワインの蔵などが残る

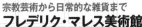
グランビア・デ・レス・コルツ・カタラナス大通り

バセッチ・デ・グラシア駅

シャット駅

宗教芸術から日常的な雑貨まで
## フレデリク・マレス美術館
**Museu Frederic Marès**
**MAP** 付録P.15 D-2

1991年に99歳で没したカタルーニャ出身の彫刻家が集めた膨大なコレクションを展示。彫刻や宗教美術などのほか、ローマ時代の遺物などもあり、おびただしい数の骨董品に圧倒される。

☎93-2563500 ⊗ Ⓜ 4号線Jaume I ジャウマ・プリメール駅から徒歩3分 新 Plaçade Sant lu 5-6 働10:00～19:00 日曜、祝日11:00～20:00 休月曜(祝日の場合は開館) 料€4.20(日曜の15:00以降、第1日曜は無料)⊕www.barcelona.cat/museufredericmares/es

↑かつての王宮を利用した建物も魅力的

カタルーニャ駅
1号線 Ligne 1

●カタルーニャ広場
Plaça de Catalunya
Pl. de Catalunya

ウルキナオナ駅

Carrer de Pau Claris

Carrer de Roger de Lluria

Carrer de Trafalgar

●カナレタスの泉
Font de Canaletes

ンペール
amper

Carrer d'en Xuclà

Av. del Portal de l'Angel

カサ・マルティ
Casa Marti

カタルーニャ音楽堂
Palau de La Música Catalana

3号線 Ligne 3

4号線 Ligne 4

ライエタナ通り

C. de la Portaferrissa

カタルーニャ建築家協会
Col.legi d'Arquitectes de Catalunya

コロン
Colón

サン・ジョセップ市場
Mercat de Sant Josep

Av. de la Catedral

サンタ・カタリーナ市場
Mercat de Santa Caterina

'Hospital

リセウ駅

●ミロのモザイク床
Mosaic de Joan Miró

テル・
ニャ
spaña

カテドラル ★  ★フレデリク・マレス美術館

バルセロナ市歴史博物館★

王の広場

ボルン地区

大劇場
Teatre
Liceu

リアルト
Hotel Rialto

サン・ジャウマ広場
Plaça Sant Jaume

ジャウマ・プリメール駅

フェラン通り
C.de Ferran

ル邸
Güell

●レイアール広場
Plaça Reial

市民憩いの広場には、ガウディが若い頃にデザインした街灯が、中央の噴水も見応えたっぷり。

P.142 サンタ・マリア・デル・マル教会
Basílica de Santa María del Mar

La Rambla

Carrer d'Ataúlf

Carrer d'en Gignàs

Carrer de la Fusteria

Via Laietana

Carrer d'Avinyó

Carrer Ample

Passatge de la Pau

ラサーネス駅

Carrer dels Còdols

セラス・バルセロナ
Serras Barcelona

クロム通り Passeig de Colom

リトゥラル通り
Ronda Litoral

バルセロナ・ヘッド
La Cara de Barcelona

↑サン・ジョセップ市場

Carrer de Josep
selm Clavé

ス の塔
e Colom

↑バルセロナ・ヘッド

100m

バルセロネータ

ピカソの初期
と晩年の作品
を展示する
ピカソ美術館

↑カタルーニャ音楽堂

3号線 Ligne 3

↑サンタ・カタリーナ市場

## 観光スポット充実で見どころ満載!

# ボルン地区
## El Born

バルセロナの南の海に近い位置にある、
旧市街の東側一帯のエリア。美しい街には
おしゃれなショップが並び、名建築の観光と
併せてショッピングが楽しめる。

**MAP** 付録P.14-15

美しい教会がたたずむレトロな街で
トレンドショッピングとグルメを満喫

　味わいある中世の街並みに、モダンなブ
ティックやカフェが混在したおしゃれなエ
リア。地元クリエイターやデザイナーたち
の最新ファッションや個性派雑貨が揃い、
居心地のよいバルやレストランも通りに並
ぶ。点在する観光スポットを見学しながら、
ショッピングやグルメを満喫したい。華や
かな街のシンボルが、サンタ・マリア・デル・
マル教会。中世には教会一帯が海辺に位置
し、航海の安全を祈る場であった。教会の
西には、多くの観光客で賑わうピカソ美術
館、教会の北には、18世紀の地下遺跡を展
示するボルン・カルチャー・センターがあり、
9世紀の屋根付き市場を活用した鉄とガラス
の建築自体も見ごたえ十分。サンタ・カタ
リーナ市場ではグルメみやげが手に入る。

↑観光スポットの散策を楽しみつつ、
おしゃれなカフェでひと休みしたい

### アクセス

Ⓜ 4号線ジャウマ・プリメール駅、
ウルキナオナ駅、
バルセロネータ駅、
シウタデリャ・ヴィラ・オリンピカ駅

---

航海の安全を祈願する教会

# サンタ・マリア・
# デル・マル教会
## Basílica de Santa María del Mar

**MAP** 付録P.15 D-3

創建当時はこの教会の近くに海岸線が
あり、「海のカテドラル」という名を持
つ。1936年の火災によって祭壇などが
焼けてしまったが、見事なステンドグ
ラスは健在だ。

☎ 93-3102390 Ⓜ 4号線 Jaume I ジャウ
マ・プリメール駅から徒歩4分 🏠 Plaça de
Santa Maria, 1 🕙 10:00～20:30 🅿 なし
🅿 €5(入場料)、€10(入場料、博物館、地下
聖堂、塔、屋上)、ガイドツアー(日本語なし)€15
～ 🅗 www.santamariadelmarbarce
lona.org

クロ

↑地中海貿易で繁栄した中世を象徴する華麗
な装飾で魅了する

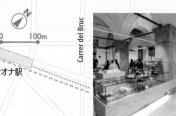
↑チョコレート博物館　↑バルセロナ凱旋門

ーオナ駅

Carrer del Bruc

0　100m

● カタルーニャ音楽堂
Palau de La Música Catalana

アルク・デ・トリオンフ駅

バルセロナ凱旋門
Arc de Triomf

Carrer de Sant Pere Més Baix

Carrer del Portal Nou

Passeig de Lluís Companys

Passeig de Lluís Companys

Carrer de Roger de Flor

● サンタ・カタリーナ市場
Mercat de Santa Caterina

Carrer de Comerç

Passeig de Pujades

チョコレート博物館 ●
Museu de la Xocolata

ピカソ通り

● 三頭龍の城

ウマ・
ノメール駅

ピカソ美術館 ●
Museu Picasso

Passeig de Picasso

Carrer de Montcada

コメルス通り

シウタデリャ公園
Parc de la Ciutadella

ボルン通り

★ ボルン・カルチャー・センター

サンタ・マリア・
デル・マル教会 ★

ボルン通り
Passeig del Born
南北に200mほど延びる石畳の通り。
街路樹がトンネルのようになって
いて、季節ごとに違った顔を見せる

フランサ駅

バルセロナ動物園 ★

↑シウタデリャ公園

4号線
Ligne 4

バルセロネータ駅

● カタルーニャ歴史博物館
Museu d'Història de Catalunya
P.149

## 1700年代の街並みを見る
# ボルン・カルチャー・センター
**El Born Centre de Culture**
`MAP` 付録P.15 E-3

約100年の歴史がある市場の跡地から発見
された1700年代の遺跡が見学できるよう
整えられた施設だ。スペイン・フランス連
合軍に支配される以前の街の様子が見てと
れる。

☎93-2566851　Ⓜ4号線Jaume Iジャウマ・プリ
ヌール駅またはBarcelonetaバルセロネータ駅から徒
歩7分 ⓐPlaça Comercial 12 ⓗ10:00～20:00(10
～2月の火～土曜は～19:00、12/26は～14:30)
ⓚ月曜(祝日の場合は開館)、1/1、5/1、6/24、
12/25　遺跡見学は無料、展示€3、ガイドツアー
€4 Ⓗelbornculturaimemoria.barcelona.cat/
en/

↑鉄骨とガラスの構造が美しい旧市場の建物をそ
のまま利用

## 動物とのふれあいで童心に返る
# バルセロナ動物園
**Zoo Barcelona**
`MAP` 付録P.15 F-4

広大な敷地には300種、2000匹以上の
動物がいる。低い柵で囲まれて飼育さ
れているため、動物との距離が近い。

↑世界唯一の白ゴリラがいた
ことでも知られる

☎93-7065656　Ⓜ4号線Ciutadella Vila Olímpicaシウタデリャ・ヴィ
ラ・オリンピカ駅から徒歩5分 ⓐParc de la Ciutadella ⓗ10:00～17:30(3
月中旬～5月中旬は～19:00、5月中旬～9月中旬は～20:00、9月中旬～10月下
旬は～19:00) ⓚ無休 ⓔ€21.40 Ⓗwww.zoobarcelona.cat

バルセロネータ

143

美しい並木が続くランブラス通りは多くの人で賑わう

©iStock.com/ioanna_alexa

↑サン・ジョセップ市場

↑バルセロナ現代美術館（MACBA）

ポブレ・セック駅

## 新旧の芸術にふれられるアートエリア

# ラバル地区
## El Raval

カタルーニャ広場
★
モンジュイック　シウタデリャ公園

ランブラス通りの西に広がるラバル地区は、おしゃれな街へと変化を続けているエリア。近年新たにアートスポットが誕生し、注目が集まっている。

MAP 付録P.14-15

**注目のお店が増えてきた再開発地区**
**キュートな巨大猫に会いに行こう**

　以前は治安の良くない地域といわれていたが、洗練されたショップやカフェ、レストランが徐々に増えてきた。エリアの北には、2棟の超モダンビルの最新アートスポットが誕生している。一方のバルセロナ現代美術館では、20世紀の西洋の現代芸術、もう一方のバルセロナ現代文化センターでは、バルセロナを代表する多彩な現代アートに出会える。ラバルのシンボル、巨大猫の「エル・ガト」にも会いに行きたい。ヤシ並木の続くランブラ・デル・ラバル通りを飾るブロンズ像の猫。ぽっちゃりしたフォルムで愛されるフォトジェニックなオブジェだ。ラバルには今も治安のあまり良くない場所があるので、人けのない路地や夜の散策は控えたい。

↑ノウ・デ・ラ・ランブラに建つグエル邸は外観・内装ともに芸術的

## アクセス

Ⓜ1・2号線ウニベルシタト駅
Ⓜ2号線サン・アントニ駅
Ⓜ3号線リセウ駅、
　ドラサーネス駅、パラレル駅

## スペインの船と海軍の歴史を刻む

# バルセロナ海洋博物館
## Museu Marítim de Barcelona

MAP 付録P.14 A-4

13世紀に建築されたゴシック様式の王立造船所を1941年に博物館として開館。レパントの海戦で使われた全長60mの実物大のガレー船のレプリカは必見。

☎93-3429920 Ⓜ3号線Drassanesドラサーネス駅から徒歩5分 🏠 Av. de les Drassanes s/n🕙10:00〜20:00🅱1/1、1/6、12/25、12/26 🎫€10、日曜の15:00以降は無料 🌐www.mmb.cat

↑歴史を動かしたレアール号は迫力満点

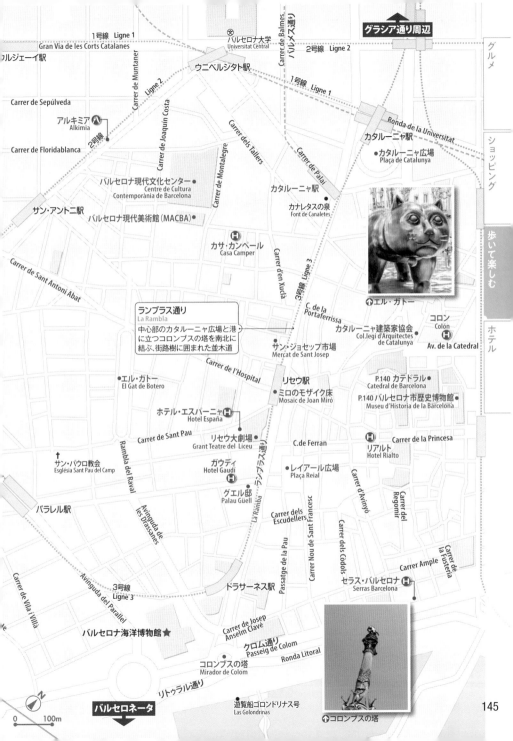

1号線 Ligne 1
Gran Via de les Corts Catalanes
ウルジェーイ駅

バルセロナ大学
Universitat Central
ウニベルシタト駅

Carrer de Balmes
バルメス通り

2号線 Ligne 2

1号線 Ligne 1

Ronda de la Universitat

Carrer de Sepúlveda

アルキミア
Alkimia

2号線 Ligne 2

Carrer de Muntaner

Carrer de Joaquin Costa

Carrer dels Tallers

Carrer de Palai

カタルーニャ駅

カタルーニャ広場
Plaça de Catalunya

Carrer de Floridablanca

Carrer de Montalegre

バルセロナ現代文化センター
Centre de Cultura
Contemporània de Barcelona

カタルーニャ駅

カナレタスの泉
Font de Canaletes

サン・アントニ駅

バルセロナ現代美術館（MACBA）

カサ・カンペール
Casa Camper

Carrer d'en Xuclà

3号線 Ligne 3

Carrer de Sant Antoni Abat

ランブラス通り
La Rambla
中心部のカタルーニャ広場と港
に立つコロンブスの塔を南北に
結ぶ、街路樹に囲まれた並木道

C. de la
Portaferrissa

↑エル・ガト

コロン
Colón

カタルーニャ建築家協会
Col.legi d'Arquitectes
de Catalunya

Av. de la Catedral

サン・ジョセップ市場
Mercat de Sant Josep

Carrer de l'Hospital

エル・ガト
El Gat de Botero

リセウ駅

ミロのモザイク床
Mosaic de Joan Miró

P.140 カテドラル
Catedral de Barcelona

P.140 バルセロナ市歴史博物館
Museu d'Història de la Barcelona

ホテル・エスパーニャ
Hotel España

Carrer de Sant Pau

リセウ大劇場
Grant Teatre del Liceu

C. de Ferran

Carrer de la Princesa

リアルト
Hotel Rialto

サン・パウロ教会
Església Sant Pau del Camp

ガウディ
Hotel Gaudí

レイアール広場
Plaça Reial

Rambla del Raval

グエル邸
Palau Güell

Carrer d'Avinyó

Carrer del Regomir

パラレル駅

La Rambla ランブラス通り

Avinguda de
les Drassanes

Carrer dels
Escudellers

Carrer Nou de Sant Francesc

Carrer dels Còdols

Carrer Ample

Carrer de
la Fusteria

3号線
Ligne 3

ドラサーネス駅

Passatge de la Pau

セラス・バルセロナ
Serras Barcelona

Carrer de Vila i Vilà

Avinguda del Parallel

バルセロナ海洋博物館

Carrer de Josep
Anselm Clavé

クロム通り
Passeig de Colom

Ronda Litoral

コロンブスの塔
Mirador de Colom

遊覧船ゴロンドリナス号
Las Golondrinas

↑コロンブスの塔

N

0    100m

バルセロネータ

145

ブティックや銀行などが並ぶ華やかなグラシア通り

モデルニスモ建築の宝庫を散策

# グラシア通り周辺
**Passeig de Grácia**

カタルーニャ広場★
モンジュイック シウタデリャ公園

カタルーニャ広場の北西に広がる新市街。グラシア通り一帯にはカサ・ミラ（ラ・ペドレラ）、カサ・バトリョをはじめとした150近いモデルニスモ建築の建造物が立ち並ぶ。

MAP 付録P12-13

洗練されたショッピングストリート
ガウディらの独創的な建築も堪能

　カタルーニャ広場から北西に延びるグラシア通りは、バルセロナ随一の高級ショッピングストリート。ヨーロッパの一流ブランド店が優雅に軒を連ねている。通りをより華やかにしているのが、世界遺産に登録された近代建築の数々。バセッチ・ダ・グラシア駅の近くには、ガウディ、ブッチ、モンタネールのモデルニスモ建築3巨匠の作品が美を競うように立ち並んでいる。色ガラスが鮮やかなガウディ作品のカサ・バトリョなど、内部見学もできるので繊細な屋内装飾を満喫したい。モンタネール作品、カサ・リュオ・モレラの1階にはスペインの皮革高級ブランド「ロエベ」が出店している。ディアゴナル駅の近くにあるガウディのカサ・ミラ（ラ・ペドレラ）にも注目。

① 波打つ外観が印象的なカサ・ミラ

## アクセス

Ⓜ1・3号線カタルーニャ駅
Ⓜ3・5号線ディアゴナル駅
Ⓜ2・3・4号線
　バセッチ・デ・グラシア駅
Ⓜ4号線ジローナ駅

Carrer de Londres

Carrer de d'Aribau

Carrer de Pa

Carrer de Casanova

Carrer de Còrsega

Carrer d'Aribau

① アントニ・タピエス美術館外観

Carrer de Mallorca

Carrer de Vaiència

（ムンタネール通り）

ドクトール・レタメンディ広場
Pl. del Dr.Letamencli

Carrer de Muntaner

Carrer del Consell de Cent

Carrer d'Enric Granados

Carrer de la Diputació

バルセロナ大
Universitat Cent

1450年、アルフォンソ5世によって創立された名門大学。キャンパス内は自由に散策できる。

Ronda de Sant Antoni

ラバル地区

ディアゴナル大通り

Ⓗカサ・フステル
Hotel Casa Fuster

C. de Mozart

C. de Martínez de la Rosa

C. de Torrent de l'Olla

C. dela Fraternitat

3号線 Ligne 3

ディアゴナル駅

ェンサ駅

カサ・ミラ（ラ・ペドレラ）
Casa Milà (La Pedrera)

スイーツ・アベニュー Ⓗ
Suites Avenue Barcelona

モニュメント・ホテル Ⓗ
Monument Hotel

コンデス・ダ・バルセロナ Ⓗ
Hotel Condes de Barcelona

ガウディが作った模型をもとに壁面を刻んだことから「ラ・ペドレラ石切場」とも呼ばれる。

Ⓗ HCCレヘンテ
Hotel HCC Regente

Ⓗマジェスティックホテル＆スパ
Majestic Hotel &Spa

3号線 Ligne 3

ト二・タピエス美術館
Fundació Antoni Tàpies

Ⓐチャペラ
Txapela

Carrer de Còrsega

Ⓗサー・ビクトール
Sir Victor

ラス・プンシャス集合住宅
Casa de les Punxes

Ⓗプラクティック・ベーカリー
Prektik Bakery

Carrer de Mallorca

Carrer de Vaiència

Carrer D'Aragó

Carrer de Pau Claris

Carrer del Bruc

Passeig de Gràcia

**ディアゴナル大通り**
Avinguda Diagonal
マス目状の区画に対して、街を斜めに横切る大通り。通り沿いにはホテルが多い

↑ラス・プンシャス集合住宅外観

サン・ジョアン通り

5号線 Ligne 5

ベルダゲル駅

Avinguda Diagonal

Casa batlló カサ・バトリョ●
Casa amatller
カサ・アマトリェール●
Casa Amatller

カサ・リュオ・モレラ
Casa Lleó Morera

クセ・クリスタル・パラセ
Exe Cristal Palace
Ⓗ

 エル・アベニーダ・パラセ
El Avenida Palace
Ⓗ

グラシア通り

マンゴ
Mango

4号線 Ligne 4

ジローナ駅

メルカドーナ
Mercadona

Carrer de Girona

**グラシア通り**
Passeig de Gràcia
カタルーニャ広場から新市街を北に延びる通り

バセッチ・デ・グラシア駅

Via de les Corts Catalanes

Ⓗエル・パレス
El Palace Hotel Barcelona

2号線 Ligne 2

グラン・ハバナ
Gran Havana

テトゥアン広場●
Plaça de Tetuan

テトゥアン駅

↑テトゥアン広場

**グラン・ビア・デ・レス・コルツ・カタラナス**
Gran Via de les Corts Catalanes
グラシア通りと交差する大通り。沿道には1919年創業のクラシックホテル、エル・パレスなども建つ

カタルーニャ駅
de Pelai

カタルーニャ広場
Plaça de Catalunya

ウルキナオナ駅

**ゴシック地区**

147

プリッジを渡ってポルト・ベイへ

### 遊覧船ゴロンドリナス号
Las Golondrinas

MAP付録P9 E-4

☎93-4423106 🚇Ⓜ3号線Drassanesドラサーネス駅から徒歩3分 所チケットオフィスMoll de Drassanes s/n 開11:00～20:00(季節により変動あり)※運行時間は月とコースによって異なるのでHPで確認 休無休 料40分コース€8、1時間コース€11.50など

⬆海から街並みを望むのも楽しい

遊覧船ゴロンドリナス
Las Golondrir

シーサイドのレジャースポットを遊ぶ

# バルセロネータ
## La Barceloneta

カタルーニャ広場・
・シウタデリャ公園・
モンジュイック　　★

**バルセロナきってのシーサイドエリア。大型複合施設のマレマグナム、バルセロナ水族館などのエンタメスポットやシーフード料理店が集まり、国内外のレジャー客で賑わう。**

MAP付録P.9

リゾート気分を楽しめるベイエリア
ビーチで名店のパエーリャを堪能

　地中海に三角に突き出すバルセロネータは、街の中心部から気軽に行けるビーチリゾート。1992年のバルセロナ・オリンピックの選手村建設を機に再開発された。人工ビーチが整備され、ホテルやクラブも集まり、夏には海水浴客で賑わう。名物は海の家風ビーチレストランのチリンギート。パエーリャの名店が多く、地中海を眺めながらシーフードが堪能できる。海沿いには心地よい遊歩道も整備されている。港の再開発で生まれたポルト・ベイは、ショッピングセンターやアミューズメント施設、おしゃれなレストランなどが集結する人気のレジャースポット。近くの桟橋からは遊覧船のゴロンドリナス号が運航しており、ベイエリアの風景を海上から満喫できる。

⬆海辺に建つ港湾局は美しい建物

⬆時計塔

┌─────────────┐
│　　**アクセス**　　│
└─────────────┘

Ⓜ4号線バルセロネータ駅
Ⓜ3号線ドラサーネス駅

⬆Wバルセロナ

市庁舎
Ajuntament

展示は常設展と特別展と2種類ある

リトゥラル通り

4号線
Ligne 4

フランサ駅

バルセロネータ駅

旧港を再開発して誕生したレジャースポット。大型ショッピングセンター、マレマグナムや水族館など、見どころが多い。

カタルーニャ歴史博物館 ★

ベイ

★ バルセロナ水族館

マレマグナム
Maremabnum

バルセロネータ市場
Mercat de la Barceloneta

Carrer de Ginebra

ラ・コバ・フマーダ
La Cova Fumada

Carrer d'Andrea Dòria

Passeig de Salvat de Papasseit

Carrer de Sant Carles

カン・マジョ
Can Majó

時計塔
Torre del Rellotge

ラ・マル・サラダ
La Mar Salada

プラヤ・デ・ラ・バルセロネータ ★

・セバスティア駅

・Joan de Borbó

ジュアン・デ・ブルボ通り
Passeig de Joan de Borbó
海沿いにおしゃれなシーフードレストランが軒を連ねる通り

ウアル
al

バルセロナ
tel W Barcelona

## カタルーニャの歴史を紐解く
# カタルーニャ歴史博物館
**Museu d'Història de Catalunya**

**MAP** 付録P.9 F-4

港の古い倉庫をリノベーションして1996年に開設された博物館。バルセロナの人々の祖国である"カタルーニャ"の歴史を先史時代から現代まで解説し、その独自性を伝えている。

☎ 93-2254700 Ⓜ 4号線Barcelonetaバルセロネータ駅から徒歩3分 🚩 Plaça de Pau Vila 3 ⏰ 10:00～19:00(水曜は～20:00、日曜・祝日は～14:30) 🚫 月曜(祝日の場合は開館)、1/1・6・5/1、6/10、12/25・26 💰 常設展€6、特別展€4、常設展+特別展€8

## 地中海の海洋生物に会える
# バルセロナ水族館
**L'aguariu de Barcelona**

**MAP** 付録P.9 F-4

4つのゾーンに約1万点を超える海洋生物を展示。大小のサメが遊泳する「ロセアナリ」と呼ばれる巨大な水槽のトンネルでは、水中散歩が楽しめる。

☎ 93-2217474 Ⓜ 4号線Barcelonetaバルセロネータ駅から徒歩12分 🚩 Moll d'Espanya del Port Vell s/n ⏰ 10:00～20:00(季節により変動あり) 🚫 無休 💰 €25 🌐 www.aquariumbcn.com

幻想的な雰囲気に包まれた展示

地中海に面したリゾートで、夏の週末は大変な人出に

## 地中海のビーチでバカンス気分に
# プラヤ・デ・ラ・バルセロネータ
**Playa de la Barceloneta**

**MAP** 付録P.10 A-4

18世紀に開発されたエリアで約2kmのビーチが続き、夏は海水浴やマリンスポーツのメッカ。シーフードレストランやバー、クラブも賑わう。

Ⓜ 4号線Barcelonetaバルセロネータ駅から徒歩5分 🚩 Playa de La Barceloneta

フニクラ（ケーブルカー）で絶景を満喫

↑カタルーニャ美術館

↑オリンピック・スタジアム

標高173mの丘は市民の憩いのスポット

# モンジュイック
## Montjuïc

カタルーニャ広場●
★
シウタデリャ公園

市街地の南西に広がる、豊かな緑に恵まれ、街と海を見晴らす丘。オリンピック・スタジアム、カタルーニャ美術館、モンジュイック城など多くの見どころが集まっている。

**MAP** 付録P.8-9

バルセロナ随一の眺望スポット
なだらかな丘の上に見どころが点在

　モンジュイックは街の南西にある小高い丘。古くから防衛の要衝とされた歴史を持つ。1992年のバルセロナ・オリンピックではメイン会場となった。麓から山頂にかけて、オリンピック・スタジアムや文化施設、歴史スポットなどが点在。頂上には18世紀に建造されたモンジュイック城が建ち、テラスからバルセロナの街並みや地中海を一望できる。ロマネスク美術の豊富なコレクションを持つカタルーニャ美術館、スペイン各地の街並みを再現したスペイン村など、見どころ豊富なのでゆっくり時間をとって訪れたい。モンジュイックへは市バスでも行けるが、地下鉄パラレル駅からフニクラ（ケーブルカー）とロープウェイを乗り継げば、空中散歩を楽しみながら頂上へ行ける。

↑スペイン広場マジカ噴水

### アクセス

Ⓜ1・3号線エスパーニャ駅から徒歩10分（マジカ噴水周辺）
Ⓜ2・3号線パラレル駅からフニクラ（ケーブルカー）を利用。パルク・デ・モンジュイック駅まで約3分、3号線ポブレ・セック駅

石器時代から古代のコレクション
## カタルーニャ考古学博物館
### Museu d'Arqueologia de Catalunya
**MAP** 付録P.8 B-2

先史時代を中心にギリシャ・ローマ時代の遺物や資料を所蔵し、ユネスコの世界遺産に登録されているアルタミラ洞窟の壁画が再現されている。

☎93-4232149 Ⓜ3号線Poble Secポブレ・セック駅から徒歩10分 ㊟Passeig de Santa Madrona 39 ⏰10:00～18:00（日曜、祝日は～14:00、5～9月平日は～19:00）㊡月曜 ㊎€7

バルセロナを見守るかつての城塞
## モンジュイック城
### Castell de Montjuïc
**MAP** 付録P.8 B-4

古くからある要塞で、1799年に現在の城が建てられた。1963年には軍の博物館となったが、現在はアートの展示やイベントなどが行われている。

☎93-2564440 Ⓜ2・3号線Paral-lelパラレル駅からフニクラ（ケーブルカー）で10分 ㊟Ctra. de Montjuïc 66 ⏰10:00～20:00（11～2月は～18:00）㊡12/25、1/1 ㊎€12

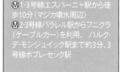

↻バルセロナを一望できる人気スポット

タラゴナ駅

オスタフランクス駅

各地の建築物を集めたテーマパーク

# スペイン村

## Poble Espanyol de Montjuïc
**MAP** 付録P.8 A-2

1929年の万国博覧会の際に、スペイン各地の伝統的な建築物117点を集めた広大な野外建築博物館で、各地の文化にふれられる。

8号線　Ligne8
del les Corts Catalanes

☎93-5086300 Ⓜ1・3号線 Espanya エスパーニャ駅から徒歩15分 働Av. Francesc Ferrer i Guàrdia 13 働10:00～24:00(月曜は～20:00)働無休 €15(前日までのオンライン予約€13.50)

↑マヨール広場にはレストランがずらりと並ぶ

スペイン村★

バルセロナ・パビリオン ●
Pavelló alemany

マジカ噴水
Font Màgica de Montjuïc

カスカデス広場
Plaça de les Cascades

カタルーニャ美術館 ●
Museu Nacional d'Art de Catalunya

カタルーニャ考古学博物館★

パラレル通り

Carrer de Tamarit

Carrer de Manso

ポブレ・セック駅

Carrer del Parlament

3号線
Ligne 3

Carrer de Lleida
Carrer de la França Xica
Carrer de Magallhães

Passeig de l'Exposició

ミロ美術館
Fundació Joan Miró

↑ミロ美術館

Avinguda de l'Estadi

サン・ジョルディ館 ●
Palau Sant Jordi

オリンピック博物館 ●
Museu Olímpic i de l'esport

オリンピック・スタジアム
Estadi Olímpic Lluís Companys

サン・パウロ教会
Església Sant Pau del Camp

パラレル駅

Avinguda del Paral·lel

Carrer de Vila i Vilà

フニクラ
Carrer Nou de la Rambla

Passeig Olímpic

バルク・デ・モンジュイック駅

Avinguda Miramar

Passeig de Montjuïc

ラバル地区

バルセロナ植物園 ●

一帯はバルセロナ植物園となっており、日本では見られない植物なども生育している。

ミラドール駅

ミラマール駅

カステイ・デ・モンジュイック駅

モンジュイック公園
Parc de Montjuïc

★ モンジュイック城

Ctra. de Miramar

ポルト・ベイ地区と結ぶロープウェイ。周辺はミラドール・デル・ポブレ・セック公園になっている。

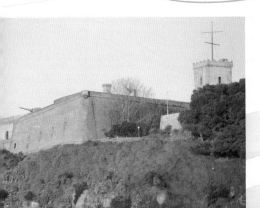

↑ロープウェイ

## 2つのルートでバルセロナの街をひと巡り

# バルセロナ・シティ・ツアー

バルセロナの主要観光スポットをつないで、2つのルートで運行される
乗り降り自由な観光バス。どちらのルートも1周約2時間〜。
上手に活用して、快適に観光、街歩きを楽しみたい。

**街全体の様子をつかむのに
ぴったりの観光バス**

　市内のあちこちで目にする赤い
車体の2階建て観光バス。東と西
の2つのルートがあり、チケット
の有効期間中には好きなとき、好
きな場所で何度でも乗り降りでき
る。いずれのルートもカタルー
ニャ広場を出発点とし、東ルート
は冬季にはルートが短縮される。
時期によって異なるが、バスは7
〜25分ごとに運行されており、日
本語のオーディオガイドもある。

### チケットガイド

チケットは、カタルーニャ広場、サ
グラダ・ファミリア聖堂前などにあ
るブースで購入できるが、Webサ
イトからの購入なら10%割引になる。
12歳までの子ども、65歳以上のシ
ニアは料金が割引になる。1日券、
2日券のほか、カタマランボートで
のクルーズがセットになったコンボ・
チケットも販売されている。

**バルセロナ・シティ・ツアー
Hop-on Hop-off**
Barcelona City Tour
**1日券€33、2日券€44**
☎93-3176454 🕘9:00〜
19:00(季節により変動あり)⊗1月
1日、12月25日 ⊕barcelona.
city-tour.com🖥

**コンボ・チケット
バスチケット+60分エコ・カタ
マランクルーズ€46〜**
Bus+60min eco-catamaran

**バスチケット+90分プレミア・
カタマランクルーズ€51〜**
Bus+90min premium catamaran

1日券、2日券でのバスツアーに加
えて、カタマランボートでのクルー
ズ1回付きチケット。60分のツアー
は環境にやさしいボートを使用、
90分のツアーはより少人数でゆっ
たりしたクルーズを味わえる。両チ
ケットとも、海から1kgのプラスチッ
クを回収する環境プロジェクトへの
寄付金が含まれる。

🔼#9　#カタルーニャ美術館

↑乗車すると市内の地図とルートの詳細が載った
パンフレットがもらえる

↑#12 #サン・パウ病院

グエル公園
Park Güell
⑬

サン・パウ病院
Recine Modernista de Sant Pau
⑫

サグラダ・ファミリア
Sagrada Familia
⑪ サグラダ・ファミリア駅

アシャンプラ
⑧
ディアゴナル大通り
グロリエス駅
ア・デ・レス・コルツ・カタラナス大通り
⑩ トーレ・グロリアス
Torre Glòries
国立劇場/オーディトリ・デ・バルセロナ
Auditori de Barcelona
Gran Via de les Corts Catalanes

バルセロナ凱旋門
Arc de Triomf
ヘラ4世通り
0　　　500m

動物園/ポブレ・ノウ
⑦ Zoo/Poble Nou
ルン通り/
ウタデリャ公園/動物園
Born/Ciutadella/Zoo

ロネータ ⑥
ポルト・オリンピック
Port Olimpic

Passeig de Sant Joan

バリエンシア通り

バリディアーナ大通り

#11 #サグラダ・ファミリア

↑道路事情や季節にもよるが、東・西ルートとも1周約2時間～

①
Plaça
Catalunya

↑東西どちらのルートもカタルー
ニャ広場が起点となる

↑チケットを販売しているブース

↑#15 #ラ・ペドレラ(カサ・
ミラ)

153

本場のオペラやクラシック、フラメンコを体験！

# バルセロナの劇場におでかけ

エンタメ産業が盛んなバルセロナ。さまざまな興行が開かれている。

## 建築と美術の街は劇場も充実
## 心を揺さぶるフラメンコもぜひ

音楽ファンが外せないのは、旧市街のリセウ大劇場とカタルーニャ音楽堂。華麗な空間でのオペラ、クラシック、バレエ鑑賞は、バルセロナの旅を彩る至福の時となる。サグラダ・ファミリアの南側、アシャンプラ地区にはカタルーニャ国立劇場などの現代的なホールが建ち、最新鋭の音響設備が評判だ。

## 本場のフラメンコは感動体験
## ぜひ、タブラオに出かけよう！

アンダルシア地方発祥のフラメンコはスペインのどんな街でも鑑賞でき、バルセロナもしかり。フラメンコショーを楽しめるショークラブは「タブラオ」と呼ばれ、世界中から観光客が押し寄せる街だけに多種多様。劇場を改築した大型店、ディナー付きの店、若手ダンサーが中心の気軽な店など、目的と予算に応じて選べる充実度。

観劇ガイド

### チケットの買い方

● インターネットで買う
劇場の公式HPから予約できるが、スペイン語と英語のみのところも多い。外国語対応が面倒な場合は、海外公演のチケットを扱う国内の代理店を利用するのもいい。タブラオも公式HPから予約でき、大型店などは日本語ページも設けている。クレジットカード支払いで比較的ラクに予約が可能だ。

● 劇場窓口で買う
リセウ大劇場やカタルーニャ音楽堂などの大劇場の窓口は通常、午前・午後ともに開いており、座席表を確認しながら購入できる。当日券は、公演日の開演1〜2時間前に窓口で販売するところが多い。タブラオは当日直接訪れても席がある場合がほとんどだが、予約をしておくほうが安心。前日までの予約で料金が安くなるケースもある。

---

ヨーロッパ指折りの音楽の殿堂
### リセウ大劇場
**Gran Teatre del Liceu**
MAP 付録P.14 B-3

1847年開場のスペイン屈指のオペラハウス。内部は豪華絢爛な馬蹄形の劇場空間が広がり、オペラに加え、バレエ公演なども楽しめる。
HP www.liceubarcelona.cat

大がかりなフラメンコを楽しめる
### テアトル・ポリオラマ
**Teatre Poliorama**
MAP 付録P.14 B-2

ランブラス通りの小劇場。ガラやオペラ風など、旅行者向けフラメンコが評判。
HP www.teatrepoliorama.com

音響が抜群のシンフォニーホール
### オーディトリ・デ・バルセロナ
**Auditori de Barcelona**
MAP 付録P.10 C-2

現代スペインの名建築家モネオが設計。大小のホールでクラシックを楽しめる。
HP www.auditori.cat

世界遺産の劇場でクラシック鑑賞
### カタルーニャ音楽堂 ▶P38
**Palau de la Música Catalana**
MAP 付録P.15 D-2

ガウディと同時期に活躍したモデルニスモの建築家、モンタネールの最高傑作。世界遺産登録の華麗な空間でクラシック音楽に浸れる。
HP www.palaumusica.cat

バロック期の館内にあるタブラオ
### パラウ・ダルマセス ▶P75
**Palau Dalmases**
MAP 付録P.15 D-3

ゴシック地区の美しい館を利用。バリエーションに富むフラメンコを上演する。
HP palaudalmases.com

ディナー&フラメンコ鑑賞が評判
### バルセロナ・シティ・ホール
**Barcelona City Hall**
MAP 付録P.12 C-4

トップクラスのダンサーと音楽家が揃うタブラオの名店。食事付きコースも充実。
HP flamencobarcelonacity.com

馬蹄形の劇場空間を持つタブラオ
### パラシオ・デル・フラメンコ
**Palacio del Flamenco**
MAP 付録P.12 B-1

かつての小劇場を改築し、優雅で華やか。フラメンコ体験ができるコースを用意。
HP www.palaciodelflamenco.com

演劇やダンスが盛んな未来派劇場
### カタルーニャ国立劇場
**Teatre Nacional de Catalunya**
MAP 付録P.10 C-1

緑地に神殿型のガラス張りの建物が輝く。世界的な名劇団による演劇のメッカ。
HP es.teatrebarcelona.com

気軽&リーズナブルなフラメンコ
### ロス・タラントス ▶P75
**Los Tarantos**
MAP 付録P.14 B-3

若手ダンサーが約40分のショーを披露。時間とコストをあまりかけずにタブラオ体験ができる。
HP tarantosbarcelona.com

地元の人に交じって観劇を楽しむ
### コリセウム劇場
**Teatre Coliseum**
MAP 付録P.12 C-4

1920年代建造の小劇場。演劇やリサイタルが多く、客層は地元の大人世代が中心。
HP www.grupbalana.com/es/teatros/salas/teatro-coliseum

# STAY AT RELAXING HOTEL

# ホテル

## ホテルは予約が必至

### Contents

## オシャレです！キュートです！ワクワクしてきます！
# 気分もスタイリッシュデザインホテル **5**選

一般の高級シティホテルのような施設はないが、とても快適。
オシャレで、清潔感たっぷりで、こんな部屋に住みたい、と思ってしまうような部屋がたくさん。

### バルセロナの息づかいを感じる
## カサ・カンペール
**Casa Camper**

アシャンプラ **MAP** 付録 P.14 B-1

スタイリッシュなブティックホテル。カタルーニャ広場やショッピング街は徒歩圏内、ハンモック付きの客室もある。ホテルのレストラン「ドス・バリージョス」はミシュランの星付き。

☎93-3426280 🚇 Ⓜ 1・3号線 Catalunya カタルーニャ駅から徒歩2分 🏠 C. d'Elisabets 11 💴 ガーデン・キング €171〜、コーナー・スイート €260〜 🛏 40 🌐 www.casacamper.com

暮らすように滞在する 抜群のロケーション

1.ジャズの流れるバー 2.街を一望するテラス・バー 3.スタイリッシュな客室 4.プールテーブルもある 5.ショップのような外観

喧騒から離れたそこは オアシスにふさわしい

1.落ち着いた客室は広々 2.ホテルは地上7階建て 3.大きな窓から緑を望む 4.中庭は都会のオアシス 5.外観も美しいホテル

### 都会のオアシスに滞在する贅沢
## アルマ・バルセロナ
**Alma Barcelona**

アシャンプラ **MAP** 付録 P.13 D-2

抜群のロケーションにあり、広々とした客室や贅沢なつくりは5ツ星の品格。豪華でありながら落ち着いた雰囲気で、中庭でのくつろぎは極上のひととき。スパやプールも完備と施設も充実。

☎93-2164490 🚇 Ⓜ 3・5号線 Diagonal ディアゴナル駅からすぐ 🏠 C. Mallorca 271 💴 デラックス €293〜、ファミリースイート €1112〜 🛏 172 🌐 almahotels.com/barcelona/

1. 明るい色調の広い客室 2. 有名建築家が設計した 3. 屋上テラスにはプールも！地元の食材に舌鼓！5. ポルト・ベルから2分で見えてくるレストラン

## ポルト・ベイを望む潮風のホテル
# セラス・バルセロナ
**Serras Barcelona**

ゴシック地区 **MAP** 付録P.14 C-4

1896年に15歳のピカソがアトリエに使用した建物。客室やテラスからポルト・ベイが見える絶好のロケーションでバカンス気分が盛り上がるホテル。ミシュランのレストランも。

☎93-6061632 ⊗Ⓜ2・3・4号線Passeig de Gràciaパッセッチ・デ・グラシア駅から徒歩8分 ⊕Passeig de Colom 9 ⊕スーペリアルーム€298〜、ジュニアスイート€547〜 客数 28 ⊕serrashotel.com/ ▭

## パンの香りが食欲そそるホテル
# プラクティック・ベーカリー
**Praktik Bakery**

アシャンプラ **MAP** 付録P.13 D-2

1階がベーカリーになっているユニークなホテル。朝、焼きたてパンの香りで目覚める体験はここならでは。スタイリッシュで快適な客室は、エコフレンドリーなアメニティもうれしい。

☎93-4880061 ⊗Ⓜ3・5号線Diagonalディアゴナルから徒歩5分 ⊕C. Provença 279 ⊕エコノミー・ダブル€80〜、エクステリア・ダブル€85〜 客数 74 ⊕www.hotelpraktikbakery.com ▭

1. パンを作っている様子 2. カフェで焼きたてパン 3. インテリアはミニマム 4. パン屋さんに宿泊気分

## サグラダ・ファミリアが見える！
# セルコテル・ロセリョン
**Sercotel Rosellón**

アシャンプラ **MAP** 付録P.7 E-4

窓からサグラダ・ファミリア聖堂が見える部屋もある。シンプルかつハイクオリティ、そして良心的な価格が魅力。屋上のテラスでサグラダ・ファミリアを一望しながらカクテルを楽しみたい。

☎93-6009200 ⊗Ⓜ2・5号線Sagrada Familiaサグラダ・ファミリア駅から徒歩1分 ⊕C. Rosellón 390 ⊕ベーシック€200〜、スーペリア€280〜 客数 105 ⊕www.sercotelhoteles.com/es/hotel-rosellon

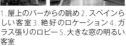

1. 屋上のバーからの眺め 2. スペインらしい客室 3. 絶好のロケーション 4. ガラス張りのロビー 5. 大きな窓の明るい客室

# 重厚で華麗で豪華で。バルセロナが誇る最高級!

# 歴史を感じる**クラシックホテル⑤**選

交通の便も良い市の中心にあっても、一歩館内に入れば静寂に満ちた大人の空間。
クラシックだからといって古いわけではなく、近代的な設備は完備されている。

## グラシア通りのど真ん中にステイ

### マジェスティック・ホテル&スパ

**Majestic Hotel & Spa**

グラシア通り **MAP** 付録P.13 D-3

1981年から目抜き通りの真ん中に堂々と建つ5ツ星ホテル。2014年の改装でモダンに生まれ変わった。館内に併設されたスパも魅力のラグジュアリーホテル。

☎93-4881717 ⊗Ⓜ3・5号線Diagonalディアゴナル駅から徒歩5分 🏠Passeig de Gràcia 68 🅥デラックスルーム€279〜、プリビレッジルーム€341〜 🛏275
Ⓗ majestichotelgroup.com/en/barcelona/hotel-majestic 📠

5ツ星の格式に宿泊 VIP気分を味わいたい

1.クラシックで格調高い客室は荘厳な雰囲気 2.ルーフトップのプールはスペインの日差しが眩しい 3.ウッドデッキのテラスバーでドリンクを一杯 4.ヨーロッパでNo.1の座を獲得した朝食 5.レストランの食事もおいしいと定評がある 6.グラシア通りのランドマーク的存在の建物 7.豪華なロビーエリアにVIP気分が高まる

## ジャズの音色に包まれながら最高のステイ
# カサ・フステル
**Hotel Casa Fuster**

グラシア通り **MAP** 付録P.13 D-1

1908年建造。バルセロナの街をより美しくしたいと、マリアーノ・フステルが妻に贈ったとされる建物で、大理石など高価な資材が使われたため当時最も高価な建物として知られていた。

☎93-2553000 Ⓜ3・5号線Diagonalディアゴナル駅から徒歩2分 🏠Passeig de Gràcia 132 🛏デラックスルーム€210～ 🛌数105 ℍℙwww.hotelcasafuster.com ✉

物語る建物の美しさ
100年以上の歴史を

⤴2004年改装。毎週木曜はジャズ・クラブが開催される

⤴外観はクラシックなまま保存され内部はモダンに改装されている

ロケーションも抜群
美食家垂涎のホテルは

## 究極のガストロノミー体験を
# モニュメント・ホテル
**Monument Hotel**

グラシア通り **MAP** 付録P.12 C-2

ガストロノミーの巨匠マルティン・ベラサテギ監修のレストランが4つあり星を獲得している。テラス・プールからの眺めも贅沢なロケーションで、建築的にも高い評価を受けるホテル。

☎93-5482000 Ⓜ3・5号線Diagonalディアゴナル駅から徒歩2分 🏠Passeig de Gràcia 75 🛏デラックスルーム€360～ 🛌数84 ℍℙwww.monumenthotel.com/ja ✉

## モダニズムの美しさと快適な滞在
# ホテル・エスパーニャ
**Hotel España**

ラバル地区 **MAP** 付録P.14 B-3

リセウ劇場やサン・ジョセップ市場至近の好立地ホテル。1859年開業でその後20世紀前半にはモデルニスモ様式に生まれ変わった。旧市街が見渡せる屋上プールからの眺めもおすすめ。

☎93-5500000 Ⓜ3号線Liceuリセウ駅から徒歩3分 🏠C. Sant Pau 9-11 🛏ブティック(スタンダード)€149～ 🛌数83 ℍℙwww.hotelespanya.com/ja/ ✉

モダンな改装でなおも
建築家の想いが蘇る

⤴当時のモダニズムの精神を再現した改装、かつ最新の設備を完備

⤴テラスからのパノラマも絶景。宿泊しなくても立ち寄りたくなる

旅のハイライトが徒歩圏内
絶好のロケーション

## カテドラルの正面にたたずむホテル
# コロン
**Colón**

ゴシック地区 **MAP** 付録P.15 D-2

ゴシック地区の中心部に位置する落ち着いた雰囲気のホテル。カテドラル・ビューの部屋からは大聖堂が間近に見える。窓の大きなレストランからの風景も必見。

☎93-3011404 Ⓜ4号線Jaume Iジャウマ・プリメール駅から徒歩4分 🏠Av. de la Catedral 7 🛏デザイン€176～ 🛌数129 ℍℙhotelcolonbarcelona.es ✉

# ホテルリスト

## ◖ アーティスティックな雰囲気のスイート型ホテル ◗
### スイーツ・アベニュー
**Suites Avenue Barcelona**
アシャンプラ MAP 付録P.13 D-2
☎93-4874159 Ⓜ3・5号線Diagonalディアゴナル駅から徒歩3分
⑰Passeig de Gràcia 83 ⑭シングル€160〜、デラックス€185
〜 客数41 ⑰ https://www.suitesavenue.com/

## ◖ 数々の著名人も宿泊した歴史と風格が光る ◗
### エル・アベニーダ・パラセ
**El Avenida Palace**
アシャンプラ MAP 付録P.12 C-4
☎93-3019600 Ⓜ2・3・4号線Passeig de Gràciaパッセッチ・デ・グラシア駅から徒歩3分 ⑰Gran Via de les Corts Catalanes 605 ⑭スタンダードダブル€130〜、シングル€115〜 客数151
⑰ www.avenidapalace.com/

## ◖ 観光名所とのアクセス至便なリーズナブルホテル ◗
### アンティベス
**Acta Antibes**
アシャンプラ MAP 付録P.10 B-1
☎93-3930970 Ⓜ2・3・4号線Monumentalモヌマンタル駅から徒歩4分 ⑰C. Diputació 394 ⑭シングル€64〜、ダブル€68〜
客数71 ⑰ www.hotel-antibesbcn.com

## ◖ 高層階の客室からはランブラス通りが見下ろせる ◗
### エクセ・クリスタル・パラセ
**Exe Cristal Palace**
アシャンプラ MAP 付録P.12 C-4
☎93-4875989 Ⓜ2・3・4号線Passeig de Gràciaパッセッチ・デ・グラシア駅から徒歩2分 ⑰C. Diputació 257 ⑭ダブル€95〜 客数149 ⑰
www.eurostarshotels.co.uk/exe-cristal-palace.html

## ◖ 1913年に建てられたモデルニスモ建築に泊まれる ◗
### HCCレヘンテ
**Hotel HCC Regente**
アシャンプラ MAP 付録P.12 C-3
☎93-4875989 Ⓜ2・3・4号線Passeig de Gràciaパッセッチ・デ・グラシア駅から徒歩4分 ⑰Rambla de Catalunya 76 ⑭スタンダードルーム€73〜 客数79 ⑰ www.hcchotels.com/ja/hcc-regente/

## ◖ 家族連れにうれしいベビーカーの貸出しサービス ◗
### NHコレクション・バルセロナ・ポディウム
**Hotel NH Collection Barcelona Pódium**
ボルン地区 MAP 付録P.15 E-1
☎93-2650202、予約91-6008146 Ⓜ1号線Arc de Triomfアルク・デ・トリオンフ駅から徒歩5分 ⑰C. Bailén 4-6 ⑭スーペリアダブル€135〜、スーペリアシングル€132〜 客数140 ⑰ www.nh-hotels.com/hotel/nh-collection-barcelona-podium

## ◖ ラグジュアリーな客室と充実の施設で快適に ◗
### グランド・ハイアット・バルセロナ
**Grand Hyatt Barcelona**
市街西部 MAP 付録P.4 B-2
☎93-5081000 Ⓜ3号線Maria Cristinaマリア・クリスティーナ駅から徒歩5分 ⑰Plaça de Pius XII 4 ⑭1クイーンベッド€165〜、1キングベッド€184〜 客数465 ⑰ https://www.hyatt.com/grand-hyatt/en-US/bcnub-grand-hyatt-barcelona

## ◖ 1階にはミロの生家が残り、作品展示もある ◗
### リアルト
**Hotel Rialto**
ゴシック地区 MAP 付録P.14 C-3
☎93-3185212、予約93-2689070 Ⓜ4号線Jaume Iジャウマ・プリメール駅から徒歩3分 ⑰C. Ferran 40-42 ⑭ダブルorツイン€85〜 客数205 ⑰ www.hotel-rialto.com/

## ◖ カサ・ミラを望むモダンなデザインホテル ◗
### サー・ビクトール
**Sir Victor**
アシャンプラ MAP 付録P.13 D-2
☎93-2711244 Ⓜ3・5号線Diagonalディアゴナル駅から徒歩1分 ⑰C. del Rosselló 265 ⑭サーブティック€294〜 客数91 ⑰ www.sirhotels.com/en/victor/

## ◖ グエル邸が目の前！すっきりした内装が心地よし ◗
### ガウディ
**Hotel Gaudi**
ランブラス通り MAP 付録P.14 B-3
☎93-3179032 Ⓜ3号線Liceuリセウ駅から徒歩4分 ⑰C. Nou de la Rambla 12 ⑭デラックスシングル€70〜、クラシックダブルorツイン€71〜 客数73 ⑰ www.hotelgaudibarcelona.com

## ◖ ミシュランの星付きレストランを持つ ◗
### コンデス・デ・バルセロナ
**Hotel Condes de Barcelona**
アシャンプラ MAP 付録P.12 C-2
☎93-4450000 Ⓜ3・5号線Diagonalディアゴナル駅から徒歩5分 ⑰Passeig de Gràcia 73 ⑭アーバンルーム€193 客数126 ⑰ www.condesdebarcelona.com/

## ◖ 老舗ホテルの格式とサービスを存分に味わう ◗
### エル・パレス
**El Palace Hotel Barcelona**
アシャンプラ MAP 付録P.13 E-4
☎93-5101130 Ⓜ2・3・4号線Passeig de Gràciaパッセッチ・デ・グラシア駅から徒歩3分 ⑰Gran Via de les Corts Catalanes 668 ⑭クラシック€375〜 客数120 ⑰ www.hotelpalacebarcelona.com/

# 旅の基本情報

## 旅の準備

### パスポート（旅券）

旅行の予定が決まったら、まずはパスポートを取得。各都道府県、または市町村のパスポート申請窓口で取得の申請をする。すでに取得している場合も、有効期限をチェック。スペイン入国時には、パスポートの有効残存期間が最低滞在日数＋3カ月は残っている必要がある。

### ビザ（査証）

過去180日中90日以内の滞在であれば、観光目的の日本人はビザが不要。ただしパスポート有効残存期間がシェンゲン協定加盟国出国予定日から3カ月必要。

### 海外旅行保険

海外で病気や事故に遭うと、思わぬ費用がかかってしまうもの。携行品の破損なども補償されるため、必ず加入しておきたい。保険会社や旅行会社の窓口やインターネットで加入できるほか、簡易なものであれば出国直前でも空港にある自動販売機で加入できる。クレジットカードに付帯しているものもあるので、補償範囲を確認しておきたい。

- - - - - - - - - - - - - - - - - - - - -

### ☎ 日本からスペインへの電話のかけ方

| 010 | → | 34 | → | 相手の電話番号 |

国際電話の識別番号　　スペインの国番号

### 荷物チェックリスト

| ◎ | パスポート | |
|---|---|---|
| ◎ | パスポートのコピー（パスポートと別の場所に保管） | |
| ◎ | 現金 | |
| ◎ | クレジットカード（2枚以上を推奨） | |
| ◎ | 航空券（eチケット控え） | |
| ◎ | ホテルの予約確認書 | |
| ◎ | 海外旅行保険証 | |
| ◎ | ガイドブック | |
| | 洗面用具（歯磨き・歯ブラシ） | |
| | 常備薬・虫よけ・生理用品 | |
| | 化粧品 | |
| | 雨具・折りたたみ傘 | |
| | 着替え用の衣類・下着 | |
| | 教会などで身につける露出の少ない服装 | |
| | 日焼け止め・帽子・日傘など日差し対策 | |
| | 部屋着 | |
| | 変換プラグ | |
| | 携帯電話・スマートフォン／充電器 | |
| | デジタルカメラ／充電器／電池 | |
| | メモリーカード | |
| | Wi-Fiルーター | |
| | 防水ポーチ・防水スマホケース | |
| | ウェットティッシュ・ティッシュ・ハンカチ | |
| △ | スリッパ | |
| △ | アイマスク・耳栓 | |
| △ | エア枕 | |
| △ | 筆記具 | |

◎必要なもの　△機内で便利なもの

# 入国・出国はあわてずスマートに手続きしたい!

日本からバルセロナまで、乗り継ぎの時間や場所によるが最短で16時間ほどかかる。スムーズな出入国に備えよう。

## スペイン入国

### ① 入国審査

乗り継ぎ空港がシェンゲン協定加盟国や同国内のマドリードであれば、乗り継ぎ空港で入国審査が行われる。必要なのはパスポートのみ。表示に沿って移動しEU諸国外旅行者のカウンター (Non EU) に並ぶ。入国スタンプを押されないことも多い。スペインでの入国審査では、出入国カードは現在不要。

### ② 預けた荷物の受け取り

通常は経由空港では荷物は受け取らず、最終的に到着する空港で荷物を受け取り税関手続きを行う。一度電光掲示板を見て自分の乗ってきた便の荷物のターンテーブル番号を確認。預けた荷物をピックアップする。荷物用カートの利用には返還式硬貨の使用が必要なこともある。

### ③ 税関手続き

免税範囲内なら申告なしのゲート(緑色)を通過して外へ。免税範囲を超える場合や超えるかどうかわからない場合は、機内であらかじめ書類を受け取り記入したものを持参して赤色のゲートで審査を受ける。

#### スペイン入国時の免税範囲

| アルコール類 | ワイン4ℓ、ビール16ℓ、および22度を超えるアルコール飲料1ℓ(22度以下のアルコール飲料は2ℓ) |
|---|---|
| たばこ | 紙巻きたばこ200本、または葉巻きたばこ50本、または小型葉巻きたばこ100本、または刻みたばこ250g |
| 物品 | 航空機または船舶での入国者は€430まで、そのほかは€300までの物品。15歳以下は€150まで |
| 現金 | EU諸国外からの出入国に持ち込み制限はないが€1万以上の現金や外貨などの持ち込みには申告が必要 |

※アルコール類、たばこは18歳以上のみ

### シェンゲン協定とは

シェンゲン協定とは一部の欧州諸国で締結されている出入国管理政策。加盟国間の移動は国内移動と同等に扱われ入国審査も税関検査も行わない。協定加盟国を経由する場合、スペイン到着時に入国審査はない。

**シェンゲン協定加盟国** オーストリア、ベルギー、デンマーク、フィンランド、フランス、ドイツ、ギリシャ、アイスランド、イタリア、オランダ、ポーランド、ポルトガル、スペイン、スイスなど29カ国(2024年9月現在)

## 📍 出発前に確認しておきたい!

### Webチェックイン

搭乗手続きや座席指定を事前にWebで終わらせておくことで、空港で荷物を預けるだけで済み大幅に時間を短縮することができる。一般的に出発時刻の24時間前からチェックインが可能。パッケージツアーでも利用できるが、一部対象外となるものもあるため、その際は空港カウンターでの手続きとなる。

### 飛行機機内への持ち込み制限

●**液体物** 100㎖(3.4oz)を超える容器に入った液体物はすべて持ち込めない。100㎖以下の容器に小分けにしたうえで、ジッパー付きの透明なプラスチック製袋に入れる。免税店で購入したものは100㎖を超えても持ち込み可能だが、乗り継ぎの際に没収されることがある。

20cm以下　ジッパーで閉じる　容器はひとつ100㎖以下　20cm以下

●**刃物** ナイフやカッターなど刃物は、形や大きさを問わずすべて持ち込むことができない。

●**電池・バッテリー** 100Whを超え160Wh以下のリチウムを含む電池は2個まで。100Wh以下や本体内蔵のものは制限はない。160Whを超えるものは持ち込み不可。

●**ライター** 小型かつ携帯型のものを1個まで。

### 荷物の重量制限

預け手荷物の制限重量は、エコノミーでは一般的に1個23kgまで。購入する航空券の料金体系に応じて1～2個の預け入れが無料となることもある。大きさの規定や持ち込み手荷物についても、Webサイトなどで事前に確認。コードシェア便では、どの航空会社の規定が適用されるか事前に確認しておくこと。

### ロストバゲージしたら

万が一預けた手荷物が出てこなかったり、破損していた場合には荷物引換証(バゲージクレーム・タグ)を持って受場内にあるカウンターに出向く。次の旅程やホテルの連絡先などを所定の用紙に記入するか係員に伝えて、届けてもらうなどの処置依頼を交渉しよう。

## スペイン出国

### ① 空港へ向かう

搭乗する航空会社によってターミナルが違うため、事前によく確認しておきたい。Webチェックインを事前にしていなければ2時間30分前、観光シーズンはもう少し余裕をもって着いていたい。

### ② チェックイン

チェックインをするには、カウンターでパスポートと搭乗券(eチケット控え)を提示。預ける荷物をセキュリティチェックに通し、バゲージクレーム・タグを受け取る。免税を申請するものがあれば、それまでに手続きを行うか、機内持ち込みにする。

### ③ 出国審査

乗り継ぎ空港がシェンゲン協定加盟国以外であれば、出国審査を受ける。パスポートと搭乗券を審査官に提示。

### ④ 搭乗

搭乗ゲート前で手荷物のセキュリティチェックがあるため、早めに到着しておきたい。免税店で購入した商品で専用の袋に入れれば液体物も持ち込めるが、乗り継ぎ時に没収されることがあるので注意。

**日本帰国時の免税範囲**

| アルコール類 | 1本760mℓ程度のものを3本 |
|---|---|
| たばこ | 紙巻きたばこ200本、葉巻きたばこ50本、その他250g、加熱式たばこ個装等10個のいずれか |
| 香水 | 2oz(オーデコロン、オードトワレは含まない) |
| その他物品 | 海外市価1万円以下のもの。1万円を超えるものは合計20万円まで |

※アルコール類、たばこは満20歳未満は免税なし

**日本への主な持ち込み禁止・制限品**

| 持ち込み禁止品 | 麻薬類、覚醒剤、向精神薬など |
|---|---|
| | 拳銃などの鉄砲、弾薬など |
| | ポルノ書籍やDVDなどわいせつ物 |
| | 偽ブランド商品や違法コピー |
| | DVDなど知的財産権を侵害するもの |
| | 家畜伝染病予防法、植物防疫法で定められた動植物とそれらを原料とする製品 |
| 持ち込み制限品 | ハム、ソーセージ、10kgを超える乳製品など検疫が必要なもの |
| | ワシントン国際条約の対象となる動植物とそれを原料とする製品 |
| | 猟銃、空気銃、刀剣など |
| | 医療品、化粧品など |

---

## 📍 スムーズに免税手続きをしたい!

### 付加価値税(IVA)

スペインでは商品の価格に4〜21%の付加価値税が含まれている。EU加盟国以外の国籍の旅行者が滞在中に購入した商品を未使用のままEU諸国外へと持ち出す際に一部の税金が還付されるので、よりお得な買い物ができる。商品購入の際にパスポートを提示して簡単な手続きがあるので覚えておきたい。

### 払い戻しの条件

EU圏外の居住者であること、16歳以上であること、購入した商品を未使用で購入から3カ月以内にEU諸国外へと持ち出すことが条件。現地で人にプレゼントしたものや使用済みの物品などは対象外。確認カウンターで商品を提示できる状態でなければならないので、荷造りの際に注意が必要。

### 払い戻し方法

●**お店** 税金払い戻し取扱店舗で支払いの際にパスポートを提示、免税書類(輸出販売明細書)の作成をしてもらう。払い戻し方法(現金かクレジットカード)を選択し同書類にサインをする。書類と投函用の封筒をくれるので出国の空港まで大切に手元に保管する。

●**空港** 免税書類とレシート(クレジットカードの控えは不可)、パスポート、航空券、未使用の購入品を用意してカウンターへ出向き、確認スタンプを押してもらう。確認スタンプをもらったら、還付代行会社のカウンターへ出向き手続きをする。出発空港に払い戻しのカウンターがない場合、店舗で受け取った返信用封筒に確認スタンプ押印済みの書類を入れてポストに投函する(切手不要)。DIVA(ディーヴァ)マークの付いた免税書類は電子認証端末機でバーコードを読み取り、承認された書類をポストに投函するだけでよい。端末は日本語対応だが、承認されなかった場合カウンターへ再度出向く必要がある。

### 手続きの注意点

税金の還付手続きは原則的にEU諸国を最後に出発する空港で行う。例)スペインからドイツ経由で日本に帰国する場合はドイツの空港での手続き。乗り継ぎ時間が短い場合などは、バルセロナの空港で手続きできることもある。いずれも未使用の購入商品を提示できるように準備しておく必要がある。現金での還付を希望の場合、空港の両替所に書類を持参するが、クレジットカードへの払い戻しが便利だ。カードへの還付は約2カ月後が目安。

## エル・プラット空港

### Aeroport Josep Tarradellas Barcelona-El Prat

バルセロナにあるスペイン第2の空港で、2019年にかつてのカタルーニャ自治州首相の名が冠された。一般旅客用のターミナルは2つあり、日本発着の便がある航空会社は、2009年に完成したターミナル1に発着する。ターミナル2はLCCが多く発着している。メトロやアエロブスはどちらのターミナルからも利用できるが、近郊鉄道はターミナル2にのみ接続している。

**ターミナル間の移動**

無料のシャトルバスがターミナル1～2間を5～10分間隔で24時間運行している。

↑各ターミナルは地元建築家リカルド・ボフィルの設計によるもの

### ターミナル1

ほとんどのフルサービスキャリアが発着しており、スペイン国内便を運航するイベリア航空、エア・ヨーロッパやLCCのブエリング航空も発着している。到着ロビーは1階、出発ロビーは3階にあるが、免税店や飲食店などの各種施設は1階に集中している。

↑看板はカタルーニャ語、英語、スペイン語の3言語表記

↑広々としたターミナル1。ショップや飲食店も充実している

## ☑ 空港でしておきたいこと・できること

### 到着時

#### ☐ 両替

銀行Caixabankの窓口や両替所がターミナル1の1階にある。日本国内で両替したほうがレートが有利なことが多いので、事前に用意しておくか、クレジットカードでのキャッシングをおすすめする。⯈P.166

#### ☐ SIMカードの購入

ターミナル1の1階にある「Tech&Fly」で、vodafoneやorangeのSIMカードを購入できる。購入にはパスポートが必要。⯈P.169

### 出発時

#### ☐ IVA還付手続き

ターミナル1の3階にIVA還付の窓口がある。EU外で乗り継ぎの場合は手続きを。還付金を現金で受け取るなら、手続き後「Global Blue」か「Global Exchange」の窓口へ。⯈P.163

#### ☐ おみやげの購入

マンゴやザラなどのスペインブランドをはじめ、さまざまなショップが揃っている。出国後ゲートを抜けると、多くの店が並ぶ1階に戻れないため、出国前に買い物を済ませておこう。

# 空港からホテルへはスムーズにアクセスしたい！

長時間のフライトで疲れていても迷わずホテルに行けるよう、事前にシミュレーションしておこう。

## 空港から中心部へ

エル・プラット空港から中心部への交通手段は4種類。それぞれ所要時間や料金が異なるので、到着時刻や旅のスケジュールに合わせて選びたい。

###  空港バス（Aerobús）

| 所要 | 約35分 |
|---|---|
| 料金 | 片道€7.25 往復€12.50 |

料金も安く、中心部まで乗り換えなしで着けるため人気の手段。ターミナル1・2それぞれからカタルーニャ広場へ向かう。A1・2の2路線が24時間運行。そのほかエスパーニャ広場やウニベルシタット広場にも停車する。A1は6:40〜21:55には5分間隔、それ以外は10〜20分間隔。A2は5:00〜22:30には10分間隔、それ以外は20分間隔。空港へ向かう際は、カタルーニャ広場のバス停が大きく見つけやすい。乗車する路線を間違えずに。

**① チケットを買う**
事前にネット購入するか、乗り場の券売機（カードのみ）か係員から現金で購入する。空港行きで係員がいない場合はドライバーから購入する。

**② 乗り場へ向かう**

到着エリアから下の階に下りると乗り場がある。

**③ 乗車する**

大きな荷物は係員の指示に従って貨物室に。チケットを提示して乗車。

###  地下鉄（Metro）

| 所要 | 約30分 |
|---|---|
| 料金 | €5.50 |

 アエロポルトT1駅からゾナ・ウニベルシタリア駅を結ぶ9号線が運行している。空港発着用の特別なチケット（→付録P16）が必要で、地下鉄圏内のすべての駅まで行ける。中心部までは乗り換えが必要で、大きな荷物を持っての移動は大変。乗り換え後の路線ではすりや置き引きの心配もある。T-ディアやオラ・バルセロナを利用すると、エアポート・チケットが不要で料金を節約できる。

###  タクシー（Taxi）

| 所要 | 約20〜40分 |
|---|---|
| 料金 | €45〜 |

ホテルに直接アクセスでき便利。何人かで乗車するなら、料金も高くはない。深夜の移動であれば安全のために迷わず利用したい。到着エリアから下りると乗り場があるので、係員に人数を告げ、指定された車両に乗車する。空港⇔バルセロナ市内または指定近郊地域間のタクシー料金€45（2024年9月現在）は各種特別料金込み。さらに遠方の場合は料金が加算されるので、車内の料金表を確認しておこう。

###  近郊鉄道（Rodalies）

| 所要 | 約30〜35分 |
|---|---|
| 料金 | €4.90 |

ターミナル2から中心部までRenfe（スペイン国鉄）の近郊鉄道R2N線が運行している。ターミナル1から2へはシャトルバスで移動。中心部ではサンツ駅、パセッジ・デ・グラシア駅に停車し、そこから地下鉄に乗り換えができる。地下鉄と違い特別料金はなく通常のチケットで乗車できるので、T-カジュアルなどを購入しよう。停車する駅は観光客が多く集まるため、すりや置き引きの被害も多い。十分な注意を。

### 📍 送迎バスもおすすめ

日本語で事前にネット予約できる旅行代理店などの送迎サービス。到着ロビーで名前を掲げたドライバーと待ち合わせる。同じ時刻に到着のほかの乗客を待つこともあるので、時間に余裕があるときに利用しよう。

**空港→市内中心部 アクセスマップ**

| | |
|---|---|
| —— | 空港バスA1線 |
| —— | 空港バスA2線 |
| —— | 近郊鉄道R2N線 |
| ---- | 地下鉄1号線 |
| ---- | 地下鉄3号線 |
| ---- | 地下鉄5号線 |
| ---- | 地下鉄9号線 |

# スペインのお金のことを知っておきたい！

カード利用が便利なスペインだがチップなどで現金が必要なことも。迷わないようお金の基本をおさらい。

## 通貨

通貨はユーロ（€）で補助通貨はセント（¢）。€1＝100¢。スペイン語では、それぞれエウロ、センティモ。

$$€1 = 約162.6円$$

（2024年9月現在）

1万円 ＝ 約€81.8

すりや盗難の心配があるので多額の現金を持ち歩くのは避けよう。スペインでは少額でもクレジットカードの利用が可能。大きな額面の紙幣は店に拒否されることも多いので、少額のお札を多めにしてもらおう。

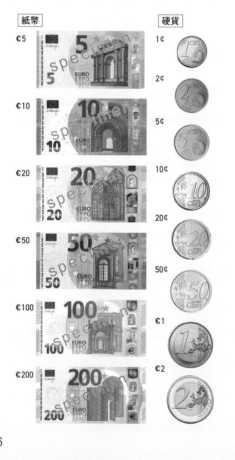

| 紙幣 | | 硬貨 |
| --- | --- | --- |
| €5 | | 1¢ |
| €10 | | 2¢ |
| €20 | | 5¢ |
| €50 | | 10¢ |
| €100 | | 20¢ |
| €200 | | 50¢ |
| | | €1 |
| | | €2 |

## 両替

### どこで両替をすればいい？

空港や街なかの両替所、一部の銀行で両替できる。「CHANGE」やスペイン語「CAMBIO」の表示が目印。レートや手数料が異なるので事前に必ず確認を。基本的に銀行や郵便局では両替をしていない。ユーロの場合、日本国内での両替のほうがレートがよいことが多いので出国前に準備しておくのが得策かも。

レート表の見方

🖊日本円からの両替はBUY

| CURRENCY（通貨） | UNIT | BUY | SELL |
| --- | --- | --- | --- |
| JAPANESE YEN | 100 | 0.810 | 0.840 |
| US DOLLAR | 1 | 0.920 | 0.950 |

日本円は100円に対するレート

日本円をユーロに両替するときのレート。この場合、1万円が€81の換算

ユーロを日本円に両替するときのレート

### ATMで現地通貨を引き出す

ATMは市中のいたるところにあり、時間的にも自由が利くので便利。一般的にレートも現金を両替するより有利となる。都度ATM利用料がかかるため、ある程度まとまった金額を引き出すほうがよい。クレジットカードでのキャッシングでは利息が発生するが、帰国後すぐ繰上返済すれば高額にはならない。キャッシングに抵抗があれば、国際キャッシュカードやトラベルプリペイドカードを利用しよう。

## クレジットカード

多くの場所でクレジットカードが利用できる。多額の現金を持ち歩くのは危険なので、うまく組み合わせて利用したい。ホテルで保証金代わりとして求められることもあるので、1枚は持っておきたい。事前にキャッシングの可否やPIN（暗証番号）の確認を忘れずに。

## トラベルプリペイドカード

あらかじめ入金した専用口座から引き出すトラベルプリペイドカードは、クレジットカードと同じ感覚で利用することができる。入出金の際に手数料がかかり、旅行中も事前に入金した額までしか使えないが、万一の際はかえって被害額を抑えることができる。

## 📍 ATM の使い方

```
ENTER PIN

              ENTER        入力
         CORRECTION        訂正
             CANCEL        キャンセル
```

### 暗証番号を入力 ENTER PIN

まず言語を英語に選択する。ENTER PIN（暗証番号を入力）と表示されたら、クレジットカードの4ケタの暗証番号を入力し、最後にENTER（入力）を押す

```
SELECT TRANSACTION

         WITHDRAWAL       引き出し
           TRANSFER       振り込み
            BALANCE       残高照会
             CANCEL       キャンセル
```

### 取引内容を選択 SELECT TRANSACTION

クレジットカードでのキャッシングも、国際キャッシュカードやデビットカード、トラベルプリペイドカードで引き出すときもWITHDRAWAL（引き出し）を選択

```
SELECT SOURCE ACCOUNT

          CHECKING        当座預金
           SAVINGS        預金
            CREDIT        クレジット
                          カード
            CANCEL        キャンセル
```

### 取引口座を選択 SELECT SOURCE ACCOUNT

クレジットカードでキャッシングする場合はCREDIT（クレジットカード）、トラベルプリペイドカードや国際キャッシュカードで預金を引き出す場合はSAVINGS（預金）を選択

```
SELECT AMOUNT

  10              100
  20              200
  50              500
  OTHER         CANCEL
```

### 金額を選択 SELECT AMOUNT

引き出したい現地通貨の金額を選ぶ。決められた金額以外の場合はOTHER（その他）を選ぶ。現金と明細書、カードを受け取る

## 物価

地下鉄・バスなど（ゾーン1・
シングルチケットの場合）
€2.55（約415円）

タクシー初乗り
€2.60（約423円）

缶ビール
€1.50（約244円）

ミネラル
ウォーター
（500㎖）
€1
（約163円）

### 予算の目安

バルセロナの物価は東京と同程度。ワインなど安いものもあるが、外食は高くつきがち。

**宿泊費** 季節によるが、3ツ星ホテルで1泊€80（約1万3000円）程度から見つかる。5ツ星ホテルでは1泊€200（約3万2500円）程度から。中心部にホテルは多数あり料金帯もさまざまな選択肢があるので、時間、交通費ともに節約するために、立地にはこだわりたい。

**食費** バルやレストランでは昼食に「メヌーmenú」という定食を用意している。だいたい€15～20（約2440～3250円）程度。バルのタパス€4（約650円）程度や、ピンチョス€2（約325円）などもうまく利用しよう。

**交通費** 通常の初乗り料金は高いが、交通機関1日乗り放題のT-ディア（1日€11.20～・約1820円～）や回数券T-カジュアル（10回€12.15～・約1976円～）を利用すればお得。バルセロナ市内の観光地は集中しているので、タクシーでも€25（約4067円）程度以内で済む。

**観光施設** 全体的に高額な入場料が設定されており、また年々料金が値上げされている。サグラダ・ファミリアは入場のみで€26（約4229円）、カサ・ミラ€28（約4554円・前売り料金）など。出発前にオンラインで購入すれば、予算の計画も立てやすくなる。

## チップ

チップの習慣はあるものの、必ず渡さなければいけないものではなく、良いサービスに感謝を表す心付けのような存在で、しっかりとした基準はない。たいていの場合はおつりの端数を受け取らないか、小銭を渡すなどで十分で、支払わないからといってトラブルになることもない。

### 金額の目安

| | |
|---|---|
| ホテル・ベッドメイキング | 必要ない。置く際はメッセージを添えて€1程度 |
| ホテル・ポーター | 荷物を運んでもらったら€1～2程度を渡す |
| タクシー | €1未満を切り上げるか、おつりを受け取らない |
| 高級レストラン | 総額の5～10%程度 |

# 滞在中に知っておきたいスペインのあれこれ！

文化や習慣、マナーの違いを把握しておけばバルセロナの滞在も快適に。まずは積極的にあいさつしよう。

## 飲料水

バルセロナの水道水は衛生上問題なく飲めるが、石灰分を多く含む硬水。慣れていないとお腹を下しやすいため、ミネラルウォーターを購入するのがおすすめ。ミネラルウォーターはガス入りの炭酸水(agua con gas)とガスなし(agua sin gas)がある。日本と違いレストランに入店したらまず水を持ってくるということはないので、必要なら注文を。

## トイレ

トイレはカタルーニャ語で「lavabos」、スペイン語で「aseos」。「WC」や「toilet」の表記も多い。また、「女性」「男性」はカタルーニャ語で「dones」「homes」、スペイン語で「señoras」「caballeros」。公共のトイレは少ないため、ホテルや美術館、デパートのトイレを利用するか食事の際に済ませておこう。メトロ駅や教会では見つからない。そのほか街なかではカフェやバルのトイレを使わせてもらえるが、その場合は何か一品頼めばOK。レシートに書いてある番号を入力する方式のトイレもある。

## 食事の時間とビジネスアワー

スペインで最も戸惑うのが食事の時間の違いで、昼食は14時頃、夕食は21時ごろから飲食店は混みだす。昼の営業は13時頃、夜の営業は20時頃から始まるので、営業開始すぐに入れば普段の生活に近いタイミングで混雑も避けることができる。ショップは10～21時くらいで、14～17時に休憩を挟むことも多い。日・月曜日が休みのことが多いので、食事や目的に困らないように休業日を確認しておこう。

## 各種マナー

何よりもあいさつを。店に入ったときに「オラ」、出る際に「グラシアス」などと声をかけるだけでも、印象は良くなる。

**美術館で** 写真撮影がOKの作品も多いが、撮影禁止の作品や保護のためにフラッシュが禁止されている作品など、表示に注意を払おう。三脚や自撮り棒も禁止されていることが多い。

**教会で** 信仰の場所であるため、サグラダ・ファミリア聖堂をはじめ教会では、夏でも露出した服装が禁止されている。ショールなどを用意しておくと便利。帽子も教会内では脱ぐ。また、ミサや結婚式などの際は見学は控えよう。

## 電化製品の使用

### 電圧は日本と異なる

電圧は220V、電流は50Hz。ドライヤーやアイロンなどの電熱器は、変圧器を利用してもうまく動かないことがあるため、海外用のものを用意するか、現地のものを利用する。近年の携帯電話やデジタルカメラの充電器は、さまざまな電圧に対応しているため変圧器は必要ない。USB充電ができるスポットも増えており、コードを持っていると便利。

### プラグはC型が主流

プラグの形は2本型ピンのCタイプ、変換用のアダプターが必要。USB充電ができるタイプが便利。変圧器、アダプターともホテルで貸してもらえることも多い。

C型プラグ

## 度量衡

スペインの度量衡はメートル(m)、グラム(g)、リットル(ℓ)、ヘクタール(hr)など、日本とほぼ同じものが使われている。服や靴のサイズは異なるので注意。

## 飲酒と喫煙

飲酒、喫煙とも18歳以上。

### 飲酒は店内かホテルで

飲食店での18歳未満へのアルコール類の提供や商店での販売は禁止されている。バルなどでは提供されるが、販売は22時までに制限されている。そのほか路上での飲酒も禁止。昼から飲酒をする人もいるが、酔っぱらってしまう人は少ない。

### 喫煙は屋外であればOK

駅や空港、飲食店など公共の建物内は喫煙禁止。一方で屋外の喫煙は禁止されていないため、飲食店ではテラス席は喫煙可で、喫煙用の屋外席が設けられていることも多い。

## 郵便

郵便局は「CORREOS」で、ポストは黄色い。日本宛のはがきや手紙は20gまで€2.10、100gまで€4.20。切手は郵便局かたばこ屋(Estanco)で購入する。宛名の住所に大きく「JAPÓN(日本)」と書こう。

# 電話・インターネット事情を確認しておきたい!

情報収集に便利なインターネット接続や、いざというときの電話のかけ方をおさらいしておこう。

> ✎ 国番号は、日本が81、スペインが34

## 電話をかける

 **スペインから日本への電話のかけ方**

**ホテル、公衆電話から**

ホテルからは外線番号 → 00 → 81 → 相手の電話番号

- 国際電話の識別番号
- 日本の国番号
- ※固定電話・携帯電話とも市外局番の最初の 0 は不要

**携帯電話、スマートフォンから**

0または＊を長押し → 81 → 相手の電話番号

- ※機種により異なる
- 日本の国番号
- ※固定電話・携帯電話とも市外局番の最初の 0 は不要

 **固定電話からかける**

**ホテルから** 外線番号(ホテルにより異なる)を押してから、相手先の番号をダイヤル。たいていは国際電話もかけることができる。携帯電話の普及で、公衆電話は現在ほとんど見かけなくなっている。

 **日本へのコレクトコール**

緊急時にはホテルから通話相手に料金が発生するコレクトコールを利用しよう。

● KDDI ジャパンダイレクト
☎ 900-99-0981
オペレーターに日本の電話番号と、話したい相手の名前を伝える。

 **携帯電話／スマートフォンからかける**

国際ローミングサービスに加入していれば、日本で使用している端末でそのまま通話できる。滞在中、スペインの電話には9桁の番号をダイヤルするだけでよい。日本の電話には、＋を表示させてから、国番号(81)＋相手先の番号(最初の0は除く)。同行者の端末にかけるときも、国際電話としてかける必要がある。

**海外での通話料金** 日本国内での定額制は適用されない。着信時にも通話料が発生するため、料金が高額になりがち。ホテルの電話やIP電話を組み合わせて利用したい。同行者の端末にかけるときも日本への国際電話と同料金。

**IP電話を使う** インターネットに接続できる状況であれば、SkypeやLINE、Viberなどの通話アプリを利用することで、同じアプリ間であれば無料で通話することができる。SkypeやViberは有料プランでスペインの固定電話にもかけられる。

## インターネットを利用する

バルセロナでは公衆Wi-Fiとして「Barcelona WiFi」が提供されている。メールアドレスを登録すれば、メトロ駅やバス停、広場などで無料で利用できる。そのほかカフェやファストフード店でも提供していることが多い。どこでも利用したいならば、日本でWi-Fiルーターをレンタルして持参するのも一案。海外への電話もインターネットの通話サービスを利用するなどして、通話料金をお得に。

 **インターネットに接続する**

海外データ定額サービスに加入していれば、1日1000～3000円程度でデータ通信を行うことができる。通信業者によって異なるが、空港到着時に自動で案内メールが届く。事前の契約や手動での設定が必要なこともあるため、よく確認しておきたい。定額サービスに加入せずにデータ通信を行うと高額な料金となるため、不安であれば電源を切るか、機内モードやモバイルデータ通信をオフにしておくのがおすすめ。

 **SIMカード／レンタルWI-Fiルーター**

頻繁に利用するならば、現地SIMカードの購入や海外用Wi-Fiルーターのレンタルも検討したい。SIMフリーの端末があれば、空港やショッピングセンターでSIMカードを購入して差し込めば、インターネットに接続できる。4週間有効かつ25GBの通信量で€10など。購入にはパスポートが必要。事前に国内で用意することもできる。Wi-Fiルーターは複数人で同時に使えるのが魅力。料金は大容量プランで1日500～1500円ほど。

| | カメラ／時計 | Wi-Fi | 通話料 | データ通信料 |
|---|---|---|---|---|
| 電源オフ | × | × | ✖ | ✖ |
| 機内モード | ○ | ○ | ✖ | ✖ |
| モバイルデータ通信オフ | ○ | ○ | $ | ✖ |
| 通常モバイルデータ通信オン | ○ | ○ | $ | $ |

○ 利用できる　$ 料金が発生する

 **オフラインの地図アプリ**

地図アプリでは、地図データをあらかじめダウンロードしておくことで、データ通信なしで利用することができる。機内モードでもGPS機能は使用できるので、通信量なしで地図データを確認できる。

# 病気、盗難、紛失…。トラブルに遭ったときはどうする?

事故や病気は予期せず起こるもの。万が一のときにもあわてずに行動したい。

## 治安が心配

世界中から観光客が集まるバルセロナはすりやひったくりの軽犯罪が多発している。人通りの少ない場所や時間帯の外出を避ける、周囲の人物に常に気をつけて持ち物や財布から手を離さない、スマホに夢中にならないなど基本的なことが重要。

## デモやストライキは?

各種抗議行動やカタルーニャ独立運動関連のデモが行われることがある。デモに巻き込まれたり、ストライキで交通機関が麻痺することもあるため、「たびレジ」からの情報や、インターネットやホテルのフロントなどで当日の情報収集も欠かさずに。

## 緊急時はどこへ連絡?

盗難やけがなど緊急の事態には警察や消防に直接連絡すると同時に、日本大使館にも連絡するように。

[緊急全般] ☎112 (警察・消防・救急すべて共通。まずはこちらへ連絡)

[領事館 (カタルーニャ州・バレアレス州・バレンシア州)]
在バルセロナ日本国総領事館
Consulado General del Japón en Barcelona
アシャンプラ **MAP** 付録P.4 B-2
☎93-280-3433(代表) ⓗ Av. Diagonal 640 ⓗ www.barcelona.es.emb-japan.go.jp/itprtop_ja/

[大使館 (そのほかスペイン全土)]
在スペイン日本国大使館
Embajada del Japón en España
マドリード
☎91-590-7600(代表) ⓗ C. Serrano 109 ⓗ www.es.emb-japan.go.jp/itprtop_ja/

## 病気・けがのときは?

海外旅行保険証に記載されているアシスタンスセンターに連絡するか、ホテルのフロントに医者を呼んでもらう。海外旅行保険に入っていれば、提携病院で自己負担なしで安心して治療を受けることができる。薬局は「Farmacia」といい、緑の十字が目印。

## パスポートをなくしたら?

① 最寄りの警察に届け、盗難・紛失届出証明書(Police Report)を発行してもらう。

② 証明書とともに、顔写真2枚、本人確認用の書類を用意し、在スペイン日本国大使館に、紛失一般旅券等届出書を提出する。

③ パスポート失効後、「帰国のための渡航書」の発行を申請。渡航書には帰りの航空券(eチケット控えで可)が必要となる。「帰国のための渡航書」発行の手数料は€17、所要1~2日。

新規パスポートも申請できるが、発行に所要1週間、戸籍謄の原本が必要となる。手数料は、5年有効が€74、10年有効が€107。

## クレジットカードをなくしたら?

不正利用を防ぐため、カード会社にカード番号、最後に使用した場所、金額などを伝え、カードを失効してもらう。再発行にかかる日数は会社によって異なるが、翌日~3週間ほど。事前にカード発行会社名、紛失・盗難時の連絡先電話番号、カード番号をメモし、カードとは別の場所に保管しておくこと。

## 現金・貴重品をなくしたら?

現金はまず返ってくることはなく、海外旅行保険でも免責となるため補償されない。荷物は補償範囲に入っているので、警察に届け出て盗難・紛失届出証明書(Police Report)を発行してもらい、帰国後保険会社に申請する。

 **外務省
海外安全ホームページ&
たびレジ**

外務省の「海外安全ホームページ」には、治安情報やトラブル事例、緊急時連絡先などが国ごとにまとめられている。出発前に確認しておきたい。また、「たびレジ」に渡航先を登録すると、現地の事件や事故などの最新情報が随時届き、緊急時にも安否の確認や必要な支援が受けられる。

## 現地での情報収集

情報収集をするなら、街の中心にあるカタルーニャ広場が最適。Renfe、地下鉄、FGCが乗り入れる交通の要衝で、空港バスの乗り場もある。地下の巨大なツーリスト・インフォメーションでは、各種資料が手に入るほか、地図やみやげも販売されている。大型デパートのエル・コルテ・イングレス、数は少ないが両替のできる銀行など旅行者に必要なものが揃っている。

⬆カタルーニャ広場のツーリスト・インフォメーション。地上にもブースがある

### 主なツーリスト・インフォメーション
◉ カタルーニャ広場
カタルーニャ広場 **MAP** 付録P.14 C-1
ⓗ Plaça de Catalunya, 17-S ⓗ 8:30~20:30
◉ カテドラル
ゴシック地区 **MAP** 付録P.14 C-2
ⓗ Pla de la Seu, s/n ⓗ 9:00~17:30 (月曜は~16:00)
◉ スペイン広場
サンツ駅周辺 **MAP** 付録P.4 B-3
ⓗ Plaça Espanya, s/n ⓗ 8:30~14:30

## 旅のトラブル実例集

日本人旅行者の犯罪被害報告の多くはすりや置き引き。いちばんの対策はいつでも用心を怠らないこと。手口と対策を把握して、いざというときに冷静に対応ができるよう準備しよう。

### 注意するポイント

**荷物** ハンドバッグはひったくりに遭いやすいので、たすき掛けがおすすめ。体の前側などで手をかけ、常に目が届く位置に持つように。大事なものは極力持ち歩かず、また分散させて持ち、被害を最小限に抑えるのも大事。

**地下鉄で** ホームでは壁を背にして立つなど、死角を作らないように。人が変に近づいてきたと思ったら、すぐにその場を離れる。車内でドア近くにいると、ドアが開いたときにスマホなどを奪い取られそのまま逃げられるので、車両中ほどに。

**観光地で** 写真撮影時も荷物はベンチなどに置かず、手に持っているようにする。人通りの少ない裏通りでは、気を引き締める。

### 目隠しすり

**事例** 地下鉄やレストラン、カフェなどで、近づいてきた犯人に広げた新聞や地図で財布や携帯電話を隠され、見えないうちに盗まれる。

**対策** 怪しい人物が近づいてきたときは、すぐにその場から移動する。荷物はテーブルや椅子に置かずに、膝の上か手に持っておく。

### 置き引き

**事例** 駅構内やホテルのロビーで話しかけられたり犯人が落とした小銭に気を取られている隙に、足元や隣の椅子に置いていた荷物を盗まれる。

**対策** 荷物は手に持つか膝の上に置き、地面や椅子に置かない。注意を引くようなことが起きた場合は、まず荷物に気を配る。ホテルの朝食会場での場所取りに置いた荷物を盗まれることが頻発している。

### 首絞め強盗

**事例** 道を聞かれ対応している隙に後ろから近寄った犯人に首を絞められ、所持品を盗まれる。

**対策** 人けの少ない道を歩かない。不審者に気づいたら商店に入る。

### すり

**事例** 気づかないうちにバッグやポケットから財布を抜き取られる。話しかけられたり、犯人が小銭を地面にばらまいたのに気を取られたりした隙に、抜き取られる。

**対策** 多額の現金や貴重品はできる限り持ち歩かず、大事なものは分散させて持ち歩く。話しかけられたり注意を引くようなことが起きた際は、まず自分の荷物に注意を向ける。

### 切り裂きすり

**事例** 地下鉄車内などで、後ろからカッターやナイフでバッグを切り、財布などを抜き取られる。

**対策** 荷物は肩にかけるのではなく、胸の前に抱えるように持つ。声をかけられたり、物を落としたり、気を取られるようなことが起きたときは、まず荷物に気を配る。

### ひったくり

**事例** 物陰や路地に待ち伏せした犯人に、ショルダーバッグなどを奪い取られる。バイクや自転車で共犯者が持ち去ることも多い。

**対策** 荷物は車道側の手には持たず、できる限り体の前で持つようにする。道を歩くときは車道から離れたところを歩く。

### ケチャップすり

**事例** ケチャップなど液体物をかけられ、汚れを拭き取っているうちに財布などを抜き取られる。親切を装って拭き取りながら荷物を地面に下ろさせ、まるごと盗んでいく手口もある。

**対策** 特に発生回数が多い手口なので、汚れを指摘されたらまず疑うこと。手伝いを申し出る人物がいても、断って自分で対処する。

### エスカレーターすり

**事例** エスカレーターや階段で前後から囲まれ、物を落としてしゃがんだ前の犯人に道をふさがれる。あわてたり、拾うのを手伝っているときに後ろの犯人から財布などを盗まれる。

**対策** エスカレーターや階段で怪しい集団に近づかれたら、大声を出す、駆け上がるなどし、すぐにその場を離れる。前に立っている人が物を落としても気にせずその場を離れる。その場に留まると将棋倒しになってしまうおそれもある。

### 偽警官

**事例** 私服警官と偽り、所持品検査の名目で財布などを奪い取る。

**対策** 怪しく感じたら、「112」に電話するか警察署へ行き、制服警官の立ち会いを求める。今のところ制服を着て偽る事例はない。本物の警官の職務質問に抵抗し、トラブルになった事例もあるため、対応は慎重に。

### 📍 コインロッカーを活用

ショッピングのあとなど、たくさんの荷物を抱えた状態での街歩きは避けたいもの。そんなときはコインロッカーを使うのも手。カタルーニャ広場近くの「ロッカー・バルセロナ」や、サンツ駅（MAP付録P.4 B-3）、ノルテ（北）駅（バレンシア州）に、コインロッカーが設置されている。郊外に出かける際に、移動する荷物を減らすのにも便利。

➜ ノルテ（北）駅のコインロッカー

**ロッカー・バルセロナ**
Locker Barcelona
カタルーニャ広場
**MAP** 付録P.14 C-1
🚇 C. Estruc 36 🗓 夏期
8:30～21:30 🈚 無休
💶 Lサイズ€8.50など
🌐 lockerbarcelona.com

🔑 暗証番号制で、鍵をなくす心配がない。ネットで事前に予約ができる

“スペイン”とは違うもうひとつのネイションを知る

# 文化の中心都市バルセロナの足跡

さまざまな弾圧を生き延び、スペインでもフランスでもない他に類を見ない文化を生み出し、多くの世界的芸術家も輩出してきたカタルーニャ州都の歴史を追う。

### 紀元前後の痕跡も見られる

## ローマの植民都市

バルセロナという地名は、第2次ポエニ戦争（紀元前3〜2世紀に地中海の覇権をめぐって戦われたローマとカルタゴとの戦争）で、ローマ史上最大の敵として知られたカルタゴの将軍ハンニバル・バルカのバルカ家の領地があったことに由来するという。

紀元前20年頃にはローマが植民都市を開き、バルキノ（Barcino）と称された。4世紀になるとローマ軍の宿営地となったが、その遺物は現在、バルセロナ市歴史博物館（→P.140）の地下にそのまま展示され、歩いて巡ることができる。また、ローマ人が建造した馬蹄形をした城壁もそのままの形でゴシック地区に残されている。

↑カテドラルのそばにあるローマ時代の城壁。ほかの時代の建築と融合したり、補修されたりで気づきにくいが、各所に痕跡が残る

↑カテドラルの現在の建物は1298年に建設が始まった。外観は19世紀にも改修されている

### 地中海を支配する強国に

## アラゴン王国を構成

415年、ゲルマン族の一派ゴート族の族長アタウルフは軍団を率いてピレネーを越え、イベリア半島を征服し、西ゴート王国を建設する。バルセロナも西ゴート王国の支配下に置かれることになった。しかし711年、イスラムのウマイヤ朝によって西ゴート王国は征服されてしまう。

801年、カール大帝のフランク王国（カロリング朝）がスペインに進出し、対イスラム勢力の緩衝地としてスペイン辺境領を置いた。フランク王国が分裂・弱体化すると、10世紀にはバルセロナはカタルーニャ君主国として自治を確立。12世紀に入ると、アラゴン連合王国を構成する一国として勢力を拡大、アテネにまで及ぶ地中海をも支配する強国にまで成長する。

### イサベル女王とコロンブス

## 継承戦争の敗北と弾圧

15世紀中期、アラゴン王フェルナンドとカスティーリャの女王イサベルとの結婚によって、アラゴン連合王国はカスティーリャ王国に統一される。レコンキスタ（イスラム教徒に占領されたイベリア半島をキリスト教国が奪還するための活動）が1492年に完了するとフランス方面への備えもあり、王宮がバルセロナに置かれた。だが、16世紀にはマドリードが王国の中心となり、バルセロナは衰退へ向かう。

18世紀になると、スペインの王権と領土をめぐり、継承問題が発生。フランスと対フランス諸国間にスペイン継承戦争が始まり、バルセロナは3度の包囲戦によって陥落し、スペイン軍の占領下に置かれることになった。この結果、スペイン王となったフェリペ5世によってバルセロナは自治権を失いカタルーニャ語が禁止されるなど、極端に抑圧・冷遇されることになった。

↑1492年にイサベル女王の支援を受け新大陸を発見したコロンブスは、バルセロナの王の広場で女王に航海の成功を報告した

| | 100 | 200 | 300 | 400 | 500 | 600 | 700 | 800 | 900 | 1000 | 1100 | 1200 |
|---|---|---|---|---|---|---|---|---|---|---|---|---|
| | ローマ帝国 | | | | 西ゴート王国 | | | ウマイヤ朝 | フランク王国 | | | カタルーニャ君 |
| | 前20 ローマ人が植民市を建設 | | | 415 西ゴート王国の支配下に入る | | | 711 イスラム、イベリア半島に | 801 スペイン辺境領に | 985 イスラムによる包囲を撃退 | 988 西フランク王国から独立 | 1137 アラゴン連合王国成立 | |
| 同時期の日本 | | | | | 十七条憲法 | 大化の改新 大宝律令 | 大宝律令 | 平安京遷都 | 遣唐使廃止 承平・天慶の乱 | 白河上皇院政 | 保元・平治の乱 鎌倉幕府 | 承久の乱 |

## 19世紀の産業革命と繁栄

### 富裕と文化的パトロン

　19世紀、スペインの世界的な存在感は薄れており、世界を主導していたのは18世紀後半から産業革命により「世界の工場」となったイギリスだった。同じ頃、バルセロナは綿織物工業が発展するなどして、スペインでは経済的に先端のエリアとなっていた。1836年にカタルーニャに蒸気機関車が登場し、1848年にはバルセロナと北東部のマタロ間にスペインで最初の鉄道が開通。木綿の大工場なども造られ、スペイン唯一の産業革命が進行する。

　一方、極端な人口の流入・増加などに起因する衛生状態の悪化に悩まされることにもなった。解消のために都市の拡大計画が策定される。街を囲んでいた中世の城壁が撤去され、急速に整備が進む。都市問題を抱えながらも、バルセロナは工業都市として再生した。

　その「スペインの工場」を支える実業家たちが、地方文化のパトロンとなりカタルーニャ・モデルニスモという芸術運動を生み出す基盤となっていった。ガウディを生涯にわたって支援したグエルがよく知られる。

⤴19世紀後半に生まれたのが拡張地区を意味するアシャンプラ。正方形の区画が特徴

⤴モデルニスモ建築の最高傑作といわれる、カタルーニャ音楽堂。華麗な装飾が見事

### モデルニスモが開花する

### 名建築が新しい街に出現

　カタルーニャ版「アール・ヌーヴォー」とも称されるカタルーニャ・モデルニスモの芸術運動は、産業革命によって豊かになったバルセロナを中心とするカタルーニャが、かつての栄光を取り戻す動きといえるものだった。なかでも建築物はそのシンボル的存在となり、拡張されつつあったバルセロナの街を舞台に、数々の建築家たちが腕をふるった。その代表作がガウディが設計した「サグラダ・ファミリア聖堂（→P.23）」や「グエル公園（→P.30）」「カサ・バトリョ（→P.33）」など。バルセロナ出身の建築家モンタネールの美しい「カタルーニャ音楽堂（→P.38）」や「サン・パウ病院（→P.40）」、カダファルク設計の「カサ・アマトリェール（→P.41）」も見逃せないモデルニスモの建築だ。

　モデルニスモ運動は、スペイン中央政府に対するカタルーニャのアイデンティティを明確化する思想的な意図を内包していたことも見逃せない。この時期、カタルーニャ語による文芸の復興など民族主義的運動が盛んに、自治・独立を求める声も高くなった。

## スペイン内戦から独立運動へ

### フランコの死と自治州

　1936年に始まった人民戦線政府とフランコ将軍が率いる反乱軍とのスペイン内戦で、バルセロナはフランコに抗する勢力の一大拠点となった。内戦終結後、フランコ体制の下でカタルーニャは言葉をはじめ、音楽や祭礼にいたるまで厳しく弾圧された。1960～70年代になると経済は急速に回復し、フランコ死去後、1979年にカタルーニャ自治州が誕生。1992年にはバルセロナで夏季オリンピックが開催され、世界的な都市になった。現在、カタルーニャの最大の問題はスペインからの独立運動で、今後の動向が注目されている。

## 世界的芸術家がいっぱい

### 天才も奇才も生み出す

　カタルーニャは多くの世界的芸術家のゆかりの土地で、現代絵画の大家ピカソ、ミロ、ダリの3人がその筆頭に挙げられる（→P.47）。バルセロナ生まれの現代芸術家アントニ・タピエスは、カタルーニャの風土を感じさせる作品が国際的な名声を博している。20世紀を代表するチェリストであり、指揮者・作曲家でもあったパウ（パブロ）・カザルスは、カタルーニャに生まれ、バルセロナでチェロを学んだ。スペイン内戦時、フランコに反対しプエルトリコに移住、スペインには二度と戻らなかった。3大テノール歌手のひとりとして世界的に人気のホセ・カレーラスもバルセロナの出身だ。

| | 1400 | 1500 | 1600 | 1700 | 1800 | 1900 | 2000 |
|---|---|---|---|---|---|---|---|
| | | スペイン王国 | | | ブルボン朝 | | |
| | | 1492 レコンキスタ完了／1479 フェルナンド2世がアラゴン王に | 1640 カタルーニャ反乱 | 1701 スペイン継承戦争／1716 カタルーニャ、自治権喪失 | 1793 ピレネー戦争／1808 第一次カルリスタ戦争／1833 第二次カルリスタ戦争／1846 第三次カルリスタ戦争／1820 バルセロナでクーデター起こる | 1898 アメリカ=スペイン戦争／1923 軍事独裁（～30）／1931 スペイン革命（共和制に）／1936 フランコ、国家主席に／1936 スペイン内戦（～39）／1975 フランコ死去 | 1978 新憲法制定／1979 カタルーニャ自治州発足／1992 バルセロナ・オリンピック |
| | 室町幕府 | 織田信長入京／豊臣秀吉関白／江戸幕府 | 生類憐みの令 | 享保の改革 | 寛政の改革／天保の改革／日米和親条約／明治維新／日清戦争／日露戦争 | 関東大震災 | |

### ◆ ショッピング

### ◆ ホテル

### ◆ 近郊の街

# STAFF

**● 編集制作 Editors**
K&Bパブリッシャーズ K&B Publishers

**● 取材・執筆 Writers**
マイアットかおり　Kaori Myatt
浅田真代　Masayo Asada
遠藤優子　Yuko Endo
重松久美子　Kumiko Shigematsu
西連寺くらら　Kurara Sairenji
成沢拓司　Takuji Narisawa
立岡美佐子　Misako Tateoka
嶋嵜圭子　Keiko Shimazaki
堀井美智子　Michiko Horii
伊藤麻衣子　Maiko Ito
内野究　Kiwamu Uchino

**● 撮影 Photographers**
フィルマ・ティー・プロダクション　Filma-T Produccions
ジョアン・フィグエラス・ベロ　Joan Figueras Bello
ライア・ヴァリエンテ　Laia Valiente
アナ・モラデル・カサデモント　Anna Moradell Casademont

**● コーディネート Coordinator**
Word Connection JAPAN

**● カバー・本文デザイン Design**
山田尚志 Hisashi Yamada

**● 地図制作 Maps**
トラベラ・ドットネット TRAVELA.NET

**● 表紙写真 Cover Photo**
iStock.com

**● 写真協力 Photographs**
FC Barcelona
（Cristina González, Miguel Ruiz, Santiago Garcés, Victor Salgado）
123RF
iStock.com
PIXTA

**● 総合プロデューサー Total Producer**
河村季里 Kiri Kawamura

**● TAC出版担当 Producer**
君塚太 Futoshi Kimizuka

**● エグゼクティヴ・プロデューサー Executive Producer**
猪野樹 Tatsuki Ino

## おとな旅プレミアム
## バルセロナ

2024年12月7日　初版　第1刷発行

| | |
| --- | --- |
| 著　　　者 | TAC出版編集部 |
| 発　行　者 | 多田敏男 |
| 発　行　所 | TAC株式会社 出版事業部<br>（TAC出版） |
| | 〒101-8383 東京都千代田区神田三崎町3-2-18<br>電話 03（5276）9492（営業）<br>FAX 03（5276）9674<br>https://shuppan.tac-school.co.jp |
| 印　　　刷 | 株式会社 光邦 |
| 製　　　本 | 東京美術紙工協業組合 |

©TAC 2024　Printed in Japan　　　　　ISBN978-4-300-11281-6
N.D.C.293　　　　　　　　　　落丁・乱丁本はお取り替えいたします。